$6

Occupe-toi d'Amélie

Collection dirigée par Michel Simonin

GEORGES FEYDEAU

Occupe-toi d'Amélie
Pièce en trois actes
et quatre tableaux
Théâtre des Nouveautés (1908)

PRÉFACE ET NOTES DE HENRY GIDEL

LE LIVRE DE POCHE
classique

Henry Gidel, agrégé de l'Université, docteur ès lettres, est historien du théâtre. Il a publié, entre autres ouvrages, *La Dramaturgie de Feydeau* (Champion, 1978), *Le Théâtre de Feydeau* (Klincksieck, 1979), *Le Vaudeville* (P.U.F., 1986), le *Théâtre complet de Feydeau* (Bordas-Dunod, « Les Classiques Garnier », 4 vol., 1988-1989), le *Théâtre de Labiche* (Bordas-Dunod, « Les Classiques Garnier », 3 vol., 1991-1992), et *Feydeau*, (collection « Les grandes biographies ») aux éditions Flammarion (1991). Il prépare actuellement une biographie de Guitry (à paraître en 1995).

PRÉFACE

Le vaudeville et Feydeau jusqu'à la conception d'*Occupe-toi d'Amélie*

Rappelons pour mémoire que le vaudeville était à l'origine, au début du XVIIIᵉ siècle, une pièce comportant des couplets chantés sur des airs connus, couplets appelés vaudevilles [1]. Un grand nombre de pièces de Scribe et de Labiche répondent à cette définition. Dans les années 1870, sévèrement concurrencé par l'opérette, le genre perd ses couplets. Dès lors, et malgré la signification initiale du terme, on appellera et on continuera à appeler vaudeville toute comédie gaie dépourvue de prétention littéraire, psychologique ou philosophique, et dont le comique est principalement fondé sur la situation des personnages.

En 1882, quand Georges Feydeau, alors âgé de 20 ans, aborde la scène, le vaudeville, mal remis de la perte de ses couplets, subit une crise grave qui se traduit par la désaffection du public pour un genre

---

1. Sur ce point, voir notre ouvrage *Le Vaudeville*, collection « Que sais-je ? », Paris, P.U.F., 1986.

qui semble avoir fait son temps. Mais Feydeau, après quelques hésitations, comprend assez vite que le salut de ce type de pièces ne pourra venir que d'une conception nouvelle de leur construction. En effet, après la disparition des chansons, nombre d'auteurs se contentaient d'une intrigue molle et inconsistante, ne faisant que relier d'une trame trop légère une suite de « sketches » autonomes. Cette méthode pouvait suffire lorsque la musique et le chant animaient le spectacle, mais se révélait désastreuse lorsqu'ils ne masquaient plus la médiocrité de la dramaturgie. L'action des vaudevilles finissait par ressembler à celle des livrets d'opérette...

Feydeau s'inspire alors d'un des rares auteurs, Alfred Hennequin [1], qui savaient construire avec une rigueur mathématique la charpente de leurs pièces. « Tout s'y tient admirablement, observait le critique Francisque Sarcey, le spécialiste du vaudeville, [...] chacune des pièces de la mécanique est ajustée avec l'art le plus rigoureux : détraquez-en une, tout l'édifice dégringole, tant l'équilibre a été savamment combiné. » En fait, Hennequin réalisait l'idéal de la « pièce bien faite » cher à Eugène Scribe, dont Feydeau se trouve ainsi l'héritier.

L'auteur rencontre une autre source d'inspiration dans l'œuvre de Labiche : il apprécie la vivacité de ses dialogues et la vérité criante de ses personnages. Il s'efforcera de l'égaler, il y parviendra en étudiant ses pièces de près et même en les jouant personnellement à plusieurs reprises au cours de séances organisées par le Cercle des Castagnettes, un club de jeunes gens passionnés de théâtre [2].

Ce que Feydeau, en revanche, ne doit qu'à lui-

1. Cet ingénieur des chemins de fer, né à Liège en 1842, avait abandonné sa profession pour la scène, où il avait connu de brillantes réussites comme *Le Procès Vauradieux* (1875), *Les Dominos roses* (1876), *Niniche* (1878) ou *Lili* (1880).
2. Voir à ce sujet notre *Feydeau* (biographie) publié chez Flammarion en 1991.

même, c'est le mouvement qui dans ses meilleures œuvres emporte l'action, cette sorte de folie tourbillonnante qui entraîne les personnages tout au long des scènes de la pièce.

Tels sont les traits qui caractérisent les vaudevilles de l'auteur depuis *Tailleur pour dames* en 1886, mais surtout à partir de son triple succès de 1892 : celui de *Monsieur chasse*, de *Champignol malgré lui* et du *Système Ribadier*. C'est ensuite, en 1894, *Un fil à la patte* et *L'Hôtel du Libre-Échange*, en 1896, *Le Dindon* et, en 1899, *La Dame de chez Maxim*, son triomphe, qui va drainer vers le Théâtre des Nouveautés un nombre de spectateurs qui avoisine le million. Les foules de visiteurs qui se pressent à l'exposition de 1900 tiennent absolument à ne pas repartir sans avoir vu la Tour Eiffel et la fameuse *Dame*, qui sera jouée jusqu'aux États-Unis.

Genèse et création de la pièce

Quand débute l'année 1908, Feydeau a 45 ans. Sa dernière pièce, *La Puce à l'oreille*, créée au Théâtre des Nouveautés dix mois auparavant, le 2 mars 1907, a reçu un excellent accueil mais la mort soudaine de Torin, l'un des interprètes les plus aimés du public, contraint Micheau, le directeur du théâtre, à interrompre les représentations pour quelques jours afin de former un remplaçant. Or la disparition de Torin avait mis comme un nuage sur la pièce. Le public revient, certes, mais beaucoup moins nombreux et *La Puce à l'oreille* quitte l'affiche en mai, n'ayant obtenu que quatre-vingt-six représentations. Voici donc Feydeau amené à écrire rapidement une nouvelle pièce. Il ne peut se permettre de prendre le moindre repos car le train de vie qu'il mène, ses goûts exigeants de collectionneur de peintures, sa passion du jeu, sont autant de gouffres financiers... Nous ne savons pas exactement quand Feydeau imagina le sujet d'*Occupe-toi d'Amélie*, et pas davantage quand il commença à l'écrire. Mais nous sommes à peu près certains qu'il s'inspira d'une comédie en deux actes de Maurice Desvallières, son ancien collaborateur, intitulée *Prête-moi ta femme*, qui avait été créée, en 1883, au Palais-Royal. Dans cette pièce, le protagoniste, Gontran, risquait de se voir privé de la pension que lui versait un oncle s'il persistait à garder le célibat. Il lui écrivait donc qu'il s'était marié, ce qui était un pur mensonge. Or l'arrivée imminente de l'oncle en question contraignait Gontran à demander à son ami Rissolin de lui « prêter » — en tout bien tout honneur — sa propre femme pour quarante-huit heures. On n'aura pas de peine à reconnaître les points de ressemblance que présentent les deux pièces : à l'instar de Rissolin qui prêtait son épouse à Gontran, Étienne confie sa maîtresse à Marcel. Il s'agit dans les deux cas de mystifier un personnage en vue de toucher une importante somme d'argent : ici une rente, là un héritage... Il faut dire toutefois que ce type de situations était fréquemment exploité chez les auteurs de l'époque : ainsi, Émile Zola qui, en 1878, avait donné au Palais-Royal un vaudeville, *Le Bouton de rose*, faisait dire à l'un de ses personnages : « Je te confie ma femme, tu me la rendras intacte, intacte, tu m'entends ! » On devine que cette naïve recommandation, ici comme dans la pièce de Desvallières, était peu appliquée, ce qui n'était pas sans causer quelques problèmes.

Pour Feydeau, ces éléments ne constituaient en fait qu'un simple point de départ : dans sa pièce, ce n'est plus une épouse que l'on prête, mais une « cocotte », ce qui donne lieu à des développements plus riches. D'autre part le mariage d'Amélie, l'intervention du prince de Palestrie qui la convoite sauvagement, les nombreuses péripéties qui découlent de cette situation, tout cela a été imaginé par Feydeau.

Écrire la pièce ne lui apportera guère de joies. Il est loin, le temps où, pensionnaire au lycée Saint-

Louis, il éprouvait une sorte de ravissement à écrire pour le théâtre. C'était à cette époque goûter le fruit défendu, alors qu'il ne s'agit plus maintenant pour lui que d'exercer une profession dont il vit. D'ailleurs il est un peu las du vaudeville et a déjà décidé de se tourner vers un tout autre genre dramatique : la farce conjugale. Il en donnera le prototype quelques mois plus tard, en novembre 1908, avec *Feu la Mère de Madame*, peinture sans concession d'un couple qui se déchire : le sien...

Sa légendaire paresse, reprenant le dessus, va donner des sueurs froides à Micheau, le directeur des Nouveautés : alors que l'on répète depuis plusieurs semaines les deux premiers actes d'*Occupe-toi d'Amélie*, Feydeau n'a pas encore écrit une ligne du troisième. Micheau s'impatiente : « Fais-moi confiance, lui dit l'auteur. Rappelle-toi, c'est comme ça que j'ai déjà procédé pour *La Dame de chez Maxim* ; est-ce que tu as eu à t'en repentir ? »

Cependant, alors que la pièce doit être créée en mars, on n'a toujours pas le troisième acte au début de février. À Micheau affolé, Feydeau, confus, propose de l'apporter « dans quelques jours ».

— D'accord, réplique le directeur, impitoyable, mais je passerai demain à onze heures, pour voir ce que tu as déjà fait.

— Si tu veux, murmure l'auteur qui, pris au piège, parvient cependant à rester impassible.

Mis au courant, les amis de Feydeau décident de venir à son secours : le soir, il rencontre au Café Napolitain [1], son établissement préféré, Sacha Guitry, le comédien Baron, le journaliste Michel Georges-Michel et le fidèle Marcel Simon qui est d'ailleurs chargé d'un des deux principaux rôles masculins de la pièce. La petite bande décide d'aller

---

1. Le café littéraire le plus célèbre de la Belle Époque, situé boulevard des Capucines à l'emplacement de l'actuel restaurant Hippopotamus.

souper chez Maxim's. Elle fait ensuite quelques haltes dans les diverses brasseries des boulevards. Profitant d'une absence momentanée de l'auteur, Marcel Simon, qui commence à s'inquiéter pour la pièce, demande à Georges-Michel :

— Aide-moi à mettre Feydeau dans une atmosphère de travail ! Il faut qu'il l'écrive, ce fichu troisième acte !

Il est deux heures du matin... Il est temps d'agir. Simon et Georges-Michel (les autres amis sont allés se coucher) interrogent alors l'auteur sur ses méthodes de travail. Il s'exécute avec bonne grâce... puis ils aiguillent la conversation sur *Occupe-toi d'Amélie*... Le fruit est mûr. On hèle un fiacre. On arrive de très bonne heure chez l'auteur. L'aube commence à poindre. Mais laissons la parole à Georges-Michel :

« "Asseyez-vous là, nous dit Feydeau en nous donnant du papier et des porte-plume. Je vais vous jouer la scène de la mairie et de l'homme à la loupe."

« Feydeau, d'abord, se promena dans son cabinet. Tout à coup, son œil morne se fit rieur, tout à coup l'homme lui-même changea : Feydeau devint le maire, puis le marié, puis le garçon d'honneur, mimant, parlant. Nous, écrivant.

« J'avais déjà vu Sardou jouant tous les rôles d'une de ses pièces. Mais alors celle-ci était écrite et l'auteur ne faisait que "répéter", faire répéter. Cette fois, j'ai vu Feydeau véritablement créer son œuvre, tous ses personnages, les uns après les autres, converser, gesticuler, rire, changer de place et de voix selon qu'il était l'huissier, la mariée ou la petite fille.

« "Non, ce n'est pas cela, je recommence... Les fiancés sont ici... L'homme à la loupe est là. Le maire le voit, est hypnotisé par lui. Que dit-il ? Que répond l'homme ?... Que font les autres durant ce temps ?..."

« Nous écrivions, nous écrivions, nous raturions, car Feydeau n'avait pas construit son acte dans sa tête, mais l'improvisait. »

N'importe. À onze heures, quand Micheau arrive en s'exclamant :

— Déjà levé ?

— Je vais te lire le trois, lui dit Feydeau.

— Bon ! S'il était prêt, grommelle le directeur, bourru, pourquoi ne me l'as-tu pas donné plus tôt ?...

Et c'est ainsi que, quelques jours plus tard, le 15 mars 1908, peut avoir lieu la première représentation de la pièce. L'accueil du public et de la critique est triomphal ! Stoullig écrit : « Ah ! l'inénarrable farce, la cousine germaine de *La Dame de chez Maxim* et destinée, comme elle, à drainer aux Nouveautés des légions de spectateurs hantés de l'envie de rire à gorge déployée, ainsi que nous l'avons fait nous-mêmes, sans crainte et sans vergogne. » Et dans *Comoedia*, Jean Richepin — il est vrai qu'il est poète — devient lyrique pour célébrer le génie de Feydeau : « Je suis pétrifié d'admiration devant le mathématicien, l'horloger, l'ingénieur, le Vaucanson, le Blaise Pascal, l'Edison, le thaumaturge, le démiurge qui invente, rêve, combine, construit, remonte, fait marcher imperturbablement et impeccablement une machine aussi compliquée, aussi miraculeuse, aussi parfaite, sans que rate un seul effet, sans que s'affole un seul rouage, sans que pète un seul ressort, sans que pète en éclats son cerveau lui-même, sautant comme une marmite close et bourrée de tous les explosifs du rire. »

Les seules petites réserves qui sont faites — elles nous font sourire aujourd'hui — concernent « l'immoralité » de l'intrigue, qu'Adolphe Brisson, par exemple, juge « effroyablement licencieuse », et certaines plaisanteries « trop pimentées », à en croire le bon Faguet. Encore tous ces juges sévères s'avouent-ils « désarmés » par le rire. L'ensemble des critiques reconnaît bien volontiers que l'auteur est, depuis nombre d'années, le maître incontesté du vaudeville, étant bien entendu qu'à leurs yeux il ne s'agit là que d'un genre subalterne.

Faut-il dire que l'interprétation sert parfaitement les qualités de la pièce ? Feydeau a repris encore une fois Germain, qui campe ici un savoureux sergent de ville à la retraite, père d'une « cocotte ». Marcel Simon, le fidèle ami de Georges, grand, maigre, sec, joue Marcel Courbois, l'homme qui doit s'« occuper d'Amélie » — on ne s'en occupe que trop. Mais celle qui mène le mouvement, qui est la joie même, qui met de la lumière dans tous les actes, avec le visage pétri de sourires, c'est la blonde et pulpeuse Armande Cassive : elle vient de retrouver le succès qu'elle avait obtenu en 1899 lorsqu'elle interprétait la Môme Crevette.

Les critiques ne s'étaient pas trompés en prédisant à la pièce une longue carrière : elle sera jouée deux cent vingt-huit fois, jusqu'aux premiers jours de janvier 1909. Feydeau n'a pas connu pareil triomphe depuis *La Dame de chez Maxim*.

Analyse de la pièce

Acte I. Nous sommes chez une cocotte, Amélie Pochet, dite Amélie d'Avranches, fille d'un gardien de la paix et sœur d'Adonis, un jeune homme qu'elle emploie comme groom. La comtesse Irène de Prémilly vient prier Amélie de ne pas lui prendre son amant, Marcel Courbois, dont elle s'imagine qu'il va épouser la cocotte. Mais il s'agit d'un quiproquo qui ne tarde pas à se dissiper : en fait, le père de Marcel Courbois lui a légué en mourant douze cent mille francs mais il les a confiés au parrain du jeune homme, Van Putzeboum, à charge de ne les lui remettre que le jour où il se marierait. Impatient d'hériter, Marcel a écrit à son parrain qu'il s'apprêtait à épouser une jeune fille de la meilleure société, une certaine Amélie d'Avranches... ce qui est évidemment faux. Mais ce stratagème fonctionnera d'autant plus sûrement que Van Putzeboum, qui doit partir pour les États-Unis, ne pourra assister à ce mariage fictif, pour lequel Marcel s'est assuré la complicité de la cocotte. Amélie, en fait, est la maîtresse d'Étienne de Milledieu, le meilleur ami de Marcel.

Après la visite de madame de Prémilly, voici celle du général Koschnadieff, aide de camp du prince de Palestrie. Son maître, qui convoite Amélie, l'a chargé d'organiser un rendez-vous avec la jeune femme, ce qu'elle accepte. Mais là-dessus se présente inopinément Van Putzeboum, venu faire la connaissance de la fiancée. Quant à Étienne, convoqué pour une période militaire, il confie Amélie à son ami Marcel : « Occupe-toi d'Amélie ! » lui dit-il avant de partir.

Acte II. La scène représente la chambre de Marcel, quelques jours après. Il est passé midi. Lorsque le jeune homme s'éveille, stupéfait, il découvre à ses côtés... Amélie. Petit à petit, tous deux se rappellent avoir dîné, fait le tour des boîtes de nuit de Montmartre, et bu plus que de raison. Mais ils sont incapables de se souvenir s'ils ont trahi ou non la confiance d'Étienne. Sur ces entrefaites surgit Irène qui prétend passer la journée avec son amant. Amélie n'a que le temps de se dissimuler sous le lit où madame de Prémilly prétend se coucher. La cocotte réussit cependant à quitter sa cachette par la salle de bains, dissimulée sous un couvre-pied qui, grâce à un ingénieux système, revient tout seul à sa place, provoquant la terreur du couple. Peu après, Amélie reparaît, déguisée en gnome monstrueux. Effarée, la comtesse s'enfuit.

Se présente alors Van Putzeboum qui, ahuri, surprend la pseudo-fiancée dans le lit de son filleul. Il annonce triomphalement à Marcel consterné qu'il a différé son voyage pour pouvoir assister au mariage. Par suite d'un malentendu survient le Prince : il prend Marcel pour un « logeur » qui loue son appartement à la journée à des couples soucieux de discrétion. Il s'apprête à passer un moment avec Amélie, lorsque réapparaissent Van Putzeboum puis Étienne, revenu prématurément de sa caserne : le parrain, trop bavard, lui apprend en riant qu'il a trouvé les « fiancés » au lit... Fureur d'Étienne qui, dissimulant sa colère, décide de se venger : il propose à Marcel, sous prétexte de l'aider, de lui organiser un faux mariage grâce au concours de Toto Béjard, un ami, un farceur d'une remarquable adresse, qui interprétera parfaitement le rôle du maire.

Acte III. Premier tableau. La salle des mariages à la mairie. Tous les fêtards, amis d'Amélie et de Marcel, assistent à la cérémonie, ainsi que Pochet, l'aide de camp du Prince et Van Putzeboum. Le maire, en fait, n'est pas l'imaginaire Toto Béjard, mais un authentique magistrat municipal : il s'étonne de l'étrange attitude des invités qui ne cachent pas leur admiration pour ses dons de comédien. Après les traditionnelles félicitations des invités, Étienne resté seul avec Marcel, savourant sa vengeance, lui révèle la vérité, le laissant en proie au désespoir.

Deuxième tableau. La chambre d'Amélie, que le Prince — déjà en petite tenue — attend avec impatience. Lorsqu'elle arrive, survient Marcel qui lui apprend leur mariage : elle saute de joie tandis que son mari clame son intention de divorcer immédiatement. Résolument, il jette par la fenêtre les vêtements du Prince, l'enferme avec Amélie, et revient avec un commissaire de manière à obtenir un constat d'adultère. Mais dès qu'il apprend l'identité du coupable, redoutant l'incident diplomatique, le fonctionnaire se refuse à dresser procès-verbal.

Étienne se présente alors pour narguer sa victime. Marcel, qui a vu jouer *Un fil à la patte*, le contraint, en le menaçant d'un revolver, à donner ses vêtements au Prince, qui peut ainsi quitter les lieux. Mais lorsque le commissaire, venu rapporter les effets de l'Altesse, se présente, Marcel obtient cette fois le constat souhaité. Son divorce est désormais possible. Van Putzeboum apporte le chèque. En possession de sa fortune, l'heureux héritier recommande ironiquement à Étienne : « Occupe-toi d'Amélie. »

Dramaturgie

I. *Les structures de l'action*

L'action d'*Occupe-toi d'Amélie* se développe autour de deux axes ou fils principaux si étroitement liés qu'elle n'aurait plus de sens si on l'amputait de l'un ou l'autre d'entre eux. Ce sont ces fils que le public va suivre jusqu'à la fin de la pièce, se plaçant dans la perspective des deux principaux personnages masculins.

1. Marcel Courbois cherche à toucher les douze cent mille francs de son héritage — confiés en fidéicommis à son parrain Van Putzeboum — sans remplir la condition essentielle imposée par son père : être marié. Ce fil, qui a son point de départ à l'acte I, scène 8, ne se termine qu'à la dernière scène de la pièce.

2. Un autre fil, tout aussi important que le premier, lui est rattaché : Marcel Courbois a, pour toucher son héritage, imaginé un faux mariage avec Amélie, une cocotte, maîtresse de son ami Étienne. Comme ce dernier doit effectuer une période militaire, il saisit l'occasion de demander à Marcel de « s'occuper d'Amélie » en son absence. Marcel ayant apparemment profité de la situation pour coucher avec la jeune femme, Étienne n'aura plus qu'une pensée : se venger de son ami. Une fois cette vengeance assouvie, la victime n'aura d'autre souci que de se tirer de la situation ainsi créée. Ce fil se terminera comme le précédent à la dernière scène de la pièce.

Ce sont ces deux fils très intriqués qui constituent la substance même de l'action.

Se branchent sur cette action principale deux fils secondaires :

1. Le goût du prince de Palestrie pour Amélie. Il n'est pas seulement l'occasion d'introduire dans la pièce un personnage pittoresque. Il intervient dans le déroulement de l'intrigue, notamment en permettant à Marcel de divorcer d'Amélie. Ce fil, commencé à la scène 10 du premier acte, se termine à la scène 6 du second tableau de l'acte III.

2. La liaison d'Irène de Prémilly avec Marcel ne permet pas seulement à l'auteur d'organiser une piquante rencontre entre la Comtesse et son ancienne femme de chambre, ou la scène de la « couverture qui marche ». Elle facilite l'exposition en donnant à Feydeau l'occasion d'expliquer le subterfuge imaginé par Marcel pour duper son parrain, ce qui est essentiel pour la suite de l'intrigue.

II. *Le mouvement et ses ressorts*

On sait que le mouvement est un élément indispensable de la comédie et en particulier du vaudeville. Marcel Achard distinguait en lui le véritable « secret de Feydeau », lequel en était d'ailleurs parfaitement conscient puisqu'il y voyait « la condition essentielle du théâtre et par suite (...) le principal du don du dramaturge ». Les témoignages de ceux qui ont connu l'auteur nous le montrent obsédé par la crainte de « couper le mouvement ». Nombreuses enfin sont dans ses pièces les indications de mise en scène où nous le voyons soucieux de faire respecter par ses interprètes l'allure et le *tempo* qu'il a expressément prévus pour tel ou tel passage de son œuvre.

Pour que l'action de la pièce intéresse le public, il faut que les héros trouvent sur leur chemin des obstacles successifs qui s'opposent à leurs projets et les placent dans des situations comiques dont ils doivent se sortir. Ces obstacles se manifestent chez Feydeau sous deux formes essentielles : la méprise et la rencontre intempestive.

Les méprises ou les quiproquos [1] peuvent engen-

---

1. Ce terme désigne spécialement une erreur sur la personne.

drer, selon les cas, des incidents accessoires ou des péripéties capitales de l'action. Parmi les méprises de caractère secondaire, mentionnons par exemple celle dont est victime Étienne lorsqu'il surprend Adonis, le groom d'Amélie, sur les genoux de celle-ci : il s'imagine qu'Adonis est l'amant de sa « patronne » alors qu'il n'est que son jeune frère. Elle l'a simplement pris à son service pour lui procurer une place...

En revanche, c'est un quiproquo essentiel de la pièce que celui commis par Van Putzeboum lorsque, victime des mensonges de Marcel, il prend Amélie pour sa fiancée. Or ce quiproquo sera à l'origine de tous les ennuis du héros : c'est à cause de lui que le Belge n'hésitera pas à révéler à Étienne les rapports qu'Amélie entretient avec Marcel. D'où la fureur d'Étienne, d'où sa soif de vengeance, d'où l'inexorable engrenage de méprises et de confusions qui se met en marche ; Marcel va tomber dans le piège tendu par son ami lorsqu'il lui fait croire à un pseudo-mariage avec Amélie, alors qu'il s'agit d'une authentique union. Il ne se tirera de ce mauvais pas qu'en provoquant une ultime méprise : celle qu'il fait commettre au commissaire en obtenant qu'il dresse le constat d'un adultère qui n'en est pas un.

Ainsi les protagonistes d'*Occupe-toi d'Amélie* ne cessent-ils d'évoluer dans un univers truqué, un royaume des fausses apparences qu'ils ne quitteront guère qu'à la fin du dernier acte pour rejoindre le monde réel.

Les rencontres intempestives sont elles-mêmes génératrices de péripéties qui font progresser l'action. Feydeau les multipliait systématiquement : « Quand je fais une pièce, disait-il, je cherche parmi mes personnages quels sont ceux qui ne devraient pas se rencontrer. Et ce sont ceux-là que je mets aussitôt que possible en présence. » Certes, l'auteur n'a pas vraiment inventé ce procédé mais il en fait un usage si constant et il en exploite la valeur comique avec un tel brio qu'il peut en apparaître comme l'authentique créateur. Ces rencontres, comme les méprises, peuvent ne donner lieu qu'à de courts épisodes comiques : c'est le cas par exemple lorsque le Prince, qui convoite Amélie, survient chez elle alors que la jeune femme est en train de se livrer à de galants entretiens avec son amant régulier (I, 19). Mais ces mises en présence inattendues peuvent entraîner des conséquences beaucoup plus importantes pour le déroulement de l'intrigue : ainsi, lorsque, au terme d'une virée nocturne trop arrosée, Marcel découvre dans son lit la jeune femme et, un peu après, lorsque Van Putzeboum surprend le couple au même endroit, ces incidents vont alimenter l'action jusqu'à la fin de la pièce, provoquant la vengeance d'Étienne, le mariage forcé de Marcel et deux flagrants délits d'adultère dont le second constitue le dénouement de la pièce. Mais tous ces événements n'auraient pu avoir lieu sans une autre mise en présence très fâcheuse : celle d'Étienne — revenu prématurément de sa période militaire — et de Van Putzeboum. Encore fallait-il aussi que le parrain fît un quiproquo sur la véritable identité d'Amélie. On discerne ici à quel point méprises et rencontres intempestives sont intimement liées dans la dramaturgie de Feydeau. En fait, on ne peut guère les dissocier qu'artificiellement, pour les besoins de l'analyse.

Ajoutons que ces mises en présence inopportunes sont une des sources de comique sur lesquelles Feydeau compte le plus. La surprise, l'ahurissement qu'elles provoquent chez les personnages se traduisent par les modifications de leur physionomie, leurs gestes de désarroi, les répliques d'urgence par lesquelles ils s'efforcent de sauver la situation : ainsi Amélie surprise dans le lit de Marcel par Van Putzeboum ne trouve rien d'autre à dire que : « Je passais ! » Il est vrai qu'elle sera plus inventive lorsque, pour éviter la rencontre avec Irène de Prémilly, elle imaginera une « couverture qui marche », ou se déguisera en fantôme...

Ces parades par lesquelles les personnages tentent d'échapper à la catastrophe nécessitent, on le voit, l'usage d'un certain nombre d'objets ou d'accessoires. C'était déjà le cas dans *Le Dindon* avec les sonneries à deux tons glissées entre sommier et matelas, dans *La Dame de chez Maxim* avec le fauteuil extatique ou dans *La main passe* avec le gramophone enregistreur. Ici le matériel est plus simple : pour l'apparition du spectre, un masque à mâchoires mobiles, des allumettes-feu d'artifice ; pour la couverture qui marche, une pelote de ficelle et des anneaux fixés dans le couvre-pied ainsi qu'un peignoir de bain ; enfin, un pistolet chargé à blanc pour que Marcel Courbois puisse, rejouant une scène d'*Un fil à la patte*, contraindre Étienne à céder ses vêtements au Prince. Aux yeux de Feydeau, tout ce matériel, loin d'être un élément de caractère secondaire, faisait partie intégrante de la pièce au même titre que son texte même. D'où la très longue et très méticuleuse explication du « truc de la couverture » (fin de l'acte II).

III. *Les personnages*

Une pièce dont le titre est *Occupe-toi d'Amélie* ne laisse guère présager au spectateur qu'il va assister à une comédie de caractères, à une étude particulièrement fouillée de personnages complexes aux motivations subtiles. Le pavillon ne trompe pas sur la nature de la marchandise. Nous nous trouvons devant un vaudeville, nous sommes là pour rire. Les personnages ne peuvent donc être que des types comiques et c'est même à leur ressemblance avec les types comiques les plus traditionnels qu'ils doivent la majeure partie de leur *vis comica* comme le faisait observer Bergson dans *Le Rire*. Le philosophe ajoutait, dans la même perspective, que « pénétrer trop avant dans la personnalité, rattacher l'extérieur à des causes trop intimes serait compromettre et finalement sacrifier ce que l'effet avait de risible ». Donc les personnages doivent, dans une certaine mesure, rester des marionnettes, et en aucun cas n'attirer une identification, voire une sympathie qui arrêterait le rire sur nos lèvres lorsqu'ils sont les victimes des mésaventures dont l'auteur les accable.

Cela dit, Feydeau possédait trop de sens théâtral pour faire de ses personnages de purs fantoches, parfaitement détachés de toute réalité : dans ce cas, il fût tombé dans le travers d'un grand nombre de ses confrères dont les héros, totalement artificiels, n'excitaient pas le moindre intérêt. Il s'arrange donc pour que ses personnages, tout en restant des types comiques classiques, soient pourvus de traits particuliers qui les rendent vivants et vraisemblables. Il le fait très sobrement à l'aide de quelques détails qui semblent croqués sur le vif, et cela dès l'exposition, ou, du moins, au cours des premières scènes. Et c'est seulement une fois cette tâche accomplie qu'il les lance dans l'action.

Il va sans dire que, parmi la trentaine de personnages que comporte la pièce, tous ne sont pas, de la part de Feydeau, l'objet d'une égale attention. Celle-ci dépend d'abord de l'importance de leur rôle au sein de l'intrigue. Dans le cas présent, c'est évidemment Amélie qui est présentée avec le plus de vérité. La « cocotte », version comique de la courtisane des drames de Dumas fils, sœur de la Dame aux Camélias, était un des personnages types du vaudeville de la Belle Époque. Et pour cause : ces « irrégulières », terreur des épouses, des mères et des pères, constituaient un vigoureux ferment d'anarchie, donc l'origine d'une foule de péripéties plaisantes ; c'est avec une exquise inconscience que ces charmantes « impures », comme on disait, décochaient de joyeux coups de pied dans la fourmilière sociale. Mais les confrères de Feydeau n'essayaient même pas de les gratifier d'une ébauche de caractère : un nom de fantaisie, quelques traits élémentaires, toujours les mêmes, gaieté, désinvolture, avidité, ruse, c'était à peu près tout.

Feydeau, au contraire, dès *Un fil à la patte*, en 1894, avait commencé à donner à Lucette Gautier, la chanteuse de caf'conc', une authentique personnalité. Il avait fait mieux encore dans *La Dame de chez Maxim*, avec la Môme Crevette, immortalisée par l'actrice Armande Cassive. Amélie est le troisième et dernier grand rôle de cocotte qu'il crée. Richement entretenue par Étienne de Milledieu, elle était quelques années auparavant, sous le nom d'Amélie Pochet, femme de chambre de la comtesse de Prémilly ; très coquette, adorant les rubans, les colifichets, utilisant les parfums, voire les robes de sa maîtresse, elle est congédiée pour une peccadille. Elle se lance alors, par « ambition », confesse-t-elle, dans la galanterie et adopte le nom d'Amélie d'Avranches, plus prestigieux assurément que celui de Pochet et moins gênant pour son père. Tous ces petits détails accumulés finissent, on le voit, par composer une photographie extrêmement vivante du personnage.

Mais la jeune femme n'est pas ici la représentante isolée d'un monde à part, comme l'était la Môme Crevette dans *La Dame de chez Maxim*. Feydeau nous la fait vivre au milieu de sa famille et de toute une faune pittoresque de bohèmes — ses amis — qui nous permettent de nous faire d'elle une idée plus juste et plus complète. C'était déjà le cas pour Lucette Gautier dans *Un fil à la patte*, mais, cette fois, la peinture du milieu ambiant est plus large, plus riche et plus colorée.

Feydeau a très bien su évoquer chez Amélie l'état d'esprit de l'ancienne bonne dont la situation sociale s'est élevée mais qui n'a pas su vraiment s'adapter à sa nouvelle existence ; elle s'efforce, par exemple, de ne se livrer qu'à des divertissements qui lui paraissent distingués mais qui, au fond, ne correspondent nullement à ses goûts réels. Elle vient

d'acquérir un *gramophone* — il faut être à la page —
et, réunissant ses amis, elle les force à écouter reli-
gieusement Caruso.

Lorsque le hasard amène chez elle son ancienne
patronne, madame de Prémilly, le dialogue qui s'éta-
blit entre les deux personnages est un petit chef-
d'œuvre d'observation amusée : ainsi, lorsque la
Comtesse fait allusion à la difficulté de trouver une
bonne femme de chambre, Amélie, très femme du
monde, s'exclame :

« Ah ! ne m'en parlez pas ! Quelle engeance ! Il n'y
a plus moyen d'être servie ! »

Mais malgré ses touchants efforts, certaines igno-
rances, certaines erreurs viennent plaisamment rappeler les lacunes de son instruction : elle écrit « tailleur » avec un *h* et, au lieu de « l'œuf de Colomb »,
parle de « l'œuf de pigeon ». Elle s'exprime souvent
dans un langage familier, voire argotique, mais sa
syntaxe ne possède pas l'originalité de celle de la
« Dame » ; d'ailleurs elle connaît assez la grammaire
française pour railler malicieusement ceux qui la
maltraitent, comme le général Koschnadieff :

KOSCHNADIEFF. — [...] à côté de tout *qu'est-ce qu'*on
a besoin...

AMÉLIE, *achevant sa phrase*. — Il y a tout ce
*qu'est-ce qu'*on n'a pas besoin !

Bonne camarade, prête à rendre service, elle n'est
ni cupide, ni vraiment désintéressée. Elle sait se
montrer espiègle et se révèle même à l'occasion
bonne comédienne, jouant avec adresse le rôle de la
fiancée de Marcel Courbois. Mais lorsqu'elle s'aperçoit que le mariage pour rire qu'elle a conclu avec
Marcel est rigoureusement authentique, sa nature se
révèle. Son immense soif de respectabilité, de
sécurité, d'affection aussi, est enfin assouvie. Mais
elle n'est pas de celles qu'on épouse et la fin de la
pièce nous la montrera revenue à Étienne, son premier protecteur, situation dont elle prend son parti
avec gaieté. Il faut reconnaître que le personnage

d'Amélie *existe* : moins haut en couleur que celui de la Môme Crevette, il est en revanche plus finement dessiné et plus humain.

En définitive, c'est elle qui est le personnage principal de la pièce : c'est à elle et non pas aux protagonistes masculins que ce vaudeville doit l'allégresse qui l'anime et le mouvement qui l'entraîne.

À côté d'Amélie, la comtesse de Prémilly paraît un peu fade. Elle semble sortir tout droit d'un roman de Paul Bourget, lorsqu'elle confesse à Amélie :

« Vous ne vous figurez pas ce que c'est pour une femme mariée, "le premier amant" ! ce que ça représente de choses exquises ! d'hésitations ! de luttes ! de remords de conscience ! »

Mais comme il faut privilégier un comique plus appuyé, Feydeau n'a garde d'oublier certains aspects du caractère d'Irène : l'extraordinaire naïveté dont elle fait preuve en tentant de persuader Amélie qu'elle effectue une démarche au nom d'une amie alors que visiblement c'est de son propre cas qu'il s'agit. Que d'inconscience par ailleurs lorsqu'elle refuse de donner le nom de la « personne » en fournissant ce prétexte singulier, venant de la part d'une femme qui a un amant : « C'est une femme mariée, vous comprenez ! Et vis-à-vis d'un mari, n'est-ce pas ? On ne doit pas oublier qu'on a des devoirs ! » Autre notation savoureuse : Irène révèle tranquillement qu'elle a coutume d'aller à la messe de onze heures, pour la passer... chez son amant ; comme son auditoire semble surpris, elle se justifie avec un désarmant cynisme :

« Dame ! Vous comprenez : étant marié, on n'est pas libre comme on veut ! »

Aveuglée par sa passion, la Comtesse n'hésite pas à fouiller dans la correspondance de Marcel, oubliant une fois de plus tous les principes d'une bonne éducation qu'elle n'a pas manqué de recevoir.

Humiliée par la démarche qu'elle a dû faire auprès d'Amélie, elle se reprend très vite lorsqu'elle reconnaît en elle son ancienne femme de chambre et sait lui montrer les distances qu'elles doivent conserver entre elles... Ainsi, dès le premier acte, le personnage, désormais bien fixé, existe pleinement.

Les deux protagonistes masculins, Marcel Courbois et Étienne de Milledieu n'ont pas une personnalité aussi accusée. Et c'est aisément compréhensible. Il s'agit essentiellement pour l'auteur de placer les deux amis dans des situations plaisantes sur lesquelles il compte tout spécialement pour déclencher le rire, les autres personnages n'ayant guère pour objet que de les amener le plus souvent possible dans ces situations... Ils sont à l'évidence les dindons tout désignés de cette farce et particulièrement Marcel, la victime principale de ce duo comique.

Tous deux ont d'ailleurs un point commun : leurs mésaventures sont toujours issues des relations qu'ils entretiennent avec les femmes, et de l'irrésistible attrait qu'ils éprouvent pour elles. Étant donné les fonctions qu'ils exercent dans l'intrigue de la pièce : être les marionnettes ridicules manipulées par un destin facétieux, il eût été parfaitement superflu de se livrer à une étude fouillée de leurs caractères...

Marcel Courbois ainsi qu'Étienne de Milledieu correspondent à un type courant du vaudeville de la Belle Époque. Ils n'exercent, semble-t-il, d'autre profession que celle de noceur ou de *viveur*, comme on disait alors. Mais si Étienne dispose de rentes suffisantes pour entretenir une cocotte comme Amélié, il n'en est pas de même pour Marcel qui ne dispose que de revenus relativement modestes pour le genre d'existence qu'il prétend mener. Si sa maîtresse est une femme du monde, et non une cocotte, est-ce parce que la première est plus économique que la seconde ? On ne saurait exclure cette hypothèse... En tout cas, il attend impatiemment l'héritage paternel pour pouvoir profiter pleinement de la vie parisienne : c'est bien pourquoi il n'entend pas enterrer prématurément sa vie de garçon. Toute l'intrigue de la pièce résulte au fond de son appétit de plaisir...

Si Feydeau n'a doté d'une physionomie très particulière ni Marcel ni Étienne, s'ils ne réagissent à ce qui leur advient que de façon relativement banale, il n'en va pas de même pour Pochet. À la création, l'auteur avait confié le rôle à l'acteur Germain, un vieux routier du comique qu'il avait déjà employé dans *Champignol malgré lui*, seize ans auparavant. Tout récemment il lui avait attribué dans *La Puce à l'oreille* le double rôle particulièrement acrobatique de Poche-Chandebise. C'est dire l'importance que Feydeau accordait au personnage de Pochet. Non pas que son rôle soit vraiment essentiel dans l'intrigue — il n'en est qu'un modeste rouage — mais c'est sa personnalité qui est chargée de faire rire. Le père d'Amélie est un sergent de ville en retraite, naïvement fier de ce qu'il considère comme l'ascension sociale d'Amélie, mais aussi un être singulièrement cupide qui compte bien profiter sans vergogne de la profession de sa fille. Il pourrait être tout bonnement odieux et non pas comique, s'il ne régnait chez lui une grandiose inconscience de son immoralité foncière.

Il faut voir avec quelle ardeur il favorise les activités de sa fille lorsqu'elles ont des chances de devenir lucratives :

« Par ici, Altesse ! par ici, mon prince ! »

Cette ardeur se transforme vite en une obséquiosité dont il ne mesure pas toujours les conséquences :

Pochet, *empressé*. — Elle va venir, Sire ! Mais... si je puis la remplacer... ?

Le Prince, *vivement et avec conviction*. — Oh ! non !... Non !

Il considère la visite des clients de sa fille non pas comme un sujet de honte, mais comme un honneur qui doit, s'il s'agit d'hôtes de marque, être célébré par des illuminations et même par une *Marseillaise* dont ils se seraient bien passés. Sans doute, l'ex-gardien de la paix éprouve-t-il la nostalgie de l'époque où il participait au service d'ordre officiel lors de la visite de souverains étrangers...

On appréciera aussi les remarques cyniques de Pochet à propos des fiançailles pour rire de sa fille : elles finiraient par « compromettre Amélie, dit-il. [...] Dame ! si on croit vraiment qu'elle est fiancée, ça décourage ! »

Sa cupidité se trahit par des réflexions cocasses : comme Van Putzeboum, qui a offert un bijou à Amélie, fait fièrement remarquer qu'il s'agit d'un *solitaire*, Pochet observe :

« Ah ! oui !... oui ! Eh bien, tenez ! voilà peut-être son seul défaut ! »

Ses scrupules moraux n'en sont que plus surprenants :

« Obliger ton père à mentir !... [...] Moi ! un ancien assermenté ! »

Ce proxénète de sa propre fille n'hésite pas à se transformer en donneur de leçons de morale et à s'offrir en exemple :

« Jamais, [...] de toute ma carrière — en dehors des jours... où j'étais de nuit — jamais, je n'ai découché. »

Contrairement à Pochet, Van Putzeboum, on l'a vu, détient des fonctions dramaturgiques capitales : c'est par sa faute qu'une pluie de mésaventures tombe sur Marcel, Étienne, Amélie et le prince de Palestrie. C'est lui qu'il faut tromper, c'est lui qu'il ne faut surtout pas rencontrer... C'est moins un personnage qu'un détonateur. Il n'était donc pas nécessaire d'en faire un être complexe ; en fait, il est surtout une silhouette comique, une ganache de vaudeville, comme son nom d'ailleurs le suggère nettement : ce diamantaire d'Anvers au parler pittoresque se veut l'exécuteur testamentaire scrupuleux du père de Marcel. Inutile d'essayer de circonvenir cet homme à l'esprit aussi épais que sa personne et dépourvu de

tout sens de l'humour. Sa jobardise dépasse toutes
les bornes. Malgré les gaffes d'Amélie, malgré les
propos du fleuriste qui dit ne connaître que « la
d'Avranches qu'elle est avec M. de Milledieu », il ne
soupçonne pas un instant qu'Amélie puisse être
autre chose qu'une *chaste jeune fille*, pure *comme de
l'ôr* ! et il s'excuse de prononcer le terme « cocotte »
devant elle ! Malgré tout, lorsqu'il surprend son filleul au lit avec la pure jeune fille, il ne pousse pas
l'innocence jusqu'à croire, comme les coupables
tentent de l'en persuader, qu'ils se contentaient de
dormir paisiblement. En fait, ce qui caractérise le
plus Van Putzeboum, ce sont les gaffes mons-
trueuses qu'il commet. Elles ne sont dues d'ailleurs
qu'à son excès de bonne volonté, ce qui les rend
encore plus plaisantes ; rien ne l'obligeait, par
exemple, à différer son voyage en Amérique pour
pouvoir assister au mariage de son filleul : il ne le
fait que par affection pour lui, mais sa décision est
grosse de conséquences puisqu'elle conduira tout
droit au vrai-faux mariage de Marcel. De même, rien
ne forçait le Belge à révéler à Étienne qu'il était
« assez bien temps » de marier les fiancés. S'il en
donne la raison, c'est par une sympathie bien natu-
relle pour « le meilleur ami de Marcel ». On sait ce
qu'il en adviendra !

Le personnage du prince de Palestrie est lui aussi
un rouage important du mécanisme de la pièce et
pas seulement le prétexte de quelques scènes amu-
santes chez Amélie ou chez Marcel. C'est grâce à lui,
en effet, qu'au second tableau du troisième acte,
Marcel Courbois va pouvoir se séparer de cette Amélie à laquelle Étienne l'a marié malgré lui !

Mais il est bien vrai que sa personnalité est en
elle-même assez haute en couleur pour justifier le
nombre relativement important de scènes où il apparaît. Ce prince est à l'évidence une caricature des
grands-ducs russes, qui défrayaient la chronique par
leurs excentricités et leurs folles dépenses aussi bien

chez Maxim's que dans les cabarets de la capitale
dont ils faisaient la tournée avec une infatigable
allégresse. Le Prince est ici dépeint à gros traits,
charbonné pourrait-on dire, comme un personnage
de farce ; inutile de préciser que les questions poli-
tiques ne l'intéressent pas. Ses distractions à la
cour ? Faire des farces. Des farces quelque peu bar-
bares, d'ailleurs. Un soir, lui et quatre de ses officiers
empoignent Patchikoff, le gros chambellan, et le
plongent dans l'eau glacée d'une baignoire où ils le
maintiennent de force.

« Il était furieux ! Il n'osait rien dire, mais il était
furieux ! Nous avons ri ! Nous avons ri ! (*Changeant
de ton et le plus naturellement du monde.*) Et il est
mort... d'une congestion ! »

Mais la principale préoccupation du Prince, c'est
la conquête des femmes... Encore le terme de
conquête est-il impropre car l'altesse se borne, après
avoir repéré une proie, à lui dépêcher son fidèle
chien de chasse, son aide de camp, le général Koschnadieff qui prépare l'arrivée de son maître et promet
une rétribution plus que confortable. C'est ce que
Koschnadieff, parlant du Prince, appelle « être très
amoureux » !

Inutile de dire que Nicolas de Palestrie se montre
méprisant envers tout le monde, cassant dans son
parler et ses manières. S'il s'efforce d'être galant avec
Amélie, il lui échappe souvent des brutalités de pri-
mitif qui font craquer le mince vernis de civilisation
qu'il s'efforce de faire paraître... Sa sensualité intem-
pérante ne supporte pas les retards qu'imposent parfois les circonstances matérielles ; à l'acte II, en
attendant Amélie, il n'hésite pas à peloter la bonne et
ne se trouve nullement gêné à l'arrivée de la jeune
femme : il ne faisait que s'exercer (« Je pelotais !... en
attendant partie », explique-t-il). Au troisième acte, il
se met en caleçon « pour gagner du temps » et
lorsque, se déshabillant, Amélie se trouve empêtrée
dans sa robe de mariée, « Sortez de là-dedans ! » lui
ordonne-t-il d'une voix bourrue.

Ne tolérant jamais le moindre obstacle à sa volonté, il regrette de ne pas être resté dans son pays où il aurait pu faire « fouetter en place publique » et « envoyer aux galères » toute personne qui lui manque de respect. Hélas, sous le président Fallières, il est peu probable que ses vœux soient exaucés, lui fait observer un de ses interlocuteurs.

Le comique de ce personnage émane visiblement de la distance qui le sépare du milieu social dans lequel Feydeau l'a introduit.

On en dira autant du général Koschnadieff, son aide de camp dont il est inséparable. Il est, on l'a vu, le Lebel de ce Louis XV barbare, le procureur dévoué de ses plaisirs charnels, s'acquittant de ses fonctions avec une brutale efficacité :

« Quelle nuit voulez-vous ? »

Comme Amélie, habituée à plus d'égards, objecte qu'elle n'est pas libre, qu'elle a un ami... Koschnadieff, qui a une vision cynique de l'humanité, propose :

« Et alors... Qu'est-ce qu'il veut ?... Une décoration, peut-être ? Commandeur de notre ordre, est-ce ça ? »

Comme cet argument ne porte guère, il adopte un discours plus subtil :

« Songez qu'il s'agit d'une Altesse Royale !... et tromper son amant avec une Altesse Royale, ce n'est donc déjà positivement plus le tromper. »

Amélie est déjà ébranlée. Koschnadieff le sent : alors il murmure à l'oreille de la jeune femme :

« Le prince est très généreux ! »

Cette fois Amélie est convaincue... mais il est temps de parler chiffres : « Son Altesse a l'habitude, après chaque visite, de donner dix mille francs, précise Koschnadieff. [...] C'est donc une somme de neuf mille francs que j'aurai à vous remettre », car l'aide de camp, s'il est dévoué, n'est pas totalement désintéressé. Pochet, quant à lui, ne perdra rien dans l'affaire : le Général lui propose sans rire, comme à l'amant d'Amélie, une plaque de commandeur de

l'ordre de la Palestrie, pour « services exceptionnels ». Le sérieux et presque la solennité avec lesquels Koschnadieff exerce ses immorales fonctions
achèvent de faire de lui une figure du plus haut
comique.

Les autres personnages ont un rôle beaucoup
moins important mais n'en sont pas moins chargés
de fonctions précises : par exemple, ceux qui font
partie de l'entourage d'Amélie. Ils permettent de
mieux cerner sa personnalité, et tout particulièrement dans l'exposition ; ils sont sommairement mais
nettement dessinés. C'est par exemple le jeune Adonis, le petit frère de la jeune femme, un garçon pas
très intelligent, pas très bien élevé, déjà porté sur la
boisson et qui n'aurait guère de chances de trouver
un emploi si sa sœur ne l'utilisait comme groom,
fonctions dont il s'acquitte avec mauvaise humeur.
On le reverra lors de la cérémonie du mariage, rouge
de honte parce qu'il lui faut conduire aux toilettes
une fillette, demoiselle d'honneur de la mariée. Mentionnons encore Yvonne et Palmyre, qui font partie
de la petite cour d'Amélie : Yvonne a un faible pour
les jeunes gens ; Palmyre est d'une telle ignorance
qu'elle demande à un de ses amis s'il a connu Napoléon Ier. À côté d'elles, voici des *viveurs* sans personnalité bien accusée, uniformes dans le néant de leur
existence de parasite : Bibichon, l'amateur de cigares
qui empeste sans vergogne le salon d'Amélie, royaliste depuis l'établissement de la République, faiseur
de calembours stupides ; Boas, l'amant d'Yvonne, et
Valcreuse, celui de Palmyre... Tous ces types de personnages, Feydeau, noctambule invétéré, les a bien
connus chez Maxim's et dans les cafés, bars et brasseries où il traînait jusqu'à l'aube.

Le premier tableau du troisième acte, consacré au
mariage d'Amélie, amène évidemment de nouveaux
personnages : le maire, bien entendu, que tous les
invités prennent pour l'imaginaire Toto Béjard et qui
a toute la gravité solennelle à laquelle l'invitent ses

fonctions ; Feydeau ne lui a pas donné de nom ; seule le personnalise une disgrâce physique, une loupe énorme qui fait saillie sur son front et que la noce croit postiche, mais parfaitement imitée, par un raffinement auquel Béjard se serait livré pour que sa farce fût encore plus belle. Aux côtés du maire, figurent deux employés municipaux, Mouilletu et Cornette, ainsi que les invités des fiancés, Valéry, Mouchemolle, Gaby... Pâquerette, Gismonda ainsi que les photographes convoqués pour la noce.

L'écriture théâtrale

Une des raisons pour lesquelles le théâtre de Feydeau n'a pratiquement pas vieilli est le parti pris adopté par l'auteur de ne pas soigner le style dans lequel s'expriment les personnages mais de leur faire parler tout au contraire un langage courant, celui que les Français de l'époque employaient quotidiennement entre eux. Il suffit de jeter un coup d'œil sur les pièces d'Henry Bataille ou de Paul Hervieu, par exemple, pour saisir toute la différence qui sépare les deux conceptions du langage théâtral. Feydeau disait d'ailleurs lui-même dans sa *Lettre à Basset* (1905) : « Le seul fait de faire parler ses personnages littérairement suffit à les figer et à les rendre inexistants. » Sa position rejoint tout à fait, sur ce point, celle de Molière, auquel certains critiques de l'époque reprochaient pour cette raison de « mal écrire ». En fait, les deux auteurs, visant avant tout la vraisemblance, faisaient parler à leurs personnages une langue strictement appropriée à leur condition sociale.

Mais pour Feydeau le langage est d'abord un précieux instrument comique. Faute de pouvoir en entreprendre ici une étude exhaustive, nous nous bornerons à en donner quelques exemples.

En premier lieu, les noms mêmes des personnages sont souvent choisis pour déclencher le rire, par exemple celui de Van Putzeboum, avec sa dernière syllabe, onomatopée évoquant la lourdeur gaffeuse du parrain de Marcel. Ou celui de tel des invités de la noce qui répond à l'appellation de Mouchemolle. Plus discrètement drôle est le patronyme de Toto Béjard attribué à l'imaginaire ami d'Étienne. Cette allusion à une célèbre famille de comédiens, si liée dans la mémoire collective au souvenir de Molière, est très bien adaptée à la situation puisque Béjard, aux dires d'Étienne, serait celui qui, dans cette farce, jouera le rôle du maire. Quant au nom que s'est attribué Amélie, « d'Avranches » ou « Pochet d'Avranches », c'est un rappel de l'habitude qu'avaient prise les cocottes, comme Émilienne d'Alençon, de s'anoblir à peu de frais. Il s'agissait ainsi de mieux justifier les exigences financières immodérées auxquelles elles soumettaient leurs protecteurs. Les prénoms ridicules des amies d'Amélie, Gismonda ou Palmyre, relèvent de la même intention.

Parmi les multiples procédés qui ressortissent au comique verbal, il en est un que Feydeau a manifestement privilégié dans cette pièce, c'est l'utilisation du *français écorché*. Notre langue est d'abord malmenée par les personnages d'origine populaire, Amélie, notamment, son frère Adonis aussi et surtout leur père, Pochet. Leur prononciation laisse fortement à désirer. Pochet est le spécialiste des « cuirs » : « Lui as-tu, oui z'ou non, octroyé une calotte la première ? » dit-il sans sourciller à sa fille. Certains mots sont mutilés : « Y monte », dit Adonis. Les étrangers ne sont pas en reste, les Russes, évidemment, mais aussi le Belge Van Putzeboum : il prononce le mot *or* comme *ôr*, *cocotte* comme *côcôtte*, *trésor* comme *trésôr*, *fille* comme *file*, *brillant* comme *brilant*, une *demi-heure* comme une *demi-lyheure*, ou *fils* comme *filske*.

Le vocabulaire, aussi, réserve des surprises : l'argot, ou du moins la langue populaire, viennent heureusement enrichir ou diversifier le dialogue :

« C't'averse ! » dit Pochet pour commenter l'arrivée d'une mauvaise nouvelle ; « qu'il est bath ! » s'exclame Amélie à la vue du diamant que lui offre Van Putzeboum ; « Oh ! nom d'un chien, il y a du linge ! » commente un photographe en remarquant les toilettes élégantes de certains invités de la noce.

Feydeau obtient certains effets comiques en montrant la comtesse de Prémilly incapable de comprendre les mots d'argot qu'utilisent ses interlocuteurs :

MARCEL. — [...] J'en ai assez de la *mouise* où je me débats depuis un an.

IRÈNE, *qui ne comprend pas*. — La *mouise* ?

AMÉLIE. — Oui, c'est-à-dire la *purée*.

IRÈNE, *même jeu*. — La *purée* ?

ÉTIENNE. — La *débine*.

IRÈNE, *même jeu*. — La *débine* ?

POCHET, *très gentiment*. — La *crotte*.

IRÈNE, *répétant machinalement*. — La cr... Oh !

MARCEL. — Je n'ai plus le sou, quoi ! [...] voilà !

Dans des scènes de ce genre, le comique est évidemment d'essence sociologique puisqu'il met en relief la distance qui sépare Amélie, sa famille et ceux qui les fréquentent, des milieux aristocratiques auxquels appartient Irène.

Les impropriétés émaillent fréquemment le langage populaire. Sur ce plan-là, Pochet bat tous les records : il déplore le manque de *tactique* (tact) de son interlocuteur ou réprouve ses *allégations suppositoires*. Il est très *déversé sur les matières de l'honneur* et attend Van Putzeboum *comme l'avenue de Messine*. Chapitrant Amélie, Pochet lui fait remarquer qu'il n'a jamais voulu être pour elle *ni un juge ni un ascenseur*. Quant à Koschnadieff, sa mauvaise connaissance de notre langue lui joue quelques tours et il informe Amélie que Son Altesse *a le pépin* pour elle.

Parfois les étrangers utilisent des mots français dans une acception inconnue de nos compatriotes, ce qui vient égayer les dialogues. Van Putzeboum emploie *perruquier* dans le sens de coiffeur ou *bourgmestre* dans celui de maire, *ruse* dans le sens de sujet de querelle (« ça ferait des *ruses* avec Marcel »), ou encore des mots totalement ignorés du public français comme *broubeller* (bégayer), ou des jurons flamands comme *Godferdom* ou *Godferdeck*, aux sonorités pittoresques.

Naturellement, l'effet maximal est obtenu lorsque les personnages s'expriment dans un langage totalement impénétrable, par exemple dans le jargon pseudo-slave fabriqué de toutes pièces par Feydeau et qu'utilisent Koschnadieff ou le Prince lorsqu'ils se parlent. En pareil cas, l'auteur fournit à ses comédiens la « traduction » des répliques qu'ils ont à dire de manière qu'ils possèdent l'intonation convenable, ainsi dans ce passage de la scène 9 de l'acte II :

Le Prince. — Moïa marowna ! Tetaïeff polna coramaï momalsk scrowno ? (*Avance un peu ! A-t-on trouvé le costume voulu ?*)

Les entorses à la syntaxe constituent aussi d'inépuisables sources de comique : chez Amélie, quand elle ne se surveille pas, chez son frère Adonis et surtout chez leur père Pochet dont les répliques sont émaillées de fautes grossières : « C'est la môme qui s'a fichue par terre », dit le jeune homme ; « C'est celui qu'il a reçu la première gifle qu'il est l'offensé », s'exclame Pochet, ou : « Dis-z'y un mot. »

Chez les étrangers, c'est pis encore : Koschnadieff parle de *tout qu'est-ce qu'on a besoin* ou informe Amélie des fonctions qu'il exerce en ces termes : « En Palestrie, *c'est moi que j'ai l'honneur d'être chargé...* » Van Putzeboum ne lui cède en rien : il ne sait guère manier les relatifs (« Ta fortune, *que je suis dépositaire* »), mais n'est pas plus à l'aise avec les comparatifs (« Elle (l'anisette) est *meilleure comme les autres* »). Certaines fautes sont particulièrement pittoresques : « *Nous te faut dîner ce soir* avec ta fiancée et son père. » Et lorsqu'il surprend Marcel au lit avec sa « fiancée » Amélie, il s'exclame : « Ah ! Godferdeck ! Tu ne l'as pas encore mariée, ta femme, et *tu profites déjà sur* ! »

Une part importante du succès des pièces de Feydeau émane de la fantaisie verbale qui y règne : elle se manifeste, on l'a vu, dans le choix des noms des personnages. Mais on la rencontre sous mille autres formes, ainsi la répétition : la formule qui sert de titre à la pièce y est répétée une première fois par Étienne à Marcel lorsqu'il lui confie sa maîtresse, puis à plusieurs reprises par Marcel et par Amélie, avec consternation — lorsqu'ils s'aperçoivent qu'ils ont trompé la confiance d'Étienne — puis deux fois encore par ce dernier, avec ironie, après qu'il a réussi à se venger en organisant un vrai mariage des coupables. Enfin, au dénouement, toujours ironiquement, mais cette fois par Marcel lorsqu'il est parvenu à renverser la situation, retournant ainsi la formule contre son auteur initial. Amélie elle-même reprend au baisser du rideau, et comme en écho, la fameuse réplique, donnant ainsi le coup de grâce au malheureux Étienne, qui *in fine* se retrouve le dindon intégral de cette farce. Le retour périodique de la formule joue donc un rôle dramaturgique important, rythmant l'évolution de la pièce en en scandant les temps forts.

Autre forme de répétition : certains personnages sont affligés de tics verbaux dont la reprise fréquente engendre un comique d'un infaillible effet. Ces tics peuvent résulter d'une déformation professionnelle ; on l'a vu pour Pochet qui ne peut s'empêcher de s'écrier, chaque fois qu'il aperçoit plus de trois ou quatre personnes rassemblées : « Circulez, mesdames, je vous en prie ! Messieurs, circulez ! » D'autres fois, ce sont de simples manies : Van Putzeboum utilise constamment le terme *filske* lorsqu'il s'adresse à son filleul.

La répétition peut aussi concerner des chiffres dont la reprise engendre un effet à la fois comique et psychologique, ainsi dans ce passage de l'acte premier, scène 8, où Marcel révèle le montant de son héritage — lequel est considérable :

MARCEL, *gagnant jusqu'à l'extrême gauche du canapé*. — Alors, ma foi, je me suis dit : « À la fin, c'est trop bête ! Quand on a à soi douze cent mille francs !... »

ÉTIENNE. — Mais c'est vrai, au fait : tu as douze cent mille francs !...

IRÈNE, *se rapprochant vivement de Marcel*. — Tu as douze cent mille francs ?

AMÉLIE. — Douze cent mille francs !

POCHET, *se précipitant comme attiré par un aimant vers Marcel*. — Vous avez douze cent mille francs !

MARCEL, *le plus simplement du monde*. — J'ai douze cent mille francs.

POCHET, *lui collant une main sur l'estomac, l'autre dans le dos, pour le faire asseoir sur le canapé*. — Oh ! mais asseyez-vous donc !

Ces répétitions de chiffres permettent aussi à Feydeau de bâtir une scène extraordinaire (scène 8 de l'acte II) au cours de laquelle, à la demande du Prince qui le croit « logeur », Marcel doit calculer combien coûterait par jour son appartement, étant donné qu'il le loue 1 800 francs par an. Ce calcul, il l'effectue de tête, bientôt perdu dans un vertigineux maelström de chiffres (70 en 58 répliques). Harcelé par le Prince qui s'impatiente de plus en plus, il aboutit à des chiffres absurdes, se reprend dix fois, compte avec ses doigts, avec ses mains, met dans ses poches des « retenues » imaginaires, trace du pied sur le sol chiffres et signes qu'il efface de sa semelle pour en inscrire d'autres... C'est un véritable festival d'arithmétique verbale et gestuelle d'une irrésistible drôlerie au cours duquel une sorte de délire surréaliste envahit progressivement la scène — le Ionesco de *La Leçon* ne fera pas mieux...

Du vrai-faux au faux-vrai et vice versa

Occupe-toi d'Amélie est le dernier grand vaudeville de Feydeau. Il n'est peut-être pas le mieux construit mais il n'est pas le moins intéressant. C'est probablement dans cette comédie que les jeux du réel et de l'illusion, déjà présents dans les pièces précédentes, occupent la place la plus importante, envahissant la totalité de l'œuvre. Certes, dès les premières productions de l'auteur, on trouvait parfois des personnages que les circonstances contraignaient à jouer la comédie : dans *Tailleur pour dames*, le docteur Moulineaux devait se faire passer pour un couturier et dans *La Dame de chez Maxim*, une cocotte, la Môme Crevette, allait pendant un acte entier faire croire qu'elle était la femme de l'honorable docteur Petypon. C'était assurément une certaine forme de théâtre dans le théâtre. Mais ici Feydeau, renversant ce procédé somme toute classique et opérant une sorte de révolution dramaturgique, fait au contraire passer un personnage réel, le maire d'un arrondissement de Paris, comme le protagoniste d'une farce. Jouant la comédie de l'amitié, Étienne de Milledieu, avide de vengeance, invente de toutes pièces un certain Toto Béjard, censé être un remarquable acteur amateur. C'est grâce à ce personnage mythique qu'il parvient à marier Marcel à son insu, lui présentant comme une blague d'étudiant ce qui est en fait un solide lien conjugal. Le mensonge imaginé par Marcel au début de la pièce — pour toucher son héritage — s'est donc retourné contre son auteur. Pis encore, Amélie elle-même, qui ne faisait jusque-là que se prêter à la supercherie et *jouer* la femme mariée, se sent maintenant une âme d'épouse... Le faux est devenu vrai, écrasant de tout son poids d'authenticité l'infortuné héros.

Pour effacer les fâcheuses conséquences du mauvais tour qu'Étienne lui a joué en lui faisant croire

que son mariage était une farce, c'est par une autre
farce que Marcel riposte. Pour pouvoir divorcer, il
fabrique toutes les apparences d'un adultère dont il
va faire dresser un constat. Et le policier certifiera
que le faux est vrai... exactement comme le maire
avait garanti comme authentique le pseudo-mariage
d'Amélie. Le tout aboutira à une vraie séparation.
Mais pour y parvenir, Marcel a dû avoir recours au
théâtre : il ne se tire du guet-apens tendu par Étienne
qu'en lui jouant une scène extraite d'une pièce de
Feydeau créée quatorze ans plus tôt, *Un fil à la patte*,
nommément désignée. Mais le pistolet qu'il utilise
pour faire déshabiller son adversaire n'est plus, cette
fois, comme il le fait observer, un pistolet-éventail
décroché au magasin des farces et attrapes : il tire
réellement et il endommage le plafond qu'a visé Marcel. Malgré tout il s'agit de balles à blanc et la chute
d'un morceau de plâtre n'est qu'un trucage : l'arme
utilisée est à la fois un vrai-faux pistolet et un faux-
vrai pistolet. *Occupe-toi d'Amélie* n'est en somme
d'un bout à l'autre qu'un match palpitant entre deux
comédiens-metteurs en scène surdoués, ou plutôt
entre deux illusionnistes géniaux.

Feydeau a donc exploité ici avec une prodigieuse
ingéniosité toutes les ressources du théâtre dans le
théâtre, en en inversant au besoin la technique. Il a
inventé une dramaturgie du double fond, voire du
triple fond, organisant des itinéraires subtils entre
illusion, illusion d'illusion et réalité...

Un an après *Occupe-toi d'Amélie*, en 1909, Piran-
dello donnait sa première pièce : troublante coïn-
cidence...

Le destin de la pièce

Du vivant de Feydeau, *Occupe-toi d'Amélie* a été
repris aux Nouveautés en 1911 puis, pendant la
guerre, à la Scala, en 1917. Après la mort de l'auteur,
on rejoue la pièce en 1923, toujours à la Scala, mais
aussi au Nouveau Théâtre de Vaugirard, puis, en

1929, aux Bouffes du Nord, au Théâtre lyrique du XVIe arrondissement et au Théâtre Moncey.

Il faudra attendre près de vingt ans pour qu'*Occupe-toi d'Amélie* soit à nouveau monté, en 1948, très brillamment, d'ailleurs, par la Compagnie Madeleine Renaud-Jean-Louis Barrault, née deux ans plus tôt. Barrault assure la mise en scène, Félix Labisse est chargé des décors et Jean-Denis Malclès des costumes. Le metteur en scène se contente du rôle insignifiant de Mouilletu. C'est Madeleine Renaud qui interprète Amélie ; Jean Desailly, Marcel Courbois ; Jacques Dacqmine, le Prince.

Peut-être cette pièce est-elle alors trop délicatement jouée ? Comme l'observe Robert Kemp, « les camarades de Madeleine Renaud et elle-même, cette adorable virtuose, cette douce perfection, jouent Feydeau comme Marie-Antoinette, Mme de Lamballe et les amis du comte d'Artois jouaient les laitières et les bergers à Trianon. On sent qu'ils s'encanaillent, qu'ils s'amusent de bon cœur à s'encanailler ».

Une autre reprise importante a eu lieu au Théâtre de la Madeleine, en 1969, avec une mise en scène de Jacques Charon, des décors et des costumes d'André Levasseur, les principaux interprètes étant Jacqueline Gauthier (Amélie), Jean-Pierre Cassel (Marcel Courbois), Jean-François Calvé (Étienne), Jacques Sereys (le Prince), Victor Guyau (Van Putzeboum) et Pierre Tornade (Pochet). Cette reprise a été diversement appréciée, certains critiques se montrant enthousiastes, d'autres moins, sans faire preuve pour autant d'une réelle sévérité.

Enfin la pièce, inscrite au répertoire de la Comédie-Française, devrait y être jouée en 1995 avec une mise en scène de Roger Planchon.

Les adaptations cinématographiques

Dès le début de ce siècle, les sociétés de production cinématographique s'étaient aperçues que le public commençait à se lasser des petits films qu'elles lui donnaient en pâture : ce n'était que poursuites échevelées avec nourrices, culs-de-jatte, et gendarmes moustachus, ou d'absurdes mélos. Mais, en 1908, une nouvelle société, *Le Film d'art*, entreprend de solliciter la collaboration d'éminents auteurs français comme Rostand, Sardou, Richepin ou Anatole France pour écrire des scénarios originaux. Feydeau, sollicité, se récuse car il voit dans le septième art un dangereux concurrent pour le théâtre... Cependant, le cinéma, cherchant sans cesse de nouveaux sujets, imagine de porter à l'écran des romans très populaires comme *L'Assommoir* en 1909 ou *Les Misérables* en 1912. On songe aussi à adapter des pièces : en 1913, la société Pathé choisit *Un chapeau de paille d'Italie*, pour lequel elle engage, dans le rôle de Fadinard, Prince Rigadin, une des vedettes de l'époque. C'est en cette même année qu'Émile Chautard (1881-1934), homme de théâtre qui venait de tourner *L'Aiglon*, demande à Feydeau de l'autoriser à adapter *Occupe-toi d'Amélie*. Pressé par de continuels besoins d'argent, l'auteur avait déjà, l'année précédente, accepté ses propositions pour *La Dame de chez Maxim* et *Monsieur chasse*. Il ne voit pas de raison pour refuser, cette fois, le tournage d'*Occupe-toi d'Amélie*.

Après la mort de l'auteur, le réalisateur italien Amleto Palermi (1890-1941), qui a adapté en 1923 *La Dame de chez Maxim*, en fait autant, en 1925, pour *Occupe-toi d'Amélie*. Presque complètement oublié de nos jours, Palermi devait devenir, dans les années trente, l'un des metteurs en scène les plus appréciés dans son pays. Il s'était précisément spécialisé dans les adaptations à l'écran de comédies et de livrets d'opéras.

Quelques années plus tard, en 1932, Richard Weisbach et Marguerite Viel réalisent en France un *Occupe-toi d'Amélie* présenté en « costumes modernes » ; on trouve dans la distribution Aimé Clariond et Jean Weber, choix singulièrement bizarre. La critique est en général sévère pour cette production. Il n'en sera pas de même pour le film réalisé par Claude Autant-Lara en 1949 et unanimement salué comme une grande réussite, due également aux scénaristes Jean Aurenche et Pierre Bost, au décorateur Max Douy et aux acteurs Jean Desailly (Marcel Courbois), Grégoire Aslan (le prince Nicolas de Palestrie), Julien Carette (Pochet), Armontel (le Général) et Danielle Darrieux (Amélie). Cet *Occupe-toi d'Amélie* est un authentique film et non une pièce paresseusement filmée. La critique sociale qui, chez Feydeau, est esquissée apparaît ici de manière plus nette, les auteurs mettant l'accent sur les contradictions du petit monde où évoluent les personnages : l'argent y règne mais on tient absolument à sauvegarder les apparences. Sous l'influence du pirandellisme probablement, les limites qui séparent fiction et réalité sont dans ce film presque effacées : l'action se déroule dans un théâtre et nous pénétrons dans les loges des artistes qui s'apprêtent à jouer la pièce, puis nous revenons aux vrais personnages que la caméra surprend dans leur vie privée.

Occupe-toi d'Amélie

Personnages [1]

Pochet	.... MM.	Germain
Le Prince	....	Decori
Marcel Courbois	....	Marcel Simon
Étienne	....	Baron fils
Van Putzeboum	....	Girier
Koschnadieff	....	Landrin
Adonis	....	Paul Ardot
Bibichon	....	Berthelier
Le Commissaire	....	Bourgeotte
Mouilletu	....	Gaillard
le Maire	....	Grelé
Valcreuse	....	Faure
Boas	....	Lamare
Premier Photographe	....	Mayral
Deuxième Photographe	....	Versy
Valéry	....	Raucourt
Cornette	....	Prosper
Mouchemolle	....	Roux

---

1. La pièce a été représentée pour la première fois, dans cette distribution, le 15 mars 1908, au Théâtre des Nouveautés.

AMÉLIE	Mmes	Armande CASSIVE
IRÈNE		Suzanne CARLIX
CHARLOTTE		Gisèle GRAVIER
YVONNE		J. MORGAN
PALMYRE		OGELLY
VIRGINIE		Jenny ROSE
GABY		GERMAINE
GISMONDA		DORIGNY
PÂQUERETTE		DELAUNAY
LA PETITE FILLE		La petite LEROY

Les mentions (1), (2), (3), etc., que l'on rencontre après les noms de certains personnages, indiquent les places que l'auteur leur assigne par rapport au devant de la scène : plus le chiffre est faible, plus elles en sont proches et inversement.

Les notes appelées par un astérisque sont de Georges Feydeau.

Acte I

CHEZ AMÉLIE POCHET. — LE SALON

*Premier plan, fenêtre à quatre vantaux et formant légère-
ment bow-window. Deuxième plan, un pan de mur. Au
fond, à gauche, face au public, la porte donnant sur le
vestibule. Toujours au fond, occupant le milieu de la
scène, une glace sans tain qui permet de distinguer la pièce
contiguë. On aperçoit, par cette glace, l'envers de la cheminée voisine ainsi que sa garniture. — À droite, en pan
coupé, grande baie sans porte donnant sur un petit salon.
À droite, premier plan, porte donnant dans la chambre
d'Amélie. Au fond, contre la glace sans tain, un piano
demi-queue, le clavier tourné vers la gauche. Sur le piano,
une boîte de cigares, un bougeoir, une boîte d'allumettes ;
ceci sur la partie gauche du piano. Sur la partie droite, un
gramophone et des disques ; dans le cintre du piano, une
petite « table-rognon » ou un petit guéridon. Sur cette
table, un service à liqueurs. Contre le piano, dans la partie
qui est entre le clavier et le cintre, une chaise. Devant le
clavier du piano, une banquette. À droite, au milieu de la
scène, placé de biais, un canapé de taille moyenne. À
gauche, en scène, une table à jeu, avec cartes à jouer,
cendriers, trois verres de liqueurs, une bouteille de chartreuse, une tasse de café. Une chaise au-dessus de la table,*

*face au public ; une chaise de l'autre côté, dos au public, et
une autre chaise à droite de ladite table. Petit meuble
d'appui contre le pan de mur immédiatement après la
fenêtre. Autres meubles, bibelots, tableaux, plantes, objets
d'art ad libitum. Bouton de sonnette électrique au-dessus
du piano, contre le mur, près de la baie.*

Scène première

AMÉLIE, BIBICHON, PALMYRE, YVONNE, VALCREUSE, BOAS, puis ÉTIENNE

*Au lever du rideau, Amélie est debout, près du piano, en
train de faire entendre le gramophone [1] à ses invités. Bibichon, un cigare à la bouche, est assis sur le canapé entre
Palmyre (1) et Yvonne (3). (Palmyre est assise sur le bras
du canapé.) Valcreuse, dos au public, et Boas face au
public, sont assis à la table à jeu, en train de faire une
partie de cartes. Le gramophone est en marche exécutant
un grand air chanté par Caruso [2]. On écoute religieuse-
ment avec des dodelinements de tête extasiés. (Le morceau
chanté par Caruso est l'air d'*Il Trovatore [3], « Di quella
pira... »* enregistré par la Société des gramophones. Mettre
le disque en mouvement, le rideau encore baissé, et ne
lever qu'à la fin de la huitième mesure de chant après la
ritournelle, à « Marse avvampo ».)*

YVONNE, *sur un port de voix à effet de Caruso à la
treizième ou quatorzième mesure.* — Oh ! Épatant !

---

1. Phonographe dans lequel l'ancien cylindre enregistreur avait été remplacé par un disque. C'était une invention récente.
2. Ténor né à Naples (1873-1921).
3. *Le Trouvère*, opéra en 4 actes, musique de Verdi et livret de Salvatore Cammarano (1853).

PALMYRE, *en extase.* — Ah !

AMÉLIE. — Hein ! Croyez-vous !

TOUS, *avec délice.* — Ah !

On écoute.

BIBICHON, *à la dix-septième mesure du morceau.* — Qui est-ce qui gueule comme ça ! C'est Caruso ?

AMÉLIE, *descendant un peu.* — « Qui gueule » ! On t'en donnera des « Qui gueule » !

BIBICHON, *pendant que le disque continue à tourner.* — Enfin, qui chante. C'est une façon de dire ! Dieu sait que je serais mal venu... ! Ah ! le bougre, il a vraiment une voix !

YVONNE, *qui veut écouter.* — Eh ! bien oui, tais-toi !

PALMYRE. — Tais-toi, voyons !

BIBICHON. — Une voix bénie de Dieu !

TOUS. — Chut donc !

BIBICHON. — Oui !

Silence religieux. Les femmes sont au septième ciel. Arrive une note tenue, à gros effet, de Caruso, vers la vingt-neuvième ou trentième mesure ; tout le monde reste comme suspendu aux lèvres du ténor absent. Yeux blancs, airs pâmés, tant que dure la note. Une fois la fameuse note finie, continuant avec Caruso, comme les spectateurs qui se croient obligés de chantonner avec l'artiste à l'Opéra : Ah ! Ah ! Ah ! Ah !

TOUS, *le conspuant.* — Ah ! non !... non, pas toi !

BIBICHON. — Ah ?

YVONNE. — Tu ne l'as pas, toi, la voix bénie de Dieu.

PALMYRE. — Caruso suffit !

BIBICHON. — Bon, bon ! Moi, ce que j'en faisais, c'était pour corser.

YVONNE. — Oui, eh bien, ne corse pas, veux-tu, et laisse-nous écouter.

BIBICHON. — Mais je ne vous empêche pas d'écouter, mes petites.

YVONNE et PALMYRE. — Oui, oui, assez !

TOUS. — Oh !

BIBICHON. — Je chantonnais discrètement, je ne pensais pas que...

TOUS. — Oh ! Oh !

Parler ainsi ad libitum *jusqu'à la fin du morceau.*

YVONNE. — Mais tais-toi donc ! (*N'entendant plus le gramophone. À Amélie.*) Eh ben ?

AMÉLIE, *enlevant le disque et le remplaçant par un autre pendant ce qui suit.* — Mais ça y est, c'est fini !

PALMYRE, *se tournant vers Bibichon.* — Là ! voilà, c'est fini ; et on n'a entendu que Bibichon !

BIBICHON. — Mais en chair et en os au moins !

AMÉLIE. — Ah ! bien, ça n'est pas encore ce qu'il y a de mieux.

VALCREUSE, *à Amélie.* — Tu n'as pas un Delna [1] ?

AMÉLIE. — Non ! mais j'ai le récit de Théramène [2] par Silvain [3].

TOUS, *d'un seul cri.* — Non !

AMÉLIE. — Bon, adjugé !

BIBICHON, *se levant, et tout en gagnant vers le piano (côté du clavier) pour aller chercher un cigare.* — Ah ! c'est tout de même une invention admirable, ce gramophone ! penser que dans cent ans nous pourrons entendre des gens qui ne seront plus depuis des années !

PALMYRE, *riant.* — Oh ! dans cent ans... !

BOAS. — Toi surtout !

BIBICHON, *tout en choisissant un cigare.* — Oui, je serai un peu tapé !

Il met son cigare aux lèvres et prend du feu à la bougie allumée qui est dans le bougeoir sur le piano.

AMÉLIE, *voyant ce jeu de scène.* — Oh ! encore un ! Écoute, Bibichon, c'est pis qu'une cheminée ! On ne respire déjà plus ici.

---

1. Pseudonyme de Marie Ledan, cantatrice française (1875-1932).
2. Théramène y racontait la mort d'Hippolyte dans *Phèdre* (1677) de Racine.
3. Eugène-Charles-Joseph Silvain (1851-1930), sociétaire de la Comédie-Française.

BIBICHON, *tout en allumant son cigare.* — Le dernier ! Le dernier !

Il souffle la bougie.

AMÉLIE. — Tenez ! écoutez ça ! vous allez me dire si vous connaissez ?

TOUS, *curieusement.* — Ah ! qu'est-ce que c'est ? Qu'est-ce que c'est ?

AMÉLIE, *gaiement mystérieuse.* — Ah ! voilà !

BIBICHON, *gagnant la droite au-dessus du canapé.* — Oh ! moi, je me connais ! je ne devinerai pas !

Amélie a mis le disque en mouvement. On entend la musique de la « Marseillaise » par la garde républicaine.

TOUS, *riant et conspuant le disque.* — Oh ! assez !

BIBICHON, *redescendant par l'extrême droite.* — Ah ! non, non pas ça ! Je suis royaliste, moi ! *La Marseillaise,* merci ! c'était bon sous l'Empire !... quand j'étais républicain !

YVONNE. — T'es de l'Empire, toi ?

BIBICHON, *devant Yvonne.* — Oh ! un peu !... très peu !

PALMYRE, *naïvement.* — T'as connu Napoléon Ier ?

BIBICHON. — Ah ! non, mon petit ! non ! c'est pas le même !

En ce disant, il donne une tape amicale sur la joue de Palmyre et gagne le milieu de la scène.

VALCREUSE, *tout en jouant aux cartes.* — Qu'est-ce que tu fais avec nous, alors, si t'es de l'Empire ?

BOAS. — C'est vrai ! Pourquoi n'es-tu pas avec ceux de ta génération ?

BIBICHON, *avec des dandinements de coquetterie.* — Oh ! vous ne voudriez pas !

BOAS. — Pourquoi ?

BIBICHON, *bien traîné.* — Ils sont vieux !

AMÉLIE. — Ah ! bébé, va !

BIBICHON. — Ben, tiens !...

VOIX D'ÉTIENNE, *à la cantonade droite.* — Ah ! Zut alors ! zut !

YVONNE, *à Amélie.* — Ah ! la voix de ton fol amant !

Tous. — Étienne !

À ce moment paraît Étienne sortant de droite. Il est en pantalon d'officier et en manches de chemise (pas de col à la chemise). Il tient sa tunique sur le bras.

Étienne, *passe au-dessus du canapé et descend au milieu de la scène.* — Amélie !... je croîs ! je croîs encore !...

Amélie. — Hein ! En quoi ?

Bibichon. — En Dieu ?

Étienne, *montrant son pantalon trop court de trois ou quatre centimètres.* — Non ! en mon pantalon ! j'ai encore grandi.

On rit.

Amélie. — Ah ! bon !

Étienne. — Tiens, regarde ! au moins cinq centimètres depuis ma dernière période.

Amélie. — Mais, c'est positif !

Bibichon, *blagueur.* — Tu pousses encore, mon chéri ?

Étienne, *montrant son pantalon.* — Mais tenez ! heureusement que j'ai eu l'idée d'essayer !... Si j'étais parti ce soir comme ça pour mes vingt-huit jours [1], ça aurait été chic pour me présenter demain au corps ! (*À Amélie.*) Tu vas me faire rallonger ça, hein ?

Amélie. — Oui ! et tu ferais bien d'essayer aussi la tunique pendant que tu y es.

Étienne. — Tu parles ! (*Sans transition.*) Ah ! ce que ça infecte le vieux cigare, ici !

Il gagne le fond droit et pendant ce qui suit passe sa tunique.

Amélie, *à Bibichon.* — Ah ! je ne suis pas fâchée ! Je vais faire ouvrir la fenêtre.

Elle sonne.

---

1. Période militaire destinée à l'entraînement des réservistes (loi de 1872).

BIBICHON, *vivement, tout en relevant son col-let.* — Ah ! non !... ou alors on passe à côté ; j'ai pas envie d'attraper la mort.

Tout en parlant, il est descendu devant le canapé.

ÉTIENNE. — Douillet !

BIBICHON. — Tiens ! sur la digestion, merci ! et à moins que je ne me colle Palmyre dans le dos et Yvonne sur l'estomac... !

En ce disant, il s'est laissé tomber sur le canapé entre Palmyre, contre qui il colle son dos, en même temps qu'il attire Yvonne sur son estomac.

YVONNE et PALMYRE, *le repoussant.* — Ah ! non, alors !

BOAS, *blagueur, de sa place, tout en jouant aux cartes.* — Oui, eh ! bien, Palmyre, si tu veux ; mais Yvonne, tu peux te fouiller !

BIBICHON, *sans changer de position, et sur un ton modulé.* — Mon petit Boas ! on ne te demande pas l'heure qu'il est.

BOAS, *sur le même ton.* — Désolé, mais c'est ma maîtresse.

BIBICHON, *sur le même ton.* — Mon petit Boas, c'est peut-être ta maîtresse, ce qui n'empêche pas qu'elle est majeure...

YVONNE, *vivement, lui envoyant un violent coup de coude.* — Mais non !

BIBICHON. — Enfin, elle est d'une émancipation telle que ça vaut une majorité ; donc si elle est ta maîtresse, elle l'est aussi de ses actes... (*Sur un ton badin.*) sans compter d'un tas de gens que nous ne connaissons pas.

YVONNE, *moitié riant, moitié fâchée.* — Ah ! mais, dis donc !

BIBICHON, *à Yvonne.* — Chut ! (*À Boas.*) Donc, mon petit Boas, tu n'as pas voix au chapitre.

BOAS, *gaiement, à Valcreuse.* — Il est insupportable !

Scène 2

Les mêmes, ADONIS

ADONIS, *livrée de valet de pied, l'habit croisé à bou-*
tons d'or. — Madame a sonné ?

AMÉLIE, *au fond, avec Étienne.* — Oui ! Ouvrez la
fenêtre ! et puis enlevez ces tasses et ces petits verres
qui traînent !

BIBICHON, *se levant d'un bond et se précipitant sur*
son petit verre laissé à moitié plein sur la table à
jeu. — Eh ! là, pas le mien ! J'ai pas fini. (*Il le vide*
d'un trait, le repose sur la table, puis donnant une
petite tape sur la joue d'Adonis.) Là !... Va-z'y !
Bouffi !

  Adonis va ouvrir la fenêtre pendant ce qui suit, puis
  ramasse les verres qui traînent.

AMÉLIE, *aux invités.* — Allez ! vous y êtes ?

TOUS. — On y est.

  Tout le monde se lève sauf Boas qui achève de ranger les
  cartes. Valcreuse remonte par l'extrême gauche pour aller
  retrouver les autres par le fond.

BIBICHON, *à Boas, toujours assis.* — Tu viens,
Gueuldeb ?

BOAS, *étonné de cette appellation.* — Quoi ?

AMÉLIE. — Comment tu l'appelles ?

BIBICHON, *le plus naturellement du monde.*
— Gueuldeb.

AMÉLIE, *répétant sans comprendre.* — Gueuldeb ?

BIBICHON, *sur le ton de quelqu'un qui résoudrait un*
problème. — Il s'appelle Boas ! je l'appelle Gueuldeb. (*Voyant que personne ne comprend. Sur un ton*
ravi.) Gueuldeb... boas !

TOUS, *riant.* — Ah ! très drôle ! Ah ! pas mal !

BOAS, *vexé.* — Oh ! que c'est spirituel !

BIBICHON, *l'air ravi.* — Non, c'est idiot ! c'est ce
qui en fait le charme ! Allez ! Viens, Gueuldeb !

Boas, *se laissant entraîner*. — Oh ! très drôle ! Oh ! très drôle !

Amélie, *riant*. — Ah ! ah ! ça lui restera !

Tous. — Ça lui restera.

Conversation générale pour la sortie. On commente le mot de Bibichon tout en gagnant la baie de droite. Adonis, près du piano, achève de ranger sur le plateau tasses et petits verres ramassés un peu partout. Aussitôt que tout le monde est sorti de scène, de la main droite il prend la bouteille de chartreuse, la débouche, regarde si personne ne peut le voir, remplit de liqueur un petit verre qu'il tient de la main gauche, repose la bouteille, puis, faisant deux pas en avant, bien face au public, il avale le contenu du petit verre.

Amélie, *qui revient pour chercher un mouchoir qu'elle a laissé tomber par mégarde en sortant, paraissant juste à ce moment pour surprendre Adonis et poussant un cri étouffé*. — Oh !

Sans quitter des yeux Adonis, elle ramasse son mouchoir.

Adonis, *qui ne l'a pas entendue entrer, se frottant l'estomac après avoir bu*. — Ah ! bon, ça !

Amélie, *saisissant Adonis par le haut du bras gauche, le faisant virevolter face à elle et lui appliquant une maîtresse gifle sur la joue gauche*. — Oui ? Eh ! bien, et ça ?

Adonis, *faisant un bond en arrière*. — Oh !... (*Du tac au tac, envoyant de sa main droite une gifle sonore et à toute volée sur la joue d'Amélie.*) Chameau !

Rapidement il pose le verre qu'il tenait de la main gauche sur le plateau et file vers l'avant-scène gauche.

Amélie, *qui en a vu trente-six mille chandelles*. — Oh !

Tous les invités (*Étienne, Palmyre, Bibichon, etc.*) *qui ont paru dans l'embrasure de la baie juste au moment où Amélie recevait la gifle*. — Oh !

Étienne, *bondissant sur Adonis et le saisissant à bras-le-corps. Il est suivi dans son mouvement par Boas et Valcreuse*. — Qu'est-ce que tu as fait ? Qu'est-ce que tu as fait ?

AMÉLIE, *presque en même temps qu'Étienne.* — Il m'a giflée, Étienne ! Il m'a giflée !

PALMYRE et YVONNE. — Oh !

ÉTIENNE. — Voyou !

BOAS. — Polisson !

VALCREUSE. — Gibier de potence !

Ils veulent le jeter dehors.

ADONIS, *se débattant dans leurs bras, et montrant le poing à Amélie par-dessus l'épaule d'Étienne.* — Oui, eh bien, ça lui apprendra, à cette volaille !

AMÉLIE. — Il m'a appelée volaille !

TOUS. — Oh !

ADONIS, *même jeu.* — Oui, volaille ! oui, volaille !

ENSEMBLE

PALMYRE. — C'est impudique !

ÉTIENNE. — Ah ! saligaud !

BOAS. — Apache !

VALCREUSE. — Voyou !

AMÉLIE. — Mais sortez-le ! sortez-le donc !

ADONIS, *entraîné par la masse vers le vestibule et se débattant.* — Voulez-vous me lâcher ! tas de lâches ! tas de lâches !

Ils sortent tous en paquet, suivis par Amélie qui les exhorte.

YVONNE, *qui est à l'avant-scène droite. Une fois tout le monde hors de scène. Avec calme.* — Il est gentil, ce petit !

BIBICHON, *qui a suivi les autres comme s'il allait prendre part à l'action générale, mais en réalité dans le but égoïste d'aller fermer la fenêtre.* — Ce qu'ils sont embêtants avec leur fenêtre ouverte !

Il ferme la croisée puis descend à gauche pour s'asseoir par la suite à la place occupée précédemment par Valcreuse à la table à jeu. À ce moment, irruption et descente de tous ceux qui viennent d'expulser Adonis. Tout le monde parle à la fois.

AMÉLIE, *redescendant la première.* — C'est odieux ! C'est abominable !

ÉTIENNE, *très nerveux*. — Ah ! je ne sais pas ce qui m'a retenu de lui casser les reins !

AMÉLIE, *qui est allée s'asseoir sur le canapé (1) près d'Yvonne (2)*. — Non, mais avez-vous vu ! vous avez vu ça ? Volaille !

PALMYRE, *debout, derrière la gauche du canapé*. — Et lever la main sur toi !

TOUS. — Oh !

Boas est descendu en passant par le fond jusqu'à l'avant-scène droite.

ÉTIENNE, *arpentant rageusement la scène ; les mains dans les poches de son pantalon, remuant nerveusement l'argent et autres objets qu'elles peuvent contenir*. — Aussi, ça t'apprendra à engager à ton service n'importe quelle gouape ! Je suis sûr que tu n'as pris aucun renseignement !

AMÉLIE, *sur un ton agacé, haussant les épaules*. — Mais si ! mais si !

ÉTIENNE, *sans cesser d'arpenter ; avec des petits arrêts, au moment de lancer ses phrases*. — Oui, oh ! comme tu fais tout !... à la flan !

AMÉLIE. — Naturellement, ça va être de ma faute.

PALMYRE. — Ah ! ma chère, c'est qu'il faut se méfier, par ce temps d'apaches !

AMÉLIE. — Mais, ma bonne amie, tu penses bien que si je l'ai engagé, n'est-ce pas... ?

ÉTIENNE, *même jeu*. — Qui ? Qui te l'a recommandé ?

AMÉLIE. — Des gens !... en qui je pouvais me fier.

ÉTIENNE, *presque crié*. — Qui ?

AMÉLIE, *agacée*. — Sa famille !

ÉTIENNE, *haussant les épaules et remontant nerveusement*. — Oui, oh ! ça doit être quelque chose de propre.

AMÉLIE, *vivement*. — Mais oui !

ÉTIENNE, *tout en arpentant, s'arrêtant un instant pour s'adresser à Valcreuse debout à droite de la table à jeu*. — Ah ! il a de la chance d'être un domestique, ce qu'il aurait reçu mes témoins !

Il descend extrême gauche.

VALCREUSE. — Ça !

Valcreuse gagne le canapé.

ÉTIENNE (1), *à Bibichon (2)*. — Ah ! Il a de la chance de n'être qu'un gamin.

Il passe nº 2.

BIBICHON, *en train de faire une patience, sans se retourner*. — Oui !... ça surtout.

ÉTIENNE, *se retournant vivement vers Bibichon*. — Pourquoi, « surtout » ?

BIBICHON, *se retournant à demi*. — Tiens ! Parce que je voudrais pouvoir en dire autant.

ÉTIENNE, *haussant les épaules*. — Ah ! là ! (*À Amélie.*) Je pense bien que tu ne vas pas garder ce polisson une heure de plus.

AMÉLIE, *se levant et nerveusement faisant quelques pas dans la direction du vestibule*. — Ah ! celui-là !... il ira passer la nuit sous les ponts, à l'hospitalité de nuit, c'est son affaire ! mais pas ici ! Le recueillera qui voudra !

YVONNE, *à Boas, bien ingénument*. — Dis donc ! on pourrait peut-être le prendre chez nous ?

BOAS, *avec conviction*. — Ah ! non !... merci !

YVONNE. — Le pauvre petit, on ne peut pourtant pas le laisser sur le pavé de Paris.

AMÉLIE, *redescendant, à Yvonne*. — Non mais, hein ! tu le veux ?

BOAS. — Donne-lui ton lit tout de suite !

YVONNE, *bien niannian*. — Oh ! non, voyons ! toi tu vas immédiatement à l'extrême.

À ce moment la porte donnant sur le vestibule s'ouvre vivement, et Pochet paraît.

Scène 3

Les mêmes, POCHET

POCHET, *s'arrêtant sur le pas de la porte, et d'un ton coupant*. — Eh ! ben, quoi donc ?

Tous. — Ah ! Monsieur Pochet !

Tout le monde se rapproche du centre.

Amélie. — Papa, tu arrives bien !

Pochet, *descendant entre Amélie et Étienne. Sèchement.* — Qu'est-ce qui s'est passé ? Qu'est-ce que tu as encore fait à Adonis ?

Amélie. — Moi !

Pochet. — Je l'ai trouvé tout en larmes. Il paraît que tu l'as giflé devant tout le monde ?

Tous. — Oh !

Amélie. — Oh ! bien, celle-là, par exemple !...

ENSEMBLE

Étienne. — Mais c'est lui qui a levé la main sur Amélie !

Palmyre. — Ah ! bien, monsieur, si vous aviez été là, vous auriez vu !

Valcreuse. — C'est un petit voyou, on devrait le faire arrêter !

Boas. — C'est une honte ! C'est lui qui a frappé Amélie.

En parlant tous à la fois, tout le monde s'est rapproché de Pochet.

Pochet, *écartant tout le monde, et sur un ton qui ne souffre pas de réplique.* — Ah ! je vous en prie ! (*Tout le monde se tait. — Un temps. — À Amélie, très catégorique.*) Lui as-tu, oui z'ou non, octroyé une calotte la première ?

Amélie. — Il sifflait les liqueurs.

Pochet, *impératif.* — C'est pas ce que je te parle ! (*Un temps.*) L'as-tu calotté la première, oui z'ou non ?

Amélie, *geste des bras évasif.* — Ah ! évidemment.

Pochet, *catégorique.* — *Sufficit !* en matière de duel, le règlement est péremptoire : c'est celui qu'il a reçu la première gifle qu'il est l'offensé ! le reste ne compte pas.

ÉTIENNE. — Oh ! permettez !...

POCHET, *sur un ton de commandement*. — Ah ! et puis ne répliquons pas ! (*Un temps.*) Je suis approximativement, que je me suppose, aussi déversé que vous sur les matières de l'honneur ! ancien brigadier de la paix, ex-prévôt[1] de régiment, vous comprenez que vous n'allez pas m'en remonter ! Eh ! bien, il a reçu la calotte, et, de plus, on l'a passé à tabac... C'est lui qu'il est l'offensé.

AMÉLIE. — Non, mais dis tout de suite que j'ai eu tort.

POCHET. — Péremptoirement !

TOUS, *indignés*. — Oh !...

POCHET. — Sans compter qu'une femme ne bat pas un homme ! c'est antistatutaire !

ÉTIENNE. — Enfin, quoi ! Vous n'attendez pas qu'elle lui fasse des excuses ?

POCHET, *hautain*. — Et pourquoi pas ?

TOUS, *dans un même élan vers Pochet*. — Oh ! mais enfin, voyons... !

POCHET, *écartant tout le monde à la façon d'un gardien de la paix*. — Ah ! Circulez, mesdames, je vous en prie ! Messieurs, circulez !

TOUS. — Oh !

POCHET, *à Amélie*. — Il n'y a pas de duel possible, n'est-ce pas ? Eh ! bien, quand on a z'eu tort, y a pas d'honte à le reconnaître.

ÉTIENNE, *révolté*. — C'est trop fort !

POCHET, *qui, par Amélie, est séparé d'Étienne, se penchant vers ce dernier et sur un ton pincé*. — Monsieur Étienne, je converse à ma fille ; veuillez donc avoir la chose de ne pas vous insérer dans nos discussions intestinales. Quand vous avez une scène avec Amélie, j'ai celui de ne pas y mettre mon mot, n'est-ce pas ? Eh ! ben, veuillez avoir celui d'en faire autant.

---

1. Le caporal ou le brigadier qui assistait le maître d'armes dans l'enseignement de l'escrime.

ÉTIENNE, *rongeant son frein*. — Oh !

POCHET, *à Amélie, avec bonhomie*. — Allons, Amélie ! laisse-toi aller ! dis-z'y un mot ?

YVONNE, *qui est (5) à côté de Pochet (4), intervenant*. — Moi, si j'étais toi... !

POCHET, *se retournant vivement vers elle et sur un ton coupant*. — Ah ! je vous en prie, madame !

YVONNE, *interloquée*. — Mais non, j'dis comme vous !

POCHET. — Ah ?... Ah ! Bon ! Allez-y, alors !

Tout en parlant, il fait passer Amélie et remonte légèrement.

YVONNE. — Va, dis-z'y un mot !

POCHET, *redescendant (3)*. — Là, écoute-la !

AMÉLIE. — Ah ! non, non, tout de même !...

ÉTIENNE, *n'y tenant plus*. — Ah ! tu ne vas pas faire ça !

POCHET, *se retournant vers Étienne*. — Enfin, monsieur... !

ÉTIENNE, *descendant extrême gauche*. — Mais, sacristi ! j'ai le droit de donner mon avis !... Je suis quelqu'un ici !... c'est moi qui paie !

POCHET. — Eh ! bien, ça suffit ! Contentez-vous de ça.

ÉTIENNE, *écumant*. — C'est trop fort ! (*À Bibichon qui, indifférent à la scène, fait toujours sa patience.*) Enfin, voyons ?

BIBICHON, *avec un geste d'insouciance*. — Oh ! moi, tu sais... j' suis d' la classe !

ÉTIENNE. — Oh ! naturellement !

Il remonte par l'extrême gauche, pour s'arrêter (2) au fond.

POCHET, *à Amélie*. — Alors ? C'est compris ?

AMÉLIE. — Allons, soit, papa ! puisque tu me le demandes.

ÉTIENNE, *exaspéré*. — Ah ! non, non !... j'aime mieux m'en aller.

Il sort par la baie.

Pochet, *pendant qu'il s'en va.* — Eh ! bien, allez-vous-en ! (*Gagnant la gauche tout en maugréant.*) Ce manque de tactique ! (*À Amélie.*). Je t'envoie Adonis, hein ?... pas d'excuses, naturellement... non !... simplement..., dis-z'y un mot.

Amélie. — Oui.

Pochet, *qui est remonté en parlant, arrivé sur le pas de la porte, se retournant au moment de sortir et de loin à Amélie.* — Dis-z'y un mot.

Il sort. À peine a-t-il refermé le battant de la porte sur lui que Boas, Palmyre et Valcreuse, qui n'ont pas dit un mot jusque-là, se précipitent vers Amélie, parlant tous à la fois.

ENSEMBLE

Palmyre. — Ah ! ben, tu as de la bonté de reste !

Boas. — Ah ! bien, c'est pas moi qui ferais ça !

Valcreuse. — Ah ! ben, tu es vraiment bonne fille !

Palmyre. — Ah ! oui, alors !

Amélie, *tout en se dirigeant vers la baie de droite.* — Oh ! ben, qu'est-ce que vous voulez ! c'est papa !

Yvonne. — Elle a parfaitement raison !...

Bibichon, *qui s'est levé.* — Au fond, tout ça n'a aucune espèce d'importance.

Amélie. — Un instant ! Je vous demande un instant. (*Tout le monde sort. — Un temps. — Amélie est près du piano sur lequel elle met machinalement un peu d'ordre. On frappe à la porte du vestibule.*) Entrez !

Scène 4

AMÉLIE, ADONIS

Amélie, *sur un ton détaché, en voyant entrer Adonis.* — Ah !... c'est toi ?...

Adonis, *qui est descendu un peu plus bas que le*

piano. Il est face au public. Maussade, sans regarder Amélie. — Madame m'a fait demander ?

AMÉLIE, *descendant un peu.* — Hein ? Oui !... (*Petit temps.*) Allons, viens ! (*Adonis, à contrecœur, fait un pas vers elle, l'air renfrogné et boudeur, l'œil obstinément fixé face au public, dans le vide.*) Alors quoi !... on m'en veut !... (*Adonis ne répond que par une secousse d'épaule témoignant de sa mauvaise humeur ; cela, sans regarder Amélie davantage. Celle-ci, s'asseyant sur la chaise qui est contre le piano.*) Je t'ai fait mal, tout à l'heure ?...

ADONIS, *toujours sans la regarder.* — Oh ! si ce n'était que ça !

AMÉLIE. — Alors ?... (*Silence d'Adonis.*) Allons, voyons, boude pas ! (*Silence d'Adonis.*) Je t'ai fait de la peine ? (*Avec élan, l'attirant à elle.*) Allons, viens donc, grand dadais !

   Il tombe assis sur ses genoux.

ADONIS, *sur les genoux d'Amélie.* — Oh ! tu m'as profondément humilié !

AMÉLIE, *bonne fille.* — Grosse bête, va !... (*Adonis la regarde, hésite, puis, pris d'un élan subit, se plonge dans le cou d'Amélie en sanglotant.*) Mais tu sais bien que je t'aime bien !

   Elle l'embrasse tendrement, le bras droit passé autour de son cou, du bras gauche lui retenant les deux jambes. À ce moment, à la baie de droite, paraissent Étienne, Palmyre, Bibichon, etc.

Scène 5

LES MÊMES, ÉTIENNE, PALMYRE, YVONNE, BOAS, BIBICHON, VALCREUSE, puis POCHET

ÉTIENNE, *qui paraît le premier, avec un sursaut d'ahurissement en apercevant Adonis sur les genoux d'Amélie.* — Oh !

Tous, *comme un écho avec le même sur-saut.* — Oh !

Adonis, *en voyant Étienne, pivotant sur les genoux d'Amélie et cherchant à se dégager de ses bras.* — Laisse-moi ! laissez-moi !

Il file à l'extrême gauche.

Amélie, *sans se lever, du ton le plus natu-rel.* — Eh ! ben ?... quoi ?

Tous, *estomaqués.* — Oh !

Pochet, *paraissant à la porte du fond.* — Eh ! ben, ça y est ?

Étienne, *furieux, descendant en scène, à Pochet* (2). — Tenez, monsieur, soyez content ! je viens de trouver madame avec son domestique sur les genoux !...

Pochet, *ravi.* — Ah ? Parfait !... la paix est faite alors ? C'est très bien !

Tous. — Hein ?

Étienne. — Elle couche avec le valet de pied, par-bleu ! elle couche avec le valet de pied !

ENSEMBLE

Amélie, *se dressant, indignée.* — Qu'est-ce que tu dis ?

Adonis, *bondissant en avant.* — Qu'est-ce que vous dites ?

Pochet, *avec un sursaut d'indignation.* — Mal-heureux ! (*D'un geste digne, il reboutonne sa redin-gote, fait à froid deux pas jusqu'à Étienne, puis théâ-tralement :*) C'est son frère !

Tous, *ahuris.* — Hein !

Amélie et Adonis, *faisant instinctivement chacun un pas vers Pochet et sur un ton de repro-che.* — Papa !

Pochet, *revenant se placer (2) entre Adonis (1) et Amélie (3). Ils forment ainsi une ligne en sifflet, face à Étienne qui est debout, à gauche du canapé.* — Ah ! Et puis, zut ! quoi ! c'est lâché. J'vois pas pourquoi je cacherais une chose qu'est chic à Amélie !... (*Une main sur l'épaule d'Amélie.*) Quand il s'agit de sa

famille — au moins elle ! — elle n'a pas les pieds
nickelés [1] !... comme tant d'autres ! Elle s'est dit :
(*Martelant chaque phrase en l'accompagnant d'une
légère tape de la main sur l'épaule d'Amélie.*) « J'ai un
frère ; j'ai des devoirs ! » Et, elle l'a pris chez elle !...
comme domestique !

AMÉLIE. — Voyons, papa !

POCHET. — Si, si ! Je tiens à z'y leur dire ! (*Aux
autres.*) Eh ben ! combien que vous en trouvez qui
auraient fait ça ?

TOUS, *échangeant entre eux leur impres-
sion.* — Ah ! oui, oui !... ça oui !... ah ! évidemment !

POCHET, *sans lâcher Amélie de sa main gauche,
prenant la tête d'Adonis de la main droite.* — Mon
pauvre petit, va ! De quoi on te supposait capable !
(*Il l'embrasse. Après quoi, allant à Étienne.*) J'espère
qu'après ça, monsieur, vous ne refuserez pas
d'obtempérer au retrait de vos allégations suppositoires...

ÉTIENNE, *l'air gouailleur et le ton un peu faubou-
rien.* — Quoi ?

POCHET, *le dos à demi tourné au public, et en plein
nez à Étienne.* — ... et pornographiques !

Il remonte pour redescendre n° 2.

AMÉLIE, *faisant un pas vers Étienne et gentiment,
indiquant Adonis.* — Va !... donne-lui la main !

ÉTIENNE, *avec hauteur.* — À lui ?

BIBICHON, *lui envoyant une petite tape sur le haut de
la jambe.* — Quoi !... C'est ton beau-frère.

ÉTIENNE, *protestant.* — Oh !... de la main gauche.

AMÉLIE. — Eh ! bien, donne-lui celle-là ! On n'est
pas à un côté près !

Elle pousse Adonis vers Étienne.

ÉTIENNE, *très ennuyé, hésite un instant, jette un
regard comme à regret sur sa main qu'il retire de sa
poche, puis, prenant son parti, lui tend cette main,
qu'il tient basse et à distance.* — *Dédaigneusement, la*

---

1. Elle vient rapidement, on peut compter sur elle.

tête tournée du côté opposé à Adonis. — Soit !
Allons ! (*À Adonis, lui tendant la main.*) Ça... ça va
bien ?

ADONIS, *bon enfant, lui serrant la main.* — Mais,
pas mal ! Vous aussi ?

ÉTIENNE. — Pas mal, merci ! (*À Amélie.*) Là, es-tu
contente ?

Il remonte au fond, près du piano. On sonne.

AMÉLIE. — Adonis, on a sonné ! Embrasse ta
sœur, mon chéri ! (*Adonis saute à son cou comme un
gamin.*) Et va ouvrir !

ADONIS. — Oui !

Il court en sautillant jusqu'à la porte du fond et sort.

BIBICHON, *le regarde sortir, puis sur un ton d'admiration comique.* — C'est beau la famille !

ÉTIENNE. — Qui est-ce qui peut venir à cette
heure-ci ? Tu attends du monde ?

AMÉLIE, *remontant vers le piano.* — Non, personne.

YVONNE, *esquissant le geste de se retirer.* — Écoute ! si tu as du monde... !

PALMYRE, *à l'imitation d'Yvonne.* — Nous allons te
laisser.

AMÉLIE, *les retenant.* — Ah ! non, ne me lâchez
pas ! Vous allez m'attendre par là !... (*Elle indique la
baie.*) Ce ne sera pas long ! (*À Adonis qui revient.*)
Eh ! bien ?...

ADONIS, *avec un petit sourire bête.* — C'est une
dame qui demande à te parler en particulier !

ÉTIENNE, *horripilé.* — « À te parler en particulier » ! (*À Amélie.*) Non ! Écoute, choisis !... Si c'est
ton domestique, qu'il ne te tutoie pas ! Si c'est ton
frère, enlève-lui la livrée.

AMÉLIE. — Oh ! ne rase pas ! (*À Adonis.*) Qui est
cette dame ?

ADONIS, *bien bêta, toujours souriant.* — J'sais pas !

AMÉLIE. — Comment, « tu ne sais pas ».

ADONIS. — Elle n'a pas voulu dire son nom !

AMÉLIE, *à ses amis.* — Oh ! mauvais !... (*À Adonis.*) C'est une femme bien ?

ADONIS, *faisant proutter ses lèvres*. — Pffût ! (*Avec dédain.*) Ça a l'air d'une femme du monde.

ÉTIENNE. — Vous êtes gentil pour les femmes du monde.

ADONIS, *descendant un peu en scène et sur un ton gavroche*. — Enfin, elle n'a pas le chic d'Amélie ! Elle est habillée sombre !

BIBICHON, *toujours assis sur le canapé*. — Monsieur aime le tape-à-l'œil.

ADONIS. — Tu parles !

BIBICHON. — Hein !

AMÉLIE et POCHET, *le rappelant à l'ordre*. — Adonis !

ÉTIENNE, *le rappelant à l'ordre*. — Eh ! ben !

ADONIS. — Oh ! pardon ! Ça m'est échappé !

AMÉLIE. — Ça doit être quelque quêteuse. Les femmes du monde ne viennent jamais chez vous que dans ces cas-là. (*À Adonis.*) Fais-la entrer ; nous verrons bien.

    Adonis repart en gambadant et sort par le fond.

ÉTIENNE, *sur le seuil de la baie*. — À Amélie. — Nous t'attendons par là.

TOUS, *le suivant*. — C'est ça !

BIBICHON, *qui, pendant ce qui précède, s'est levé et est remonté par la droite du canapé*. — À Boas, en le saisissant par le bras. — Allez ! viens, Gueuldeb !...

BOAS, *entraîné par Bibichon*. — Ah ! Bibichon ! la barbe !

    Ils sortent.

Scène 6

AMÉLIE, ADONIS, IRÈNE

ADONIS, *entrant et s'effaçant pour livrer passage à Irène*. — Si madame veut entrer !

    Irène entre. Tenue correcte et sévère. Un voile épais, arrêté au ras du nez, cache son visage.

AMÉLIE, *très courtoise*. — Entrez, madame !

IRÈNE, *avance de deux pas*. — C'est bien à madame Amélie d'Avranches [1] que ?...

AMÉLIE. — C'est moi, madame.

Elle lui indique le canapé et, pendant qu'Irène passe, va chercher près du piano la chaise qu'elle descend à proximité gauche du canapé. Pendant ce temps, Adonis est sorti. Une fois dehors, à travers les vitres de la porte, au-dessus des brise-bise, on voit sa tête apparaître pour jeter un dernier regard moqueur du côté d'Irène ; après quoi, il disparaît.

IRÈNE, *à peine assise*. — Ah ! madame ! la démarche que je tente près de vous est d'un ordre tellement délicat !... Aussi l'émotion !...

AMÉLIE, *accueillante*. — Remettez-vous, madame, je vous en prie !

IRÈNE. — Voilà ! Il s'agit de... (*Vivement comme se reprenant*) d'une amie.

AMÉLIE, *s'asseyant*. — Ah !

IRÈNE, *la lorgnant à travers son face-à-main*. — Mais, pardonnez !... Je vous regarde !... il me semble, c'est curieux ! que vos traits ne me sont pas inconnus.

AMÉLIE, *le faisant à la femme du monde*. — Mon Dieu, c'est possible, madame ! Je... je fréquente beaucoup.

IRÈNE, *avec hésitation*. — Non, non ! mais... est-ce qu'avant d'être ce que... enfin, est-ce que vous avez été toujours... euh !...

AMÉLIE, *comprenant ce qu'Irène n'ose dire*. — Oh ! non, madame !... (*Avec importance.*) Fille d'un ancien fonctionnaire de la République...

IRÈNE, *lui coupant la parole*. — Ah ! non ! non ! Alors non ! Excusez-moi, c'est une ressemblance.

AMÉLIE. — Il n'y a pas de mal ! Et vous disiez alors que vous veniez ?...

---

1. Les « cocottes » avaient l'habitude d'adopter des pseudonymes à particule : *cf.* Émilienne d'Alençon.

IRÈNE, *vivement et en appuyant sur le mot*. — Pour une amie, oui ! (*Insistant.*) Une de mes bonnes amies !... Je me suis chargée... Ah ! l'amitié crée quelquefois de ces obligations ! Excusez-moi de ne pas vous dire le nom de la personne...

AMÉLIE, *avec bonhomie*. — Oui, madame, oui.

IRÈNE, *se croyant obligée de donner des détails*. — Mais c'est une femme mariée, vous comprenez ! Et vis-à-vis d'un mari, n'est-ce pas ? On ne doit pas oublier qu'on a des devoirs.

AMÉLIE, *vivement*. — Oh ! Serait-ce au sujet de son mari que ?...

IRÈNE, *très naturellement*. — Non, non ! c'est au sujet de son amant.

AMÉLIE, *un peu interloquée*. — Ah ?... Ah ?

IRÈNE, *avec chaleur*. — Ah ! madame, si vous saviez !... Si vous saviez comme elle l'aime !

AMÉLIE, *approuve malicieusement de la tête, puis*. — Votre amie ?

IRÈNE, *interloquée*. — Hein ? mon... mon amie, oui ! C'est son premier amant, pensez donc !

AMÉLIE, *comiquement compatissante*. — Oh !... Pauvre femme !

IRÈNE. — Et vous ne vous figurez pas ce que c'est pour une femme mariée, « le premier amant » ! ce que ça représente de choses exquises ! d'hésitations ! de luttes ! de remords de conscience !

AMÉLIE, *moitié souriante, moitié mélancolique*. — Oui, madame ! oui !

IRÈNE, *avec une sorte d'extase*. — Ah ! la première faute ! (*Brusquement et gentiment.*) Mais, madame, vous devez avoir connu ça ?

AMÉLIE, *sur un ton légèrement espiègle*. — Dame... oui !

IRÈNE. — Eh ! bien, rappelez-vous !

AMÉLIE, *mélancolique, avec du vague dans le regard*. — Oui !... moi, ce fut un Danois !

IRÈNE, *avec un sursaut de stupéfaction*. — Un chien ?...

Amélie. — Quoi ?... Oh non ! un homme du Dane-
mark.

Irène. — Ah !... (*Corrigeant.*) Un Danois.

Amélie, *très souriante.* — C'est ce que j'ai dit...

Irène, *un instant interloquée, récapitulant, puis
s'inclinant devant l'évidence.* — Ah !... Ah ! oui ! Oui,
en effet, un... un Danois.

Amélie, *avec un geste d'insouciance.* — Depuis,
tant d'eau a passé sous le pont... !

Irène, *s'emballant peu à peu.* — Ah ! oui, mais
pour elle ! pas pour mon amie ! Pour elle, c'est le
premier, c'est l'unique !... Ah ! si elle devait le perdre,
ah ! ce serait horrible !

Amélie, *qui l'écoute d'un air malicieux, avec des
dodelinements de tête.* — *Brusquement et gentiment.* — Vous l'aimez donc bien ?

Irène, *s'enferrant carrément.* — Oh ! follement !

Amélie, *sur le même ton et avec le même sourire.* — Vous êtes charmante.

Irène. — Hein ! (*Toute confuse, se levant.*) Oh !
madame, madame ! Qu'est-ce que vous m'avez fait
dire ! Non, non, c'est... c'est mon amie.

Amélie, *qui s'est levée instinctivement en la voyant
se lever — sympathiquement.* — Vous vous méfiez
donc bien de moi ?

Irène, *toute honteuse.* — Oh ! madame.

Amélie, *sur un ton badin.* — D'ailleurs, je ne vous
connais pas, par conséquent... ! (*Changeant de ton.*)
Et puis, la discrétion est notre devoir professionnel.

Irène, *brusquement.* — Ah ! et puis, tant pis ! il
faut avoir le courage de ses actes ! Eh ! bien, oui,
madame ! c'est moi !

   Elle se rassied.

Amélie, *malicieusement.* — Si vous croyez qu'il
m'avait fallu tant de temps pour deviner !

Irène. — Oh ! madame ! alors, dites-moi que ce
n'est pas vrai, ce que j'ai appris. Oh ! ce serait si mal !
Vous qui pouvez en avoir tant que vous voulez ! Et
moi, moi qui n'en ai qu'un, songez donc !... L'univers

entier, tout le reste des hommes, je vous l'abandonne ! Mais pas lui ! Laissez-le-moi !

AMÉLIE, *se levant*. — Mais quoi ! quoi ?

IRÈNE. — Ce n'est pas vrai, n'est-ce pas, qu'il doit vous épouser ?

AMÉLIE. — Hein ? Qui ?

IRÈNE. — Marcel Courbois ?

AMÉLIE. — Marcel Courbois ! Moi ! Moi ! (*Éclatant de rire.*) Ah ! Ah ! Ah !

Elle remonte vers la baie en riant.

IRÈNE, *se levant et suivant Amélie machinalement et par un mouvement arrondi qui lui fait prendre le nº 1.* — Eh ! bien, où allez-vous ?

AMÉLIE, *la voix hachée par le rire*. — Laissez ! (*Appelant.*) Étienne ! Étienne !

VOIX D'ÉTIENNE. — Quoi ?

AMÉLIE. — Viens ! Viens un peu !

Elle redescend, milieu scène, près du canapé. Irène a gagné jusqu'à la table de jeu.

Scène 7

Les mêmes, ÉTIENNE, puis, plus tard,
tous les personnages
qui étaient avec Étienne dans la pièce voisine

ÉTIENNE, *arrivant et s'arrêtant à hauteur d'Amélie, mais au-dessus du canapé*. — Qu'est-ce qu'il y a ?

AMÉLIE, *à moitié suffoquée par son rire*. — Voilà madame qui... ah ! ah ! ah !

ÉTIENNE, *s'inclinant*. — Madame !

AMÉLIE. — ... qui vient tout affolée me demander...

IRÈNE, *interrompant vivement*. — ... au nom de mon amie !

AMÉLIE, *pour lui donner satisfaction.* — ... d'une de ses bonnes amies...

ÉTIENNE. — Aha !

AMÉLIE. — ... s'il est vrai que j'épouse Marcel Courbois...

ÉTIENNE, *étonné et amusé.* — Marcel !

AMÉLIE. — L'amant de mad !... (*Corrigeant vivement sur un geste d'Irène.*) de l'amie de madame.

ÉTIENNE. — Marcel ! toi ! toi ! Ah ! ah ! ah ! ah ! ah !... Ah ! que c'est drôle !

AMÉLIE, *se laissant tomber sur le canapé.* — Hein !
Ils se tordent de rire.

IRÈNE, *moitié riant, moitié pleurant.* — Ah ! vraiment ? Oui ?... C'est... si drôle que ça ?

LES DEUX, *se tordant.* — Ah oui !... Oui !...

IRÈNE, *de même.* — Que je suis contente ! Vous ne sauriez croire combien je suis contente.

ÉTIENNE. — Vraiment ?

IRÈNE, *de même.* — Je ne comprends pas ce qui vous fait rire ; mais je vois que vous riez et... et ça me fait du bien.

ÉTIENNE, *la considérant avec un sourire édifié et sympathique.* — *Malicieusement.* — Ah ! madame ! que vous aimez donc bien madame votre amie.

IRÈNE, *pataugeant.* — Hein ! oui... non !... je...

AMÉLIE, *avec bonhomie.* — Vous voyez, ça ne trompe personne.

IRÈNE, *avec décision.* — Ah ! et puis, maintenant, j'en ai pris mon parti !
Tout en parlant, elle a gagné jusqu'à la chaise descendue par Amélie près du canapé.

ÉTIENNE, *s'avançant entre la chaise et le canapé mais un peu au-dessus.* — Marcel Courbois ! Mais qui a pu vous faire supposer ?

IRÈNE, *s'asseyant sur la chaise près d'Amélie assise sur le canapé.* — Eh ! bien, voilà : c'est ce matin. Comme c'était dimanche, j'étais allée à la messe de onze heures...

ÉTIENNE. — Ah ?

IRÈNE. —... la passer chez lui.

ÉTIENNE, *assis sur le bras gauche du canapé*. — Ah ! bon !

IRÈNE. — Dame ! Vous comprenez : étant marié, on n'est pas libre comme on veut !... Alors, comme il s'habillait...

ÉTIENNE, *corrigeant malicieusement*. — Se « rhabillait », sans doute, vous voulez dire.

IRÈNE, *très ingénument*. — Non !... Il n'était pas encore levé, quand je suis arrivée...

ÉTIENNE. — Ah ! ah !... Vous m'en direz tant.

IRÈNE. — Alors, histoire de passer le temps, j'ai fouillé un peu dans ses papiers.

ÉTIENNE. — Ben... naturellement !

IRÈNE. —... et j'ai trouvé une lettre !... Ah ! cette lettre ! ou plutôt le brouillon d'une lettre que Marcel avait écrite à son parrain et dans laquelle il lui annonçait son prochain mariage avec mademoiselle Amélie d'Avranches.

AMÉLIE, *à Étienne*. — Moi ! Crois-tu ?

ÉTIENNE. — C'est insensé ! Qu'est-ce que ça veut dire ?

AMÉLIE, *avec un geste d'ignorance*. — Ça !

ÉTIENNE, *se levant*. — Vous n'avez pas demandé à Marcel ?

IRÈNE, *se levant également et comme saisie de peur à cette idée*. — Oh ! non, non ! J'aurais eu trop honte !... Songez donc, si la chose avait été vraie !... Et puis, étant donné la façon dont j'avais surpris la chose !

AMÉLIE, *se levant*. — Vous avez préféré vous adresser à moi.

IRÈNE, *bien gentiment, bien franchement, avec un recul d'un pas*. — Oui !

ÉTIENNE. — Tout ça est incompréhensible ! (*Au-dessus d'Irène, gagnant la gauche tout en parlant.*) Écoutez, madame, je ne suis pas en mesure de vous donner la clef de ce rébus. Quand je verrai Marcel, je lui demanderai. En tout cas, tranquillisez-vous ! Je vois que vous vous intéressez à Marcel...

IRÈNE, *tandis qu'Amélie remonte lentement de façon à arriver peu à peu n° 2.* — Si je m'y intéresse !...

ÉTIENNE, *malicieusement.* — Oui !... Vous me diriez le contraire que je ne vous croirais pas ! Eh ! bien, je vous garantis que vos appréhensions sont sans objet. Je connais Marcel à fond ; c'est mon meilleur ami...

IRÈNE (3), *lui coupant la parole,* — *avec émotion.* — Ah !

ÉTIENNE, *comme preuve de ce qu'il avance.* — Je suis son confident, comme il est le mien. Et le seul fait qu'Amélie est mon amie, suffit pour que...

IRÈNE, *le couvant des yeux.* — Vous êtes son confident !

ÉTIENNE. — Toutes ses pensées, il me les confie.

IRÈNE, *radieuse.* — Mais alors... vous me connaissez...

ÉTIENNE, *interloqué, avec hésitation.* — Moi ?... Mais... non, madame !

IRÈNE, *navrée.* — Ah ?... Oh ! Il ne m'aime donc pas alors ?

ÉTIENNE. — Pourquoi donc ?

IRÈNE. — Mais parce qu'il n'a pas éprouvé le besoin... !

ÉTIENNE. — Mais ce n'est pas ça, madame ! mais son devoir de galant homme...

IRÈNE. — Justement ! Quand on aime vraiment, il y a au-dessus du devoir de galant homme, le besoin d'avoir un confident pour parler de l'être qu'on aime. Mais moi, monsieur ! moi, madame ! j'ai une amie qui a un caractère odieux !... Je ne l'ai que pour parler de lui !... Celui qui peut rester confiné dans son devoir de galant homme, n'aime pas sérieusement !

AMÉLIE. — Comme c'est vrai !

ÉTIENNE. — Allons, madame, je vois que j'ai tort de le faire à la discrétion ! Eh ! bien, oui, je vous connais !... Je vous connais, (*Avec intention.*) madame la comtesse !

IRÈNE, *radieuse.* — « Madame la comtesse » ! Il

vous a mis au courant ! (*Tout en gagnant vers le canapé.*) Ah ! c'est bien ! C'est bien, ça ! C'est bien !

    Elle tombe assise sur le canapé.

AMÉLIE, *frappée par la phrase d'Étienne.* — « Madame la comtesse » ? (*Brusquement, tout en gagnant vers Irène.*) Mais oui, j'y suis ! J'écoutais votre voix depuis un instant... Je me disais : « Je connais ce timbre ! » Mais voilà ! « Madame la comtesse », ça m'éclaire !... Ne seriez-vous pas madame la comtesse de Prémilly ?

IRÈNE, *relevant son voile.* — Hein ! Vous me connaissez !

AMÉLIE, *entre la chaise et le canapé.* — Mais vous-même, madame, tout à l'heure, ne me reconnaissiez-vous pas ?

IRÈNE, *la lorgnant avec son face-à-main.* — Ah ! mais alors, c'était bien ça ! Je ne me trompais pas : Amélie !

AMÉLIE, *achevant sur le même ton qu'Irène.* —... Pochet !

IRÈNE, *de même.* —... mon ancienne femme de chambre.

AMÉLIE, *avec une révérence.* — Elle-même.

IRÈNE, *sur un ton de compassion.* — Oh ! ma pauvre enfant !

ÉTIENNE, *qui s'est rapproché d'Amélie. Avec une légère tape sur le bras.* — Tu as été femme de chambre, toi !

AMÉLIE, *se retournant vers Étienne.* — Ah ! zut ! Je ne pensais plus que t'étais là ! (*À Irène, en se mettant la main sur la bouche.*) Oh ! pardon, madame !

IRÈNE. — Quoi ?

AMÉLIE, *gentiment confuse.* — J'ai dit : « Zut ! »

IRÈNE, *avec un geste d'insouciance.* — Oh !... (*La considérant à travers son face-à-main.*) Comment, c'est vous !... Oh ! il me semblait bien ! seulement j'hésitais, n'est-ce pas ?... Ce changement de situation !... Ce cadre tout autre !... Sans compter les cheveux, qui étaient d'une autre couleur.

AMÉLIE, *bien ingénument*. — Oui ! ils ont éclairci ; je ne sais pas pourquoi.

IRÈNE, *malicieusement*. — Moi, non plus !... Et puis enfin, « Amélie d'Avranches », vous que j'avais quittée « Pochet » tout court !

AMÉLIE, *avec une moue*. — « Pochet », c'était pas un nom pour la galanterie... (*Faisant la petite bouche.*) Et puis, pour mon père ! (*Debout, à demi penchée près d'Irène, les coudes serrés au corps et une main dans l'autre.*) Et... et madame va bien, oui ?... Et monsieur ? Oui ?

IRÈNE. — Monsieur va bien, merci, Amélie... Il a été un peu souffrant, le pauvre homme.

AMÉLIE. — Oh ! ce pauvre monsieur.

IRÈNE. — Mais ça va, maintenant.

AMÉLIE. — Oh ! tant mieux ! tant mieux !

IRÈNE, *avec une condescendance toute mondaine*. — Mais asseyez-vous donc !

AMÉLIE, *confuse*. — Oh ! devant madame !...

IRÈNE. — Mais voyons !...

AMÉLIE, *s'asseyant sur l'extrême coin droit de la chaise qui est contre elle*. — C'est trop d'honneur !... (*Ne sachant que dire dans son trouble.*) Ah ! ben... si je m'attendais jamais !

IRÈNE, *souriant*. — N'est-ce pas ?... Et je vous avoue que je me félicite dans cette circonstance ! pénétrant dans un monde que je ne connais pas... m'y trouver comme ça en monde de connaissance !...

Étienne approuve de la tête en souriant.

AMÉLIE. — Ah ! oui ?

IRÈNE, *sur un ton de commisération*. — Alors, vous êtes devenue...

AMÉLIE, *très naturellement*. — Cocotte, oui, madame.

IRÈNE. — Oh !... mais comment avez-vous pu tomber à...

AMÉLIE, *geste vague de la main, puis :* — L'ambition !... J'avais ça dans la tête... Je n'étais pas faite pour le métier de femme de chambre.

Irène. — C'est dommage ! Vous aviez un bon service.

Étienne (1), *qui écoute depuis un instant debout, un peu derrière Amélie, s'asseyant malicieusement contre elle sur le petit coin de la chaise que sa personne n'occupe pas.* — Elle l'a toujours.

Amélie, *envoyant du coude un renfoncement dans la hanche d'Étienne, et sévèrement.* — Étienne !

Étienne, *se relevant.* — Pardon !

Il gagne la gauche et écoute la suite, adossé au coin de la table à jeu.

Irène. — Mais c'est vrai : vous étiez coquette. Vous adoriez les rubans, les colifichets.

Amélie, *approuvant d'un hochement de tête, sur un ton moitié rieur, moitié contrit.* — Oui.

Irène. — Vous aimiez à vous parfumer.

Amélie, *même jeu.* — Oui.

Irène, *malicieusement.* — Avec mes parfums !

Amélie, *gentiment, en manière de justification.* — Avec mes gages, je ne pouvais m'offrir que ceux de madame.

Irène. — Il vous arrivait de m'emprunter mes robes sans me le dire.

Amélie, *vivement.* — Oh ! mais je les remettais.

Irène, *approuve d'un petit hochement de tête malicieux, puis.* — Moi aussi. Enfin, vous ne pensiez qu'à votre coiffure ; vous vouliez être ondulée, comme les dames. (*La tançant du doigt.*) C'est même ça qui vous a fait renvoyer.

Amélie, *prenant l'air comiquement contrit.* — Oui ! le jour où j'avais pris les gousses de vanille pour m'en faire des bigoudis !

Étienne, *riant.* — Non ?

Irène, *de même.* — Si !

Amélie, *à Étienne.* — Les gousses de vanille ! tu vois ça !

Irène, *riant.* — Avouez que ça dépassait les bornes !...

Amélie, *approuvant.* — Ça dépassait, madame ! Ça dépassait.

IRÈNE, *avec un soupir*. — Ah ! tout de même, malgré tous ces défauts je vous ai souvent regrettée.

AMÉLIE, *touchée*. — Madame est bien bonne !

IRÈNE, *se levant et descendant extrême droite*. — Quand on voit la peine qu'on a à trouver une bonne femme de chambre aujourd'hui !

AMÉLIE, *qui s'est levée presque en même temps qu'Irène. Voulant le faire à la femme du monde*. — Ah ! ne m'en parlez pas ! Quelle engeance ! Il n'y a plus moyen d'être servie !

IRÈNE, *qui en se retournant vers Amélie aperçoit dans l'embrasure de la baie tous les invités d'Amélie. Baissant vivement sa voilette*. — Oh ! du monde pour vous !

AMÉLIE, *se retournant*. — Pour moi ?...

YVONNE, *du seuil de la baie*. — Chut !... c'est nous !

AMÉLIE. — Oh ! pardon ! (*À Irène*.) Madame permet ?

IRÈNE. — Faites donc ! faites donc !

Pendant ce qui suit, elle gagne l'extrême gauche.

ÉTIENNE, *tout en suivant Amélie qui va vers ses invités. À Irène*. — Pardon, madame !

AMÉLIE. — Eh ! bien, quoi ? Qu'est-ce qu'il y a ?

Tout ceci très rapidement dans un chuchotement général.

ENSEMBLE

PALMYRE, *à voix basse*. — Ne te dérange pas, nous partons.

BOAS, *même jeu*. — Oui, au revoir !

VALCREUSE, *même jeu*. — Au revoir !

ÉTIENNE, *même jeu*. — Vous vous en allez ?

BIBICHON, *même jeu*. — On file à l'anglaise.

AMÉLIE, *allant à eux*. — Bon. Alors, au revoir !

ÉTIENNE. — Je vous dis : à dans vingt-huit jours, puisque je pars ce soir pour Rouen.

TOUS. — À dans vingt-huit jours !

ÉTIENNE. — À dans vingt-huit jours !

AMÉLIE. — C'est ça, c'est ça !... Au revoir ! Excusez-moi de ne pas vous reconduire... Papa, veux-tu ?

POCHET, *qui est avec les invités.* — Entendu !
Entendu !

AMÉLIE, *qui, déjà, redescendait vers Irène, remontant vivement vers la baie dont tous les invités ont disparu.* — Ah ! et... et bien des choses à Caroline !

YVONNE, *déjà dans la coulisse.* — Je n'y manquerai pas !

TOUS. — Au revoir, au revoir...

Ils disparaissent.

AMÉLIE, *tout en redescendant vers Irène.* — C'est... c'est sa sœur, Caroline !

IRÈNE, *indifférente.* — Ah ?

AMÉLIE. — La sœur de la blonde.

IRÈNE, *même jeu.* — Oui, oui. (*À ce moment on voit, à travers la glace sans tain, traverser tous les personnages qui viennent de sortir de scène. Ils font, en passant, des signes de la main à Amélie. Irène, qui, plus bas en scène qu'Amélie et tournée vers cette dernière, a par conséquent son regard dans la direction de la glace sans tain, apercevant le jeu de scène et se détournant vers le public.*) Tenez ! ils vous disent adieu.

AMÉLIE, *avec désinvolture.* — Ah ! oui, oh !... (*Leur répondant de la main, — très par-dessous la jambe.*) Oui ! Au revoir ! au revoir !

ÉTIENNE, *sur le seuil de la baie.* — Au revoir ! au revoir !

Il descend en scène.

AMÉLIE, *qui est allée à Irène qui est près de la table à jeu.* — Ah ! je ne saurais dire à madame combien je suis heureuse !... Je suis si dévouée à madame !

Elle gagne la droite pour aller prendre près du canapé la chaise qu'elle remonte, pendant ce qui suit, à sa place primitive contre le piano.

IRÈNE, *souriant.* — Oui ?

ÉTIENNE, *à Irène, près de laquelle il est descendu.* — Pourquoi est-ce toujours quand ils ne sont plus à votre service que les domestiques commencent à vous être dévoués !

AMÉLIE, *qui est en train de reporter la chaise.* — Oh ! comme c'est gentil ce que tu dis là !

IRÈNE, *souriant*. — Oh ! Il y a un peu de vrai ! (*À Étienne.*) Mais, si je ne me trompe, monsieur, vous devez être...

AMÉLIE, *qui est près du piano*. — Mon ami.

IRÈNE, *s'inclinant légèrement*. — Oui, ça...! (*À Étienne, tandis qu'Amélie redescend* (3).) — Non, mais... — le confident et le meilleur ami de Marcel... — Vous êtes monsieur Étienne de Milledieu.

ÉTIENNE (2), *un peu au-dessus d'Irène*. — Aha ! je vois qu'il vous a parlé de moi.

IRÈNE, *tournée du côté d'Étienne, par conséquent presque dos au public*. — Et pas en mal, je vous assure !... (*Lorgnant Étienne avec son face-à-main.*) Seulement, il ne m'avait pas dit... (*Considérant son uniforme.*) Ah ! vous avez embrassé là une belle carrière !

ÉTIENNE, *sans conviction*. — Oh !...

IRÈNE. — Vous êtes quoi ?...

ÉTIENNE. — Remisier !... à la Bourse.

IRÈNE, *interloquée*. — Ah ! Ah ?... Je ne savais pas qu'on eût un uniforme.

ÉTIENNE, *jetant vivement un coup d'œil sur sa tenue qu'il avait oubliée et comprenant*. — Ah !... ah ! oui... Il n'y en a pas encore, en effet. Ça, c'est pour mes vingt-huit jours.

IRÈNE, *riant*. — Ah ! bon ! dites-moi ça !...

Scène 8

Les mêmes, POCHET, puis ADONIS

POCHET, *paraissant à la baie et entrant franchement en scène*. — Voilà !... la bande est expédiée... (*S'arrêtant interdit à la vue d'Irène.*) Oh ! pardon !

Il fait mine de se retirer.

Amélie (3). — Va, reste ! (*Présentant de sa place.*) Papa.

Pochet, *entre piano et baie, s'inclinant, l'air décontenancé.* — Madame !...

Irène, *de sa place, lorgnant Pochet avec son face-à-main.* — Ah ! parfaitement ! Je remets très bien.

Amélie. — Tu ne reconnais pas madame ? (*Geste vague de Pochet.*) Madame de Prémilly !

Pochet, *changeant complètement de ton et les deux mains croisées derrière le dos sous les pans de sa redingote, gagnant, avec force petits saluts, vers Irène.* — Oh ! par exemple ! Mais je crois bien !

Irène. — Vous veniez souvent chez moi voir votre fille... Vous rappelez-vous ? Vous étiez alors gardien de la paix.

Pochet. — Oui, euh... enfin, brigadier !... Si je me rappelle ! Ah ! ben, je crois bien ! Ah ! ben !... Ah ! ben !... Et... ça va bien ?

Il tend la main à Irène.

Irène, *qui évite de voir ce jeu de scène, en affectant d'être plongée dans l'examen de son face-à-main.* — Merci ! très bien.

Pochet, *voyant qu'Irène ne lui donne pas la main, reste un instant coi, regarde sa main comme ne sachant qu'en faire, jette un coup d'œil du côté d'Amélie et Étienne, puis, remettant sa main dans sa poche,* — tout ce qu'il y a de plus aimable. — Eh bien, j'espère que madame a vieilli ! À la bonne heure !

Irène, *ahurie.* — Hein ?

Amélie (3), *vivement, à Pochet.* — Papa !

Étienne. — Eh bien, vous en avez de bonnes !

Pochet, *passant successivement dos au public devant Amélie et Étienne, tout en donnant ses explications, cela de façon à arriver successivement (3) puis (4).* — Hein ?... Ah ! non ! non ! Madame comprend comme je l'entends ! Je ne veux pas dire pour ça que madame est devenue vieille. Ah ! bien ! qu'est-ce que je dirais, alors, moi ! (*Arrivé n° 4.*) Seulement, en ce

temps-là, madame avait l'air d'une gosse, positivement ! On avait envie de la prendre sur les genoux !
Maintenant, madame est une femme.

AMÉLIE. — Oh ! bon, tu fais bien de t'expliquer !

ÉTIENNE. — Oui.

Il remonte au-dessus du canapé.

IRÈNE. — Oh ! il n'y a pas de mal, allez !... Il faut
bien s'attendre à vieillir comme les autres ; et je n'y
mets pas de coquetterie. (*À Amélie.*) Mais si je me
souviens, vous aviez un petit frère ?

AMÉLIE. — Je l'ai toujours.

POCHET, *s'asseyant sur le canapé.* — Nous l'avons
toujours.

IRÈNE. — Il doit être grand, maintenant !
Qu'est-ce que vous en avez fait ?

AMÉLIE. — Je l'ai chez moi.

IRÈNE. — Est-ce qu'il est resté aussi joli ? Il était
ravissant comme enfant.

AMÉLIE. — Eh ! pas mal.

POCHET. — C'est moi... en mignon !

AMÉLIE, *esquissant le mouvement d'aller vers la sonnette.* — Si madame veut le voir... ?

IRÈNE. — Avec plaisir.

AMÉLIE, *allant sonner à droite du piano.* — Ce n'est
pas difficile. (*Redescendant.*) Nous verrons s'il
reconnaîtra madame.

ADONIS, *arrivant par la baie.* — Madame a sonné ?

AMÉLIE. — Oui, viens ! (*Adonis descend à gauche
du canapé.*) et dis bonjour à madame !

ADONIS, *par obéissance et bien benêt.* — Bonjour,
madame !

IRÈNE, *toujours contre la table à jeu, lorgnant Adonis.* — Hein ! Quoi ? C'est lui ? Mais... c'est lui qui
m'a ouvert tout à l'heure !

AMÉLIE, *bonne fille.* — Ah ! bien, oui, au fait ! (*À
Adonis.*) Tu ne reconnais pas madame !

ADONIS, *avec un sourire bêta.* — Non.

AMÉLIE, *insistant.* — C'est madame ! Madame
chez qui tu allais quelquefois quand tu étais petit.

Adonis avance le menton pour indiquer qu'il ne se sou-
vient pas.

Irène. — Vous ne vous rappelez pas ? La dame
qui vous a donné une montre en argent !...

Adonis, *très gamin, en se donnant une joyeuse tape*
sur la cuisse. — Ah ! oui ! Même que je l'ai échan-
gée avec un camarade de mutuelle... contre une
seringue.

Amélie. — En voilà une idée !

Étienne. — Pourquoi une seringue ?

Adonis. — Tiens ! Parce que, avec une seringue,
je pouvais seringuer les gens, tandis qu'avec une
montre... !

Amélie. — Mais c'est idiot !

Adonis, *descendant jusque devant le*
canapé. — Oh ! je l'ai regrettée depuis ! parce que,
pour savoir l'heure, une seringue... !

Irène. — Alors, vous me reconnaissez ?

Adonis, *avec un rire bêta.* — Pas du tout.

Amélie, *en manière d'explication.* — Eh ! ben, c'est
madame.

Adonis, *qui n'est pas plus avancé qu'auparavant.* —
Avec son même rire bête. — Ah !

L'œil toujours fixé sur Irène, il se laisse tomber de son
haut sur le canapé, à côté de Pochet.

Amélie. — Madame le trouve changé ?

Irène. — Dame ! C'est aujourd'hui un homme et
j'avais laissé un enfant.

Elle le lorgne avec son face-à-main.

Adonis, *étalé (4) sur le canapé à côté de son père (5),*
en se faisant un écran de sa main gauche contre sa
bouche et à mi-voix. — Comment qué s'appelle ?

Pochet, *bas.* — Madame de Prémilly !

Adonis, *même jeu.* — Ah ! oui ! Celle qui a fichu
Amélie à la porte à cause des bigoudis !

Pochet, *lui repoussant affectueusement la tête du*
plat de la main. — Chut, voyons !

Irène, *tandis qu'Adonis la regarde en riant sous*
cape et en sautillant sur son derrière, les deux mains

serrées entre ses genoux, les jarrets tendus.
— Qu'est-ce qu'il dit comme ça tout bas ?

POCHET. — Il est en train de remettre madame.

IRÈNE. — À la bonne heure !

ÉTIENNE, *au-dessus d'eux, derrière le canapé.* — *À part, montrant Adonis et Pochet.* — C'est gentil, ce petit tableau de famille !

On sonne.

ADONIS, *se levant d'un bond et courant en sautillant comme un gamin vers la porte du fond.* — Ah ! on a sonné.

AMÉLIE. — Où vas-tu ?

ADONIS, *sans s'arrêter.* — Eh bien ! je vais ouvrir, donc !

AMÉLIE. — Ah ! bon, va ! (*Remontant vivement et à Adonis déjà sorti.*) — Eh ! Dans le petit salon ! Fais entrer dans le petit salon !

Cri lointain d'Adonis à la cantonade : « Oui ! »

IRÈNE, *remontant par un mouvement arrondi de façon à prendre le n° 2.* — Eh bien ! moi, ma bonne Amélie, je vous laisse.

AMÉLIE (1), *désappointée.* — Madame s'en va ?

IRÈNE. — Bien, oui... Vous avez du monde, n'est-ce pas... ?

Amélie est à gauche de la porte du fond, Irène à droite ; Étienne (3) et Pochet(4) ont accompagné la fausse sortie d'Irène.

ADONIS, *entrant vivement et se collant contre le chambranle gauche de la porte du fond.* — C'est M. Courbois !

IRÈNE, *sursautant, affolée.* — Marcel !...

MARCEL, *qui a surgi à peine l'annonce d'Adonis achevée.* — Bonjour, les enfants ! (*Se trouvant nez à nez avec Irène.*) Ah !

Sortie d'Adonis.

IRÈNE, *qui a reculé jusqu'à l'extrémité du clavier du piano.* — Mon ami, je...

MARCEL, *ne revenant pas de sa surprise.* — Hein ! toi !... Vous !... Vous ici ! (*Bien bêtement, sur le même ton, pour donner le change.*)... Madame !

ÉTIENNE (4). — Oh ! que ce « madame » est donc bien dit !

MARCEL (2), *descendant un peu, ainsi que tous les autres à son exemple.* — Mais qu'est-ce que vous faites là ? Votre place n'est pas ici !

AMÉLIE. — Ah bien, dis donc !...

MARCEL. — Mais absolument !

Il dépose son chapeau sur le piano.

IRÈNE (3). — Mon ami, je vous expliquerai...

ÉTIENNE. — Oui, mais d'abord à toi ! à toi de nous expliquer !... Qu'est-ce que c'est que ces histoires de mariage ? Tu épouses Amélie, maintenant ?...

MARCEL. — Hein ?

POCHET. — Il épouse Amélie ? Vous épousez Amélie ?

MARCEL. — Mais non ! mais non ! Quoi ? Comment ? Qui est-ce qui vous a dit ?

IRÈNE (3), *confuse.* — Pardonnez-moi ! C'est moi, mon ami...

MARCEL, *ahuri (2).* — Comment ?

IRÈNE. — Par une lettre que j'ai lue...

MARCEL. — Vous !

ÉTIENNE (4), *avec un sérieux où perce l'ironie.* — Oui, par erreur !... par erreur !...

MARCEL, *à Irène.* — Comment ! tu f... (*Se reprenant.*) Vous fouillez ma correspondance ?

ÉTIENNE, *à la blague.* — Oh ! Va donc ! Si c'est pour nous, ne change pas tes habitudes ! Tu peux dire « tu » à madame !

MARCEL. — Et alors !... et alors, tu as douté de moi !

IRÈNE, *redescendant un peu.* — Ah ! bien, on douterait à moins.

AMÉLIE. — Enfin, pourquoi ? Pourquoi ce mariage ?

MARCEL. — Eh ! « pourquoi » ! Parce que, si vous voulez le savoir, j'ai des emm... bêtements par-dessus la tête, et que ce mariage est pour moi le seul moyen d'en sortir.

Tout en parlant, il passe devant tous ceux qui sont à sa gauche et gagne le nº 5 jusque devant le canapé.

IRÈNE. — Hein ! Mais alors... tu l'épouses ?

TOUS. — Oui ?

MARCEL. — Mais non ! (*Établissant bien la distinction.*) Je fais semblant de l'épouser.

TOUS. — ... Semblant ?

IRÈNE (4). — Pourquoi ?

MARCEL, *se laissant tomber sur l'extrême droite du canapé, le coude gauche sur le dossier, la tête dans la main.* — Eh ! parce que j'en ai assez de la mouise où je me débats depuis un an !

IRÈNE, *qui ne comprend pas.* — La mouise ?

AMÉLIE (1). — Oui, c'est-à-dire la purée.

IRÈNE, *même jeu.* — La purée ?

ÉTIENNE (2). — La débine.

IRÈNE, *même jeu.* — La débine ?

POCHET (3), *très gentiment.* — La crotte.

IRÈNE, *répétant machinalement.* — La cr... Oh !

MARCEL, *sans se lever, se retournant vers Irène.* — Je n'ai plus le sou, quoi ! Je n'ai plus le sou, voilà !...

IRÈNE, *s'asseyant vivement près de lui et lui mettant affectueusement les mains sur les épaules.* — Oh ! mon pauvre chéri ! c'est vrai ?... Oh ! si je pouvais !...

MARCEL, *avec dignité, se levant d'un trait.* — Tais-toi !... Tu pourrais que moi je ne pourrais pas !

AMÉLIE. — Oh ! le préjugé !...

IRÈNE, *qui s'est levée presque en même temps que Marcel ; à Amélie.* — N'est-ce pas ?

En ce disant, elle descend nº 5.

MARCEL, *gagnant jusqu'à l'extrême gauche du canapé.* — Alors, ma foi, je me suis dit : « À la fin, c'est trop bête ! Quand on a à soi douze cent mille francs !... »

ÉTIENNE. — Mais c'est vrai, au fait : tu as douze cent mille francs !...

IRÈNE, *se rapprochant vivement de Marcel.* — Tu as douze cent mille francs ?

AMÉLIE. — Douze cent mille francs !

POCHET, *se précipitant comme attiré par un aimant vers Marcel.* — Vous avez douze cent mille francs !

MARCEL, *le plus simplement du monde.* — J'ai douze cent mille francs.

POCHET, *lui collant une main sur l'estomac, l'autre dans le dos, pour le faire asseoir sur le canapé.* — Oh ! mais asseyez-vous donc !

ÉTIENNE, *vivement et ironiquement.* — Pas la peine ! il ne peut pas y toucher.

POCHET, *du même mouvement, relevant Marcel au moment où celui-ci est près d'être assis.* — Ah ?... alors !...

> *Étienne remonte près du piano et s'assoit pendant ce qui suit, à califourchon, sur la chaise remontée précédemment par Amélie.*

MARCEL, *répondant à la remarque d'Étienne.* — Mais oui ! c'est ce qui m'enrage ! C'est encore une de ces idées à mon pauvre père ! Ah ! je l'aimais bien ! Mais ce qu'il pouvait voir de travers ! Ne s'imaginait-il pas qu'un jeune homme ne pouvait être à même de diriger sa fortune, sans se la faire manger par des cocottes !

AMÉLIE. — Oh ! que c'est coco !

POCHET, *remontant légèrement avec un geste de tête dans la direction de la porte du fond, par laquelle Adonis a fait sa dernière sortie.* — Mon pauvre Adonis ! Ah ! ça n'est pas moi qui... !

AMÉLIE, *sur le ton moqueur.* — Non ! ça... ! et pour cause !

> *Elle gagne légèrement vers Marcel.*

MARCEL. — Alors, conséquence : il m'a laissé juste de quoi ne pas crever de faim : si, mille livres de rentes ! la purée, quoi !

AMÉLIE. — Et comment !

POCHET, *redescendant n° 1.* — Eh ! mais... ! je n'avais pas ça à la préfecture !

MARCEL. — Et quant aux douze cent mille balles, il les avait remis en fidéicommis...

POCHET, AMÉLIE, IRÈNE. — En quoi ?

MARCEL, *répétant*. — En fidéicommis.

ÉTIENNE, *se levant et descendant (3) entre Amélie et Marcel*. — ... Oui, ça veut dire : « remis à la bonne foi ». C'est un capital que l'on confie de la main à la main à un tiers, avec mission de le remettre à une personne à qui il est destiné.

AMÉLIE. — Ah ! oui ! C'est comme qui dirait Bibichon, quand je lui remets un louis pour qu'il me prenne un cheval au book ou au pari mutuel.

ÉTIENNE, *blagueur*. — Tu y es ! Ça n'a aucun rapport, mais c'est tout à fait ça.

MARCEL. — ... En fidéicommis à mon parrain, à charge pour lui de me les verser le jour où je me marierais.

IRÈNE. — Ah ! mais alors, je comprends ! Ce mariage... !

MARCEL. — L'expédient du désespoir ; ça réussira ou ça ne réussira pas ; je risque le paquet.

ÉTIENNE, *moitié figue, moitié raisin*. — C'est ça ! et tu as annoncé à ton parrain que tu épousais Amélie !

MARCEL. — Comme tu dis.

ÉTIENNE, *avec un rire un peu jaune, remontant*. — Elle est bonne ! Elle est bien bonne !

MARCEL. — Mademoiselle Amélie d'Avranches, jeune fille d'une excellente famille !

AMÉLIE, *avec une dignité comique*. — Eh bien ! mais... !

POCHET, *avec la même dignité*. — Ancien brigadier de la paix !

Étienne est redescendu (4).

MARCEL. — Et j'ai joint à l'envoi la photographie de la jeune personne annoncée à l'intérieur.

AMÉLIE. — C'est ça ! Je te ferai encore cadeau de ma photographie.

MARCEL. — Ah ! Qu'est-ce que tu veux ? Quand on craque (*prononcer chaque fois « quan-hon »*), c'est pas comme quand on craque pas. Il faut donner des choses probantes. Je n'avais que toi sous la main ; je t'ai envoyée.

Amélie, *s'inclinant gentiment*. — T'es bien gentil ! (*Avec des balancements de pavane, gagnant l'extrême gauche n° 1.*) Voilà ! Je me balade en Hollande, moi !

Pochet, *suivant sa fille avec la même démarche*. — Comme un fromage !

Étienne, *redescendant (3)*. — Eh bien, mon vieux, tout ça me paraît bien combiné ; ça va tout seul.

Marcel. — Eh bien, non ! justement, ça ne va pas ! Ça ne va pas du tout ! et c'est pour ça que je suis là.

Tous. — Quoi ?

Marcel. — Mon parrain n'a pas voulu se contenter de la lettre ; il a tenu à s'assurer par lui-même, et il est venu.

Tous. — Non !

Marcel. — Il a débarqué chez moi, il y a une heure, et il m'a dit : « C'est moi, filseke !... » — Parce qu'il est d'Anvers ! — « C'est moi, filseke !... » — Il habite la Hollande, mais il est d'Anvers. — « C'est moi, filseke ! Que je te faïe la surprise ! »

Étienne. — Oh ! la charmante surprise !

Marcel. — Tu parles ! (*Reprenant.*) « Il faut que tu me présentes une fois à la jeune fille, donc ! »

Amélie(2), *riant*. — Ah !... Et c'est moi la jeune fille.

Étienne, *sur le même ton*. — C'est toi la jeune fille.

Pochet, *hautain*. — Eh bien ! quoi ? Elle n'est pas mariée, que je suppose ?

Étienne, *s'inclinant*. — Non ! Pour ce qui est de ça, non !

Marcel. — Tu penses que je ne me le suis pas fait dire deux fois ; j'ai pris mes cliques et mes claques pour vite aller vous prévenir... et me voilà !

Amélie et Étienne. — Et alors ?

Marcel. — Eh ben ! alors, quoi, mes enfants ! y a pas !... Il ne s'agit plus de blaguer ! Nous jouons le tout pour le tout. Le parrain veut voir la fiancée ; il faut que je lui présente la fiancée.

ÉTIENNE, *la trouvant mauvaise.* — Amélie ? Ah !...
Ah ! non, tu sais, non ! Ah !

En parlant, il remonte avec des moues d'homme contra-rié.

MARCEL, *le suivant dans un mouvement un peu
arrondi.* — Oh ! voyons, Étienne !... Étienne, tu ne
vas pas !... (*Allant à Amélie.*) Amélie, voyons, dis ! tu
ne vas pas me laisser en plan, hein ?

AMÉLIE. — Comment, il va falloir !... Oh !

MARCEL, *persuasif.* — Douze cent mille francs ! tu
ne me feras pas manquer ça ?

IRÈNE, *qui s'est rapprochée de Marcel et d'Amélie.* — Amélie, ma fille ! vous ne pouvez pas lui faire
manquer ça.

AMÉLIE. — Tout de même, voyons !...

POCHET, *intervenant en faveur de Marcel.* — Non !
Tu ne peux pas ! tu ne peux pas !

MARCEL, *tenant les mains d'Amélie.* — Douze cent
mille francs, songe donc ! Tu penses que je te ferai
un beau cadeau !

AMÉLIE. — Eh ! ton cadeau ! ton cadeau ! Je n'en
veux pas, de ton cadeau !

POCHET, *vivement.* — Mais si !... Mais si !...
(*Comme pour corriger ce que ce cri du cœur peut avoir
d'intéressé.*) Il ne faut pas dire ça !... c'est désobli-
geant !

AMÉLIE. — Oui, enfin !... Avant tout, il y a toi !...
Et puis madame !... à qui je suis profondément
dévouée.

MARCEL, *regardant Irène, étonné.* — À toi !
Tiens !...

IRÈNE. — Oui, c'est un secret entre nous.

MARCEL, *à Amélie.* — Allons, ma petite Amélie,
hein ?

AMÉLIE. — Soit, quoi ! Je ferai de mon mieux !

MARCEL. — Ah ! merci, Amélie.

*Il lui serre la main et cède la place à Irène en passant
au-dessus d'elle.*

IRÈNE, *serrant la main d'Amélie.* — Merci, ma
bonne Amélie !

Marcel, *qui est allé à Étienne qui est à l'extrême droite*. — Merci, toi !

Étienne, *maugréant*. — « Merci, merci ! » Bien oui, mais... et le mariage ?... Il verra bien qu'il n'y a pas de mariage.

Tous. — Ah ! oui.

Marcel. — Tais-toi ! ç'a été ma première crainte ! Dieu merci ! tout va bien. Il part pour deux mois en Amérique ; tu penses si je me suis dépêché de fixer la date de mon prétendu mariage dans le courant de cette période. Alors, il m'a dit : « Écoute, filseke !... » — parce qu'il est d'Anvers ! — « Écoute, filseke... » Il habite la Hollande...

Tous, *achevant pour lui*. — Mais il est d'Anvers.

Marcel. — Ah ! vous savez ?...

Tous. — Oui, oui, nous savons !

Marcel. — « Écoute, filseke ! je suïé en peine, hein ? Je ne saurai pas être là pour la cérémonie ! mais, si ça t'est quifquif, aussitôt marié, je te ferai parvenir le montant de ta fortune. » Comment, si ça m'est quifquif ! Tu parles !

Irène remonte un peu, dégageant Amélie qui remonte aussi légèrement, dégageant à son tour Pochet. Ils sont ainsi tous trois un peu en sifflet.

Étienne. — Allons ! Parfait ! tout va comme sur des roulettes.

Amélie, *tendant la main*. — Monsieur mon fiancé, voici ma main.

Marcel, *allant avec un zèle comique prendre la main qu'elle lui tend*. — Ah !... mademoiselle !

Il lui baise la main.

Pochet, *écartant les bras*. — Mon gendre, dans mes bras !

Marcel, *passant devant Amélie et donnant l'accolade à Pochet*. — Beau-père, vous me comblez !

Étienne. — Et quand doit-il venir, ton parrain ?

Marcel, *le bras droit autour des épaules de Pochet*. — Mais je ne sais pas ! aujourd'hui !... tout à l'heure !... tout de suite !... (*Sonnerie.*) Le voilà !

Il lâche Pochet et va vers Étienne, extrême droite.

IRÈNE, *pivotant sur les talons et gagnant vers la baie.* — Oh ! là ! là ! je m'esquive, alors, moi !

AMÉLIE, *remontant, suivie de Pochet, à la suite d'Irène.* — Alors, cette fois, tout de bon, madame part ?

IRÈNE, *tout en marchant.* — Mais oui, ma fille ! Je n'ai que faire dans cette entrevue de famille !

Amélie, Pochet et Irène sont entre le piano et la baie ; Étienne est remonté par la droite, Marcel est devant le canapé.

MARCEL, *à Adonis, qui paraît à la porte du vestibule.* — Eh bien ?... C'est mon parrain ?

ADONIS, *annonçant.* — Le général Koschnadieff !

TOUS, *comme si on leur parlait chinois.* — Quoi ?

MARCEL. — Ah ?... c'est pas lui !

Il remonte vers le groupe par la gauche du canapé.

AMÉLIE. — Qu'est-ce que c'est que ça, Koschnadieff ?

ADONIS. — J'sais pas !

ÉTIENNE. — Qu'est-ce qu'il veut ?

ADONIS, *avec son rire benêt.* — J'sais pas !

AMÉLIE. — Eh bien ! va lui demander !

ADONIS, *même jeu.* — Oui !

Il sort.

IRÈNE, *prenant congé.* — Allons, ma bonne Amélie !...

AMÉLIE (1). — Ah ! madame, je ne saurais dire combien j'ai été heureuse !...

IRÈNE (3). — Vous êtes une brave fille.

AMÉLIE. — Si jamais madame a besoin de moi... ou de mon père...

POCHET (2), *au-dessus des deux femmes.* — Oh ! tout dévoué !

IRÈNE. — Merci, ma bonne ! Merci, Pochet !

ADONIS, *rentrant.* — Eh bien, voilà : il dit que c'est pour une entrevue diplomatique !

AMÉLIE. — Quoi, « diplomatique » ?

ÉTIENNE. — Oh ! ben quoi !... Reçois-le ! tu verras bien.

Amélie. — Fais-le entrer... Je suis à lui tout de suite.

Étienne, *à Marcel, qui, près d'Irène, cause avec elle*. — Pendant ce temps-là, je vais me remettre en bourgeois !... Tu viens, Marcel ?

Marcel. — Tu parles !... (*À Irène.*) Alors, au revoir, ma petite Irène !... tu rentres tout de suite, hein ? Au revoir !

Irène. — Au revoir, Marcel ! Au revoir, Amélie !

Amélie. — Oh ! mais, nous reconduisons madame.

Pochet. — Ah ! bien, comme de juste !

Irène, *à Étienne*. — Monsieur !

Étienne. — Madame, très heureux ! (*À Marcel.*) Viens, toi !

Marcel et Étienne sortent par la droite, premier plan.

Amélie. — Tenez par ici, madame.

Pochet, Irène, Amélie sortent par la baie : on les verra passer par la suite à travers la glace sans tain.

Scène 9

Adonis, Koschnadieff

Adonis, *introduisant le général*. — Si monsieur veut entrer ?

Koschnadieff, *en redingote, rosette d'ordre étranger à la boutonnière. Il descend (2) au milieu de la scène*. — *Parler saccadé, brusque, accent slave.* — Ah !... Très bien ! (*Jetant un rapide regard circulaire.*) Mais quoi ?...

ADONIS, *descendant près de la table à jeu.* — Monsieur ?

KOSCHNADIEFF, *ne voyant pas Amélie.* — La maîtresse de céans donc !

ADONIS. — Elle va venir, monsieur, je l'ai prévenue.

KOSCHNADIEFF. — Ah ! très bien ! (*Adonis remonte.*) Ah !... dites-moi !... valet !

ADONIS, *redescendant.* — Monsieur ?

KOSCHNADIEFF. — Quelle femme ?... Des amants ? Beaucoup ? Un ? Combien ?

ADONIS, *regardant Koschnadieff d'un air étonné, puis.* — Qui ?

KOSCHNADIEFF. — La maîtresse de céans ?

ADONIS, *sur un ton froissé.* — Mais, monsieur, je ne sais pas !... que monsieur lui demande lui-même.

KOSCHNADIEFF, *cassant et brute.* — Ah ?... Oh ! stupide ! allez !

ADONIS, *à part, en considérant le général, tout en remontant.* — C't une casserole !

KOSCHNADIEFF, *brusquement.* — Hep !... Valet !

ADONIS, *redescendant.* — Monsieur ?

KOSCHNADIEFF, *tirant un louis de son gousset.* — Prenez ce louis [1].

ADONIS, *ravi.* — Ah ! Merci, monsieur !

Il remonte comme pour sortir.

KOSCHNADIEFF. — Hep ! (*Adonis redescend.*)... Et faites-moi la monnaie, je vous prie !

ADONIS, *désappointé.* — Ah ?...

KOSCHNADIEFF. — Oui !

ADONIS. — V'là tout ?

KOSCHNADIEFF. — V'là tout.

ADONIS, *à part, tout en remontant.* — Cosaque, va ! (*Apercevant à travers la glace Amélie qui revient du vestibule.*) Ah ! voilà madame !

Il sort fond gauche.

---

1. Pièce d'or française de 20 francs.

Scène 10

AMÉLIE, KOSCHNADIEFF

AMÉLIE, *paraissant à la baie et descendant par la droite du canapé.* — Monsieur ?

KOSCHNADIEFF, *s'inclinant et se présentant.* — Général Koschnadieff ! (*Amélie lui indique le canapé pour l'inviter à s'asseoir près d'elle ; du geste, il décline respectueusement cet honneur et, allant jusqu'au piano sur lequel il dépose son chapeau, il prend la chaise qu'il descend près du canapé. Se présentant à nouveau.*) Général Koschnadieff, premier aide de camp de Son Altesse Royale le prince Nicolas de Palestrie [1].

Sur un nouveau signe d'Amélie, il s'assied sur la chaise qu'il a descendue.

AMÉLIE. — Oh ! Général, très honorée, mais... ?

KOSCHNADIEFF. — C'est Son Altesse qui m'envoie vers vous.

AMÉLIE, *étonnée.* — Son Altesse ?

KOSCHNADIEFF. — Le prince est donc très amoureux de vous.

AMÉLIE. — De moi ?... comment ? Mais Son Altesse ne me connaît pas.

KOSCHNADIEFF. — Je vous demande pardon ! Vous étiez bien une fois au gala du Français, lors de la dernière visite officielle du prince à Paris ?... Aux fauteuils de l'orchestre ?

AMÉLIE. — En effet, mais...

KOSCHNADIEFF. — Eh bien ! le prince vous a remarquée.

---

1. La Palestrie est un pays de pure fiction mais Feydeau a évidemment songé à la Russie puisque Nicolas est alors le prénom du tsar régnant.

AMÉLIE, *très flattée*. — Moi ! non, vraiment ? Oh !

KOSCHNADIEFF. — Certes !... Il a même demandé au Président de la République qui vous étiez !

AMÉLIE, *n'en croyant pas ses oreilles*. — Non ?

KOSCHNADIEFF. — Mais le Président n'a pas pu le renseigner.

AMÉLIE. — Ah ?

KOSCHNADIEFF. — Non !

AMÉLIE. — Tiens !

KOSCHNADIEFF. — Alors, nous avons délégué un attaché de l'ambassade, qui s'est mis en rapport avec la police, laquelle, le lendemain, nous a fait parvenir une fiche.

AMÉLIE, *estomaquée*. — Une... une fiche !

KOSCHNADIEFF, *confirmant de la tête*. — Une fiche. C'est comme cela que le prince a eu la joie d'apprendre qui vous étiez.

AMÉLIE, *aimable, mais vexée*. — Ah ! c'est... c'est d'un galant !

KOSCHNADIEFF. — Oh ! Son Altesse est très éprise ! Elle a le pépin... comme vous dites ! (*Rapprochant sa chaise d'Amélie, et confidentiellement, presque dans l'oreille.*) Je crois que si elle est revenue incognito, c'est beaucoup pour vous.

AMÉLIE. — À ce point !

KOSCHNADIEFF, *hoche la tête affirmativement, puis*. — À ce ! Son Altesse est arrivée ce matin... En ce moment, elle fait la visite au Président, qui la lui rendra un quart d'heure après ; après quoi, elle sera débarrassée !

AMÉLIE. — Oui, le fait est que ces petites cérémonies... !

KOSCHNADIEFF. — Qu'est-ce que vous voulez ? c'est le protocole ! (*Revenant à ses moutons*.) Si je vous disais que la première chose que le prince m'a dite en s'installant à l'hôtel — sur l'honneur ! — c'est une parole d'amour pour vous.

AMÉLIE, *sur un ton légèrement langoureux*. — Le prince est donc sentimental ?

KOSCHNADIEFF, *élevant la main au-dessus de sa tête pour exprimer l'immensité de la chose.* — Très !... (*Comme à l'appui de son dire.*) Il m'a dit : « Koschnadieff, mon bon ! Cours chez elle et arrange-moi ça, hein ? Sur toi je compte ! »

AMÉLIE, *un peu estomaquée.* — Ah ?... Ah ? Comme ça ?

KOSCHNADIEFF. — Positivement.

AMÉLIE, *entre chair et cuir.* — Eh ! ben, mon colon !

KOSCHNADIEFF. — Oh ! il est très amoureux ! (*Changeant de ton.*) Et alors, voilà, je fais la démarche.

AMÉLIE, *interloquée.* — Ah ? Ah ! Alors c'est vous qui...

KOSCHNADIEFF, *étonné de la surprise d'Amélie.* — Quoi ?... on dirait que je vous étonne ?...

AMÉLIE. — Du tout, du tout ; seulement, n'est-ce pas... ?

KOSCHNADIEFF. — Oui, je comprends ! c'est un peu délicat !... Vous n'êtes peut-être pas habituée à ce genre de démarche !

AMÉLIE. — Oh ! c'est pas ça !... Vous pensez bien, n'est-ce pas ? que tous les jours... Seulement, tout de même, ordinairement, c'est pas un général.

KOSCHNADIEFF. — Vraiment ?... Tiens, tiens, tiens !

AMÉLIE. — Non.

KOSCHNADIEFF. — Comme c'est curieux !

AMÉLIE. — Ah ?

KOSCHNADIEFF, *avec fierté.* — En Palestrie, c'est moi que j'ai l'honneur d'être chargé !... (*Comme raison de cette charge.*) Je suis l'aide de camp de Son Altesse !

AMÉLIE, *s'inclinant avec un peu d'ironie.* — Évidemment ! évidemment !

KOSCHNADIEFF, *se levant comme mû par un ressort, et les deux mains sur les hanches, bien en face d'Amélie.* — Alors !... dites-moi quoi ? Voyons !... quand ?

AMÉLIE, *se levant également*. — Quoi, quand ?

KOSCHNADIEFF, *très à la hussarde*. — Quelle nuit voulez-vous ?

AMÉLIE, *avec un sursaut d'effarement*. — Hein ? Ah ! non, vous savez ? Vous avez une façon de vous coller ça dans l'estomac !... Mais je ne suis pas libre, général ! J'ai un ami !

KOSCHNADIEFF, *de même*. — Aha !... et alors ?... Qu'est-ce qu'il veut ?... Une décoration, peut-être ? Commandeur de notre ordre, est-ce ça ?

AMÉLIE. — Mais non, monsieur, mais non ! Je suis fidèle à mon amant.

KOSCHNADIEFF. — Bon !... Alors, grand officier ?... Avec plaque ?... Ça fera peut-être l'affaire ?

AMÉLIE, *passant devant le général et gagnant la gauche*. — Mais ce n'est pas de ça qu'il s'agit !

KOSCHNADIEFF, *sur un ton scandalisé*. — Alors, donc, quoi ? C'est un refus ?... Vous éconduisez Son Altesse ?

AMÉLIE, *vivement*. — Je ne dis pas ça.

KOSCHNADIEFF. — Qu'est-ce qui vous arrête ?

AMÉLIE, *hésitante*. — Ah ! ben, tiens... !

KOSCHNADIEFF, *qui est remonté derrière Amélie et tout contre elle, lui glissant les mots à l'oreille comme le démon tentateur*. — Songez qu'il s'agit d'une Altesse Royale !... et tromper son amant avec une Altesse Royale, ce n'est donc déjà positivement plus le tromper.

AMÉLIE, *déjà hésitante*. — Oui, évidemment, ça... ! (*Se retournant vers le général.*) Surtout qu'on n'est pas obligé de lui raconter.

KOSCHNADIEFF, *reculant un peu à droite*. — Eh ! par Dieu le Père, non !

AMÉLIE. — Justement, mon amant qui part faire ses vingt-huit jours à Rouen !

KOSCHNADIEFF, *très large*. — Là ! vous voyez, comme le Seigneur fait les choses !

AMÉLIE. — Et une Altesse Royale !

KOSCHNADIEFF, *presque murmuré dans l'oreille d'Amélie*. — Le prince est très généreux !

AMÉLIE. — Oh ! mon amant me donne tout ce dont j'ai besoin !

KOSCHNADIEFF, *vivement*. — Je ne doute ! (*Plus lentement.*) mais à côté de tout *qu'est*-ce *qu'*on a besoin...

AMÉLIE, *achevant sa pensée*. — Il y a tout ce *qu'est*-ce *qu'*on n'a pas besoin !

KOSCHNADIEFF. — Qui est énorme !

AMÉLIE, *tourne la tête vers le général, l'œil dans son œil, puis, articulé seulement avec les lèvres, sans aucun son de voix, mais avec une mimique expressive*. — Énorme !

KOSCHNADIEFF, *avec sa brusquerie de sauvage*. — Oui !... Eh bien ! donc, alors quoi ?

AMÉLIE, *l'œil fixé sur la rosette du général avec laquelle elle joue machinalement de la main*. — Eh bien ! alors... je ne sais pas !...

KOSCHNADIEFF, *cavalièrement*. — Très bien !

Pan ! une tape du plat de la main dans le dos.

AMÉLIE, *au reçu de la tape*. — Oh !

KOSCHNADIEFF. — Nous sommes d'accord. (*Il fait mine de remonter chercher son chapeau, puis redescend.*) Ah ! Je n'ai plus qu'une chose à vous dire : Son Altesse a l'habitude, après chaque visite, de donner dix mille francs.

AMÉLIE, *relevant le nez*. — Dix... dix mille francs !

KOSCHNADIEFF, *les yeux dans ceux d'Amélie*. — Dix mille !

AMÉLIE, *avec un petit sifflement d'admiration*. — Fffuie !

KOSCHNADIEFF, *martelant chaque membre de phrase*. — C'est donc une somme de neuf mille francs que j'aurai à vous remettre !

AMÉLIE, *qui écoutait les yeux à terre, relevant le nez à ce moment*. — De... de neuf ?

KOSCHNADIEFF, *sans se démonter*. — De neuf.

AMÉLIE, *saisissant*. — Ah ! parce que vous...

KOSCHNADIEFF. — Quoi ?

AMÉLIE, *vivement*. — Non... non ! rien ! ça va bien ! de neuf ! de neuf ! de neuf !

Koschnadieff, *sur un ton de conclusion*. — Nous sommes d'accord !

Il remonte chercher son chapeau.

Amélie, *à part*. — Eh ben ! mon lapin !

Scène 11

Les mêmes, Pochet

Pochet, *arrivant du pan coupé droit*. — Je vous demande pardon !... Voilà la monnaie de vingt francs qu'on a demandée à Adonis.

Amélie, *remontant*. — Qui ça ?

Koschnadieff(2). — Ah ! oui ! C'est moi !... pardon !

Pochet(3). — Voici ! une, deux, trois, et cinq pièces de vingt sous qui font vingt.

Koschnadieff. — Je vous rends grâces. (*Lui donnant la pièce.*) Gardez !

Pochet, *le plus naturellement du monde*. — Merci.
Il met la pièce dans sa poche.

Amélie, *présentant*. — Mon père !... Le général... euh !... je vous demande pardon ?

Koschnadieff. — Koschnadieff !

Amélie. — C'est ça. Kosch... Enfin, comme monsieur dit ! premier aide de camp du prince de Palestrie.

Pochet, *avec un sifflement admiratif*. — Fffuie !... Mazette !

Koschnadieff. — Très heureux !... positivement !... (*Il accompagne cette déclaration d'un geste auquel se méprend Pochet ; croyant que le général lui tend la main, il va pour la lui serrer, mais le geste de Koschnadieff s'est continué dans la direction d'Amélie pour la phrase suivante qui achève sa pensée ; Pochet reste en plan avec sa main tendue, jette sur elle un regard déconfit, fait « hum ! » et refourre sa main philosophiquement dans sa poche. Ce jeu de scène dure l'espace d'une seconde.*) Vous avez une fille, en vérité !... Si cela peut vous être agréable d'être commandeur de l'ordre de Palestrie !...

POCHET, *radieux*. — Hein ! moi !... Oh !... Oh ! mais certainement... croyez bien que... oh !... Seulement, à quel titre ?

KOSCHNADIEFF. — Services exceptionnels : Son Altesse a le béguin pour madame votre fille.

POCHET, *se mordant les lèvres*. — Aha !

KOSCHNADIEFF. — Alors, mon maître m'a chargé de la démarche pour !... si vous n'y voyez pas d'inconvénients... ?

POCHET, *lui coupant la parole, et sur un ton pincé et digne*. — Pardon !... pardon !... Est-ce pour un mariage ?

KOSCHNADIEFF, *avec un rire gras*. — Mon Dieu ! pas positivement !

POCHET, *très pointu, tout en s'écartant à reculons du général*. — Oh ! alors, je vous prie !... pas à moi !... pas à moi !

KOSCHNADIEFF, *un peu étonné*. — Ah ?

POCHET. — Ma dignité de père... !

Il est descendu extrême droite au bout du canapé.

KOSCHNADIEFF. — Bon ! Bon ! Très bien !... (*Indiquant Amélie.*) Alors, c'est entre nous deux ! (*À Amélie.*) Madame ! j'aurai donc l'honneur d'accompagner tout à l'heure Son Altesse...

POCHET, *dressant l'oreille*. — Hein ?

KOSCHNADIEFF. — ... qui viendra vous présenter ses hommages, aussitôt qu'elle en aura fini avec l'Élysée.

POCHET, *dans tous ses états, passant devant le canapé et remontant entre lui et la chaise*. — Le prince ! le prince ici ?

KOSCHNADIEFF. — Positivement !

Pochet, *ne sachant plus ce qu'il fait dans son trouble, avançant la chaise dans la direction du public, comme s'il la présentait à un être imaginaire.* — Oh !... Asseyez-vous donc !

Koschnadieff, *au-dessus de lui, et toujours près du piano.* — Merci !

Pochet, *se retournant du côté du général.* — Non ! Je parle au prince ! Oh ! Est-il possible ! Quoi ! Il nous ferait l'honneur !... Mon Dieu, mon Dieu !... Et rien pour pavoiser !... pas de drapeaux ! rien.

Koschnadieff, *vivement.* — Oh ! non, je vous prie ! pas de chichis ! le prince désire l'incognito.

Pochet, *très agité, redescendant vers le canapé.* — Ah ? ah ?... je regrette !... Ça aurait fait bien pour les voisins !

Scène 12

Les mêmes, Marcel, puis Adonis et Van Putzeboum

Marcel, *en coup de vent entrant de droite premier plan et gagnant le n° 3 en passant au-dessus du canapé.* — Amélie ! Amélie ! (*S'excusant auprès du général dans lequel il a été presque donner.*) Oh ! pardon, monsieur !

Koschnadieff. — Je vous prie !

Marcel. — Le voilà ! le voilà ! je viens de l'apercevoir à travers la fenêtre !

Amélie. — Qui ?

Marcel. — Mon parrain ! Van Putzeboum !

Pochet, *avec une envie de rire à l'audition du nom.* — Quoi ?

Marcel, *riant aussi.* — Bien oui !... c'est de naissance.

POCHET, *répétant le nom en riant*. — Putzeboum.

MARCEL. — Van ! Van ! (*Sonnerie.*) Là ! voilà, c'est lui !

AMÉLIE. — Eh bien ! mon grand, quoi ? Va le recevoir.

MARCEL, *vivement*. — C'est ça ! C'est ça ! (*À Koschnadieff.*) Monsieur, encore pardon !

Il sort rapidement par la baie. Pendant ce qui suit on verra à travers la glace sans tain Adonis introduire Van Putzeboum, et celui-ci embrasser Marcel tandis qu'Adonis se retirera.

KOSCHNADIEFF, *prenant congé*. — Oh ! mais alors bien donc, madame ! je vous présente mes devoirs.

AMÉLIE, *remontant dans la direction de la porte*. — Au revoir, général, et très reconnaissante.

Elle ouvre la porte et passe la première pour montrer le chemin au général.

KOSCHNADIEFF. — Oh ! je vous prie !... (*À Pochet qui est remonté(3) à la suite du général.*) Monsieur le père !...

POCHET, *s'inclinant*. — Général ! (*Ne perdant pas le nord.*) Et alors, n'est-ce pas ? Pour la petite croix de commandeur...

KOSCHNADIEFF. — Entendu ! Entendu !

Il sort.

POCHET, *sur le pas de la porte*. — Et quand je dis « petite », vous savez, même au besoin une grande !...

Il sort. En même temps qu'ils sortent d'un côté, paraissent Marcel et Van Putzeboum par la baie de droite.

MARCEL, *précédant Van Putzeboum*. — Par ici, parrain !

VAN PUTZEBOUM, *passant son bras gauche autour des épaules de Marcel et descendant avec lui en scène*. — Eh ! te voilà, filske !... Eh bien ! me voilà, moi ! À la bonne heure ! on sent ici que tu deviens un homme sérieux... dans ce foyer familial, n'est-ce pas ?

Il lâche Marcel et va poser son chapeau sur la table à jeu.

MARCEL. — Mais oui, mon parrain !

Amélie, revenant de l'antichambre, suivie de Pochet, et descendant entre Van Putzeboum et Marcel, tandis que Pochet descend par l'extrême gauche, entre la table et la fenêtre.

VAN PUTZEBOUM, *avec satisfaction, en voyant Amélie.* — Ah !

MARCEL (4), *voulant faire la présentation.* — Mon parrain, je vous présente...

VAN PUTZEBOUM (2), *vivement.* — Attends !... attends, fils, que je devine !... (*Le regard dans les yeux d'Amélie, l'index en avant et sur un ton inspiré.*) Mademoiselle Amélie d'Avranches... ça est vous !

AMÉLIE (3), *souriant.* — C'est moi !

VAN PUTZEBOUM, *radieux.* — Ah !... J'aïe deviné !

POCHET, *à part.* — Qu'il est fort !

AMÉLIE, *très jeune fille du monde.* — M. Marcel nous avait annoncé votre venue, monsieur, et nous vous attendions avec impatience !

VAN PUTZEBOUM, *flatté.* — Tenez ! Tenez !

AMÉLIE, *à Pochet.* — N'est-ce pas ?

POCHET. — Ah !... *Comme l'avenue de Messine* !

VAN PUTZEBOUM. — Ah ! bien ça, ça est gentil, savez-vous !... Godferdeck [1], petit, je te félicite ! Ça est un beau brin tout de même !

AMÉLIE, *baissant les yeux.* — Oh ! monsieur.

VAN PUTZEBOUM. — Oui, oui ! je dis comme ça est !

MARCEL. — N'est-ce pas ?

VAN PUTZEBOUM. — Eh ! sûr donc ! (*Se tournant vers Pochet.*) N'est-ce pas, monsieur ?

POCHET, *modeste.* — Ben... c'est ma fille.

VAN PUTZEBOUM. — Ouyouyouye ! Oui ? Eh bien ! je te complimente !... Vous savez faire, savez-vous.

POCHET, *même jeu.* — On s'est mis à deux, je vous dirai !

---

1. Juron national belge (littéralement « Dieu soit maudit ! ») ; *cf.*, plus loin, *Godferdom.*

Van Putzeboum, *avec un gros rire.* — Ouie, ça je pense !... On s'est mis deux ! (*Se tournant inconsidérément vers Amélie.*) On s'est mis d... (*S'arrêtant, interdit, et bas à Pochet.*) Oh ! oh ! devant elle... Godferdom !

Pochet, *sur le même ton que Van Putzeboum.* — Oh ! oui, oui ! c'est juste !

Van Putzeboum, *à Pochet.* — Monsieur d'Avranches, n'est-ce pas ?

Pochet. — Hein ? Pochet !

Amélie et Marcel lui font vivement des signes d'intelligence dans le dos de Van Putzeboum.

Amélie. — Hum !

Pochet. — Euh ! Pochet... d'Avranches ! Pochet, d'Avranches, oui ! oui !

Van Putzeboum. — Très heureux, monsieur. (*Lui tendant la main.*) Votre main donc ? (*Après avoir serré la main de Pochet, se tournant vers Amélie.*) Mademoiselle ! ça est un vieil habitant de la Hollande qu'il a fait tout exprès le voyage pour vous apporteï tous seï vœux de bônheur.

Amélie, *jouant l'émotion.* — Ah ! mon... mon parrain !

Van Putzeboum, *radieux, et lui tendant les bras.* — Ouie, c'est ça !... nommez-moi le parrain ! ça raccourcit les distances donc ! (*Au moment d'embrasser Amélie, à Marcel.*) Tu permets que je la bise ?

Marcel, *tournant un visage ahuri vers Van Putzeboum, puis.* — Quoi ?

Van Putzeboum, *les épaules d'Amélie entre les mains, répétant.* — Que je la bise !... « Une bise !... » Tu sais pas qu'est-ce que c'est qu'une bise ?

Marcel, *comprenant, et avec un rire contenu.* — Ah !... (*Poussant légèrement Amélie contre Van Putzeboum.*) Bisez, parrain ! bisez !

Van Putzeboum, *à Amélie, gentiment.* — Est-ce que je saïe vous embrasser ?

Amélie. — Comment « si vous savez » ? Mon

Dieu ! il me semble que vous êtes plus à même que moi...

MARCEL, *blagueur à froid*. — Non ! Non ! il demande s'il peut.

AMÉLIE. — Ah !... Comment donc !

Marcel remonte au-dessus du canapé.

VAN PUTZEBOUM, *l'embrasse sur la joue gauche; puis.* — Ah ! cette joue virginale ! (*Il l'embrasse sur la joue droite, puis à Pochet, tandis qu'Amélie va s'asseoir sur le canapé.*) Il me semble que je bise sur un bouton de rose ! (*Allant se camper au milieu de la scène, face à Amélie, tandis que Pochet remonte près de Marcel, derrière le canapé.*) Eh bien ! mademoiselle Amélie ! vous êtes contente que vous mariez mon filleul ?

AMÉLIE, *très Comédie-Française*. — Certes !... J'aime... (*Prononcer « j'eïmme »*) J'aime M. Marcel et je suis heureuse de devenir sa femme.

VAN PUTZEBOUM. — Tu entends ça, filske ?

MARCEL (4), *se penchant vers Amélie dont il imite le ton*. — Ah ! Toute ma vie ! toute ! pour cette parole d'amour !

Il fait mine de l'embrasser.

AMÉLIE (3), *le repoussant en lui mettant la main sur les lèvres et minaudant*. — Ah ! mon ami ! pas avant l'hyménée !

MARCEL, *avec humilité*. — Je vous demande pardon !

VAN PUTZEBOUM, *ému d'admiration*. — Ah ! Chaste jeune file ! Ça est pur comme de l'ôr !

MARCEL. — Et c'est rare par le temps qui court !

POCHET. — Quoi ? L'or ?

MARCEL. — Non, la pureté.

POCHET. — Eh ben, et l'or donc !

VAN PUTZEBOUM, *fouillant dans les poches des basques de sa jaquette*. — Et, maintenant, permettez-moi !... je vous ai apporté !... vous devez aimer les bijoux ?

AMÉLIE, *étourdiment*. — Tu parles !

MARCEL, *lui envoyant une bourrade rapide.* — Hum !

VAN PUTZEBOUM. — Comment ?

AMÉLIE, *vivement.* — Non, je dis : (*Parlant comme avec une pomme de terre trop chaude dans la bouche et bien à la file.*) U-arles, eu-arles, eu-erles, é-erles, des perles... (*Répétant, en appuyant sur le mot.*) Des perles... des diamants, ça n'est pas pour les jeunes filles.

VAN PUTZEBOUM, *allant s'asseoir (2) sur le canapé à côté d'Amélie (3)* . — Oui, ça est vrai ; mais maintenant que vous mariez Marcel, ça est changé donc ! Est-ce que vous ne savez pas porter des diamants ?

AMÉLIE. — Oh ! si, si, je sais !

POCHET, *jovial.* — Non, mais essayez un peu, pour voir.

VAN PUTZEBOUM. — Oui ? Ça est bien ; alors permettez que vous acceptez ce petit souvenir. (*Il présente un écrin qu'il a tiré de sa poche et qu'il ouvre.*) Je l'ai fait monter juste expressément pour vous.

AMÉLIE. — Pour moi ! (*Étourdiment.*) Oh ! qu'il est bath !

Marcel lui donne vivement une tape sur le gras du bras.

VAN PUTZEBOUM. — Comment ?

AMÉLIE. — Hein ! non ! non ! c'est une expression.

VAN PUTZEBOUM. — Tiens ?

AMÉLIE. — Oui, ça veut dire : « Ah ! qu'il est chic ! Ah ! qu'il est beau ! »

VAN PUTZEBOUM, *se répétant l'expression à lui-même.* — Bath ! Bath ! oui !

AMÉLIE. — Ah ! tenez, vous aussi vous êtes chic, il faut que je vous embrasse.

Elle l'embrasse sur les deux joues.

VAN PUTZEBOUM, *se tordant.* — Ah ! ah ! quelle gâmine, donc !

Il se lève et gagne à gauche.

AMÉLIE, *se levant de même et gagnant également à gauche.* — Regarde, papa ! Marcel !

MARCEL et POCHET. — Voyons ! voyons !

MARCEL (4). — Oh ! superbe !

POCHET (2). — Merveilleux !

AMÉLIE (3). — Quelle eau !

POCHET, *ne trouvant pas d'autre terme pour exprimer son admiration.* — Oh !... On dirait du cristal !

AMÉLIE. — Quoi ? Ah ! non, on t'en donnera du cristal ! Oh ! Vois-moi ces feux...

POCHET. — Oh !... Ça vaut au moins, ça !...

AMÉLIE, *sur un ton choqué.* — Papa, voyons ! ça ne nous regarde pas.

POCHET. — Oh ! non, non ! Mais c'est pour dire !... parbleu j'ai pas l'intention de le payer ! non ! seulement... Ah ! il est épatant !

VAN PUTZEBOUM, *sur un ton assez satisfait.* — Oui, il n'est pas mal ! (*Ravi de placer l'expression.*) Il est bath !... bath !...

TOUS, *riant.* — Il est bath ! Il est bath ! Ah ! Ah ! Ah !

AMÉLIE. — C'est-à-dire qu'il est admirable !

POCHET. — Et conséquent !

VAN PUTZEBOUM, *d'un air détaché.* — C'est un solitaire.

POCHET. — Ah ! oui !... oui ! Eh bien, tenez ! voilà peut-être son seul défaut !

VAN PUTZEBOUM. — Je l'ai choisi entre mille, savez-vous ! Les *brilants*, ça est ma partie, n'est-ce pas ?

AMÉLIE et POCHET. — Ah ?

VAN PUTZEBOUM. — Oui, en Hollande (*prononcer : « en Nollande »*), je faïe dans les diamants.

POCHET, *qui à ce moment a les yeux fixés sur la bague d'Amélie, relève la tête à ce mot, regarde Van Putzeboum, puis Amélie ; après quoi, fixant son binocle sur le bout de son nez, il gagne le n° 1 en décrivant un demi-cercle respectueux autour de Van Putzeboum qu'il considère de haut en bas avec déférence. Il a, en passant, un sifflement d'admiration qui fait retourner Van Putzeboum à droite et à gauche.* — Ffffuie !... (*Une fois au n° 1.*) Quel luxe !

Van Putzeboum. — Eh bien ! sans que je me vante : ça est une pièce de collection !

Pochet, *plaisantin*. — Il ne reste plus qu'à faire la collection !

Van Putzeboum. — Ah ! Oui ! Oui ! Mais ça je n'en peux rien ! Pour ça, son mari est là, hein ? Pas vrai, filske ?

Marcel. — Mais, comment !

Van Putzeboum. — Maintenant qu'il va toucher la grosse fortune !

Marcel, *vivement*. — Ah ! quand ?

Van Putzeboum. — Mais aussitôt que tu auras passé sur l'hôtel de ville, donc !

Marcel. — Sur l'hôt... ?

Van Putzeboum. — Oui donc, le bourgmestre ! le mariage !

Marcel. — Ah ! le... (*À part.*) Rien à faire !

Amélie, *faisant jouer les feux de sa bague*. — Ah ! non, ce qu'elle est chic ! (*À Van Putzeboum.*) Ah ! tenez, il faut que je vous réembrasse.

Van Putzeboum. — Alleï ! Alleï ! Ne te gêne pas, petite ! (*Elle l'embrasse.*) Je crois que vous êtes contente, hein ?

Amélie. — Oh ! là ! là ! c'est moi qui aime mieux ça que les fleurs.

Van Putzeboum. — Ah ! mais... je pense que vous avez reçu aussi ma corbelle ?

Amélie. — Votre *corbelle*, non... Tu as vu une *corbelle*, toi, papa ?

Pochet. — J'ai pas vu de *corbelle*.

Van Putzeboum. — On n'a pas apporté une corbelle ! Ah ! bien, celle-là !... Mais qu'est-ce qu'ils font, ces animaux ?... Ah ! bé !... Vous n'avez pas le téléphon que j'y leur flanque un peu une savônnâde.

Amélie. — Mais si, nous l'avons.

Van Putzeboum. — C'est chez le fleuriste, là, boulevard de la Mâdéléne, qui vend des bouquets de mariage... et des couronnes môrtuhères.

Marcel. — Landozel !

Van Putzeboum. — Si ! oui ! me semble !... Ils sont bêtes, savez-vous, dans cette maison. Je leur dis : « C'est pour Mlle Amélie d'Avranches, la jeune fille qui marie M. Courbois ; vous devez la savoir ? » Ils me répondent : « Non ! d'Amélie d'Avranches, on ne sait que la d'Avranches qu'elle est avec M. de Millédieu ! »

ENSEMBLE

Marcel, *à part*. — Sapristi !

Amélie. — Oh !

Pochet. — Hum !

Van Putzeboum. — « Allëi ! Allëi ! Mais qu'est-ce que tu chantes donc ? Ça, ça n'est pas du tout ! Ça est la jeune file du monde, Mlle d'Avranches, qui marie M. Marcel Courbois ! » Ils vous prenaient pour une côcôtte ! (*Confus en s'apercevant qu'il parle à Amélie, qui, elle, tournée vers Van Putzeboum, n'a pas bronché.*) Oh ! Oh ! pardon ! Je dis des expressions devant vous !...

Il lui prend la main.

Amélie, *sans baisser les yeux et sur le ton le plus ingénu*. — Oh ! mais je n'ai pas compris, monsieur !

Van Putzeboum. — Oh ! ingeïnuité !... Quel trésor ! (*Presque dans l'oreille d'Amélie, en lui prenant les épaules entre les deux mains.*) Votre mari vous expliquera plus tard. (*Il passe au n° 3.*) N'est-ce pas, filske ?

Il envoie une bourrade à Marcel et passe au n° 4.

Marcel, *à Amélie*. — Oui, c'est pas pour les jeunes *files* !

Amélie, *l'air soumis*. — C'est bien, mon ami ! Je ne demande pas à savoir.

Scène 13

Les mêmes, ÉTIENNE

Étienne, *sortant de droite, premier plan*. — Là, je me suis changé !

Tous. — Oh !

Marcel, *à part*. — Nom d'un chien !

Il saisit Van Putzeboum, l'envoie sur Amélie, qui l'envoie sur son père, qui l'envoie à l'extrême gauche.

Van Putzeboum, *roulant de l'un à l'autre*. — Aïe ! mais quoi donc ? Mais quoi ?

Marcel, *voulant éviter une gaffe*. — Monsieur... Monsieur...

Amélie, *vivement*. — Monsieur... Chopart !

Marcel. — Paul !... Paul Chopart !

Étienne, *ahuri*. — Quoi ?

Marcel, *bas, vivement*. — Oui, chut, tais-toi ! Pas de gaffes.

Amélie. — Mon cousin !

Marcel. — Son cousin.

Pochet. — Le cousin d'Amélie !

Van Putzeboum, *surpris*. — Oui ? Tenez ! tenez ! tenez !

Étienne, *à part*. — Son cousin ?

Van Putzeboum (1), *de sa place, s'inclinant légèrement*. — Ah ! Monsieur, mes compliments !

Étienne (5). — Trop aimable ! (*À part, vexé.*) Son cousin ! Ah ! zut !

Pochet, *présentant Van Putzeboum*. — M. Van Badaboum !

Van Putzeboum, *rectifiant*. — Putz !... Putzeboum !

Pochet, *rectifiant à son tour*. — Putz ! c'est ça, boum ! Putzeboum !

Étienne. — Enchanté !

Van Putzeboum, *se dirigeant vers Étienne*. — Oh ! mais... Attends un peu ! (*À Marcel, qui cherche discrètement à l'arrêter au passage.*) Laisse donc ! (*Arrivé n° 4, à Étienne n° 5.*) Je connais un Chopart à Rotterdam !

Étienne, *que cette confidence laisse froid*. — Ah ?... Vous êtes bien heureux !

Van Putzeboum. — Émile Chopart, oui !... qui faïe dans l'anisette.

Étienne. — Non ?... Oh ! le sale !

Van Putzeboum. — Vous n'êtes pas parents, pour une fois ?

Étienne. — Non !... Je n'ai pas de parents qui fassent dans l'anisette.

Van Putzeboum. — Ah ! bônne, très bônne anisette ! Je vous la recommande !

Étienne. — Merci ! Après ce que vous m'en avez dit !...

Van Putzeboum. — Vous avez tôrt ! Elle est meilleure comme les autres.

Étienne. — Eh bien ! tant mieux !... Tant mieux pour elle !

Il remonte par l'extrême droite.

Van Putzeboum, *aux autres.* — Eh bien ! si vous permettez, je vais une fois téléphôner pour les fleurs.

Amélie. — Mais très volontiers ! (*À Pochet.*) Papa, veux-tu conduire ?... Le téléphone est dans ma chambre.

Pochet, *passant devant Van Putzeboum, tandis que Marcel remonte un peu et gagne la gauche.* — Tenez, par ici !

Van Putzeboum, *tout en se dirigeant vers la chambre de droite, précédé par Pochet et suivi par Amélie, qui l'accompagne jusqu'à la porte, riant.* — Aha ! non, ce fleuriste ! avec son M. de Millédieu !

Étienne, *qui cause avec Marcel, se retournant à l'appel de son nom.* — Quoi ?

Marcel le retient vivement par le bras et le retourne face à lui.

Van Putzeboum. — Non, rien ! Je ris en pensant à tout ça ! ce M. de Millédieu !

Étienne, *même jeu.* — Comment, il rit !

Marcel, *le retournant face à lui.* — Allons, voyons !

Van Putzeboum, *en sortant.* — Quelle brute !

Étienne, *même jeu.* — Ah ! mais dites donc !

Marcel, *le retournant toujours face à lui.* — Mais tais-toi donc !

Scène 14

Les mêmes, moins Pochet et Van Putzeboum

Étienne. — Enfin, pourquoi se fout-il de moi en me traitant de « quelle brute » ?

Marcel. — Mais la brute, c'est pas toi !

Étienne. — Ah ?

Amélie, *vivement.* — C'est le fleuriste !

Étienne. — Quel fleuriste ?

Amélie. — Celui à qui il a commandé la corbeille.

Étienne. — Quelle corbeille ?...

Marcel. — Mais la corbeille pour Amélie !

Amélie. — Mais oui ! Tu ne comprends donc rien ?

Étienne. — Ah ! ben, enfin !...

Amélie. — Cet imbécile de fleuriste a eu la maladresse de lui parler de Mlle d'Avranches qui est avec M. de Milledieu.

Étienne. — Eh ben ?

Amélie. — Eh bien ! tu comprends que, dès lors, je ne pouvais plus te présenter.

Étienne. — Pourquoi ?

Marcel. — Mais parce que la fiancée de Marcel

Courbois ne peut pas être la maîtresse de M. de
Milledieu !

ÉTIENNE. — C'est ça ! Et alors je suis devenu Chopart !

TOUS LES DEUX. — Voilà.

ÉTIENNE, *remontant et sur un ton un peu maussade.* — Vous en avez de bonnes !

MARCEL. — Oh ! bien, mon vieux ! C'est l'affaire
de quelques jours ; une fois lui parti, tu reprendras
ton nom.

ÉTIENNE, *redescendant.* — Tu es bien bon de me le
rendre.

Scène 15

Les mêmes, POCHET

POCHET, *paraissant sur le pas de la porte droite,
premier plan.* — Dis donc, Amélie, veux-tu venir ? Il
n'y a pas moyen d'avoir la communication.

AMÉLIE. — Voilà ! Voilà ! (*Elle fait mine d'aller à
Pochet et, revenant aussitôt à Étienne.*) Oh ! dis donc !
je ne t'ai pas montré la belle bague qu'il m'a donnée !

ÉTIENNE, *maussade.* — Oui, oh !

AMÉLIE. — Regarde un peu la belle bague !

POCHET. — Allons, viens, voyons ! Ne nous fais
pas *alanguir*.

AMÉLIE, *faisant mine d'aller à son père.* — Oui,
voilà ! (*Revenant à Étienne et lui agitant sa bague
sous le nez.*) Elle est chic, hein ?

ÉTIENNE. — Très chic ! très chic !

POCHET, *allant chercher sa fille et l'entraînant par le
poignet.* — Ah çà ! vas-tu venir ?

AMÉLIE, *se laissant entraîner tout en faisant scintil-*

ler, *le bras tendu, sa bague dans la direction
d'Étienne.* — Elle est chic, hein ? Elle est chic ?

ÉTIENNE, *comme Amélie disparaît, entraînée par
son père.* — Mais oui, mais oui !

    Amélie sort, entraînée par Pochet.

Scène 16

MARCEL, ÉTIENNE

MARCEL, *après un temps.* — Écoute, je suis désolé,
mon vieux, de t'embêter comme ça !

ÉTIENNE, *faisant contre mauvaise fortune bon
cœur.* — Mais tu blagues ! Qu'est-ce que tu veux que
ça me fasse après tout ?... D'autant que je pars tout à
l'heure, par conséquent !...

MARCEL. — Ah ! bien, alors !

ÉTIENNE. — Et même, au fond, tiens ! ça
m'arrange très bien ! Je voulais justement te demander un service ; or, il découle tout seul de la situation.

MARCEL, *empressé.* — Ah ! parle ! quoi ?

ÉTIENNE. — Eh bien, voilà ! Tu sais entre nous
combien je tiens à Amélie... Ah ! si j'avais pu l'emme-
ner avec moi là-bas !... Mais j'ai réfléchi qu'une ville
de garnison... avec des supérieurs hiérarchiques,
quand on a une jolie maîtresse... c'est pas prudent !

MARCEL. — Mais Amélie t'est fidèle !

ÉTIENNE, *peu convaincu.* — Oui !... je ne dis
pas !... jusqu'à preuve du contraire !... D'autre part, la
laissant à Paris toute seule, elle va s'embêter !... Il y a
bien les copains ! Mais au fond, je les connais ! C'est
des cochons !

MARCEL, *péremptoire.* — C'est des cochons !

ÉTIENNE. — Mon vieux, il n'y a que toi ! Toi, tu es mon meilleur ami ; j'ai confiance en toi comme en moi-même ; Amélie te porte de l'affection... Eh bien ! rends-moi ce service : pendant que je ne serai pas là... (*très scandé*) occupe-toi d'Amélie !

MARCEL. — Moi ?

ÉTIENNE. — Oui, balade-la ! Mène-la au théâtre, déjeune, dîne, soupe, marche !...

MARCEL, *étonné*. — Aussi ?

ÉTIENNE, *confirmant sans réfléchir*. — Aussi. (*Vivement.*) Hein ! Ah ! non, eh ! là, non !... C'est une expression ! Ça veut dire, marche, vas-y : fais-la dîner, souper !...

MARCEL, *riant*. — Ah ! bon !

ÉTIENNE. — Ah ! non, merci ! C'est justement pour l'empêcher d'avoir des velléités que...

MARCEL, *tendant amicalement la main à Étienne*. — Compris !... et entendu ! Tu peux te fier à moi.

ÉTIENNE, *avec chaleur, en lui serrant la main*. — Mais je sais bien !

MARCEL, *très scandé, comme Étienne précédemment*. — Je m'occuperai d'Amélie !

D'une poussée amicale de la main gauche sur l'épaule d'Étienne, il fait passer celui-ci au nº 1.

ÉTIENNE, *gagnant la gauche, tandis que Marcel remonte un peu au fond*. — Merci, mon vieux !

Scène 17

Les mêmes, VAN PUTZEBOUM, POCHET, AMÉLIE

VAN PUTZEBOUM. — Non, il n'y a pas moyen, savez-vous ! J'aurais plus vite fait pour y aller moi-même...

AMÉLIE, *confuse.* — Oh ! vraiment, parrain !...

VAN PUTZEBOUM. — Si ! Si ! Si ! (*À Marcel.*) Tu viens avec, filske ?

MARCEL. — Où çà ?

VAN PUTZEBOUM. — Chez le fleuriste, donc ! J'ai en bas un *taquessiqu'auto*.

MARCEL. — Un quoi ?

VAN PUTZEBOUM. — Un *taquessiqu'auto*.

MARCEL, *répétant sur un ton ironique qui échappe à Van Putzeboum.* — Ah ! un taquessique-auto ! Oui, oui, oui !

VAN PUTZEBOUM. — On sera revenu sitôt que de partir.

MARCEL. — Oui ! Oui !

Il va prendre son chapeau sur la table à jeu, puis remonte aussitôt (3) vers Marcel (2).

VAN PUTZEBOUM. — Tu viens ?

MARCEL, *prenant son chapeau sur le piano.* — Volontiers !

POCHET*, *venant de la pièce de droite et gagnant, en passant au-dessus du canapé, jusqu'au clavier du piano.* — Il n'y a pas eu mèche d'avoir la communication !

VAN PUTZEBOUM. — Non ! J'étais greffé sur une espèce de *menneken* insupportable à qui j'avais beau dire : « Mais alleï-vous-en !... » Il voulait absolument que je lui donne M. de Millédieu !

ÉTIENNE. — Moi ?

VAN PUTZEBOUM, *se méprenant au « moi » d'Étienne.* — Non, moi !... Comme si je l'avais en poche !

Et, ce disant, il passe son bras gauche sous le bras de Marcel et fait mine de sortir.

ÉTIENNE, *courant (3) à Van Putzeboum et le faisant pivoter en le saisissant par le gras du bras gauche.* — Non, mais... qui ? Qui demandait M. de Milledieu ?

---

* Étienne (1) devant la table à jeu. Marcel au fond (2), ainsi que Van Putzeboum (3), Pochet (4), Amélie devant le canapé (5).

Van Putzeboum. — Est-ce que je sais, moi ? Est-ce que vous croyez que je lui ai demandé ? On s'en fiche de M. de Millédieu !

Étienne. — Hein !

Amélie, *qui, pendant ce qui précède, a gagné près du piano, saisissant le bras d'Étienne et le faisant passer au n° 5.* — Mais oui ! On s'en fiche ! On s'en fiche !

Van Putzeboum. — Alors, à tout à l'heure, hein ?

Amélie. — À tout à l'heure ! (*À Pochet.*) Accompagne, papa !

> *Van Putzeboum sort, accompagné de Marcel et de Pochet.*

Scène 18

AMÉLIE, ÉTIENNE, puis POCHET

Étienne. — C'est ça ! il me coupe mes communications ! Ah ! non, tu sais, celle-là, je la trouve raide ! Cette façon d'envoyer dinguer mes amis !

> *Il est descendu devant le canapé, sur lequel il s'assied avec humeur.*

Amélie, *du seuil de la porte du fond.* — Ah ! là !... Tu dois partir dans un quart d'heure et voilà de quoi tu t'occupes : du téléphone !... (*descendant vers Étienne*) au lieu de consacrer ces quelques minutes à ta petite Amélie.

> *Elle s'assied (1) sur le canapé, près d'Étienne (2).*

Étienne, *regarde Amélie un instant comme un enfant boudeur, puis peu à peu son visage s'éclaircit et, prenant soudain son parti.* — Eh ! tu as raison, après tout ! D'autant que, depuis ce matin, nous n'avons pu être l'un à l'autre un instant.

Amélie. — Ah ! il n'est pas trop tôt que tu t'en aperçoives !

ÉTIENNE, *souriant, avec l'œil émoustillé.* — Alors ?... Hein ?

AMÉLIE, *baissant les yeux.* — Eh bien ! alors !...

ÉTIENNE. — Pendant vingt-huit jours, ça va être
l'abstinence !

AMÉLIE. — Le jeûne !...

ÉTIENNE. — Et quand on va se quitter pour si
longtemps, on se serrerait la main, et voilà tout ?

AMÉLIE, *avec conviction.* — Ah ! non !

ÉTIENNE, *presque murmuré à l'oreille.* — On ne se
dirait pas un dernier bon petit adieu ?

AMÉLIE, *souriant en baissant les yeux.* — Ben
dame !...

ÉTIENNE, *même jeu.* — Là ! bien intime ?

AMÉLIE, *même jeu.* — Dame !

ÉTIENNE, *clignant de l'œil du côté de la chambre et
presque murmuré.* — Tu as vu comme elle est jolie,
ta chambre ?

AMÉLIE, *se défendant pour la forme.* — Allons,
voyons !...

ÉTIENNE, *se levant et prenant Amélie par le poignet.* — Viens voir ta chambre comme elle est jolie.

AMÉLIE, *sans conviction.* — Oh ! Étienne !...
Étienne !

ÉTIENNE, *entraînant Amélie.* — Viens voir comme
elle est jolie, ta chambre !

AMÉLIE, *se laissant entraîner.* — Oh ! canaille.

POCHET, *paraissant au fond au moment où ils vont
entrer dans la chambre.* — Eh bien ! où allez-vous ?

ÉTIENNE. — Rien, rien ! On va téléphoner !

Sonnerie dans le vestibule.

ÉTIENNE et AMÉLIE, *en chœur et en martelant
chaque syllabe.* — On-va-té-lé-pho-ner !

Ils sortent de droite.

POCHET. — Eh ben ! on le dit ! (*Au public, en
haussant les épaules.*) Ils n'auront jamais la communication.

*Pendant que Pochet remonte, on entend des voix dans
l'antichambre. Soudain, Adonis fait irruption et tire aussi-*

tôt les ferrures de la porte de façon à ouvrir à deux battants.

Scène 19

POCHET, ADONIS, puis MARCEL,
VAN PUTZEBOUM,
DEUX GARÇONS FLEURISTES,
portant une magnifique corbeille
toute en fleurs blanches, puis KOSCHNADIEFF
et LE PRINCE NICOLAS

ADONIS, *parlant à la cantonade.* — Par ici ! par ici !
Il se précipite sur la table à jeu qu'il recule en même temps que les chaises dans la direction de la fenêtre.
POCHET. — Qu'est-ce que c'est ?
ADONIS, *tout en faisant le ménage.* — C'est des fleurs ! et des belles ! (*Remontant.*) Entrez, les hommes !
VAN PUTZEBOUM, *introduisant, suivi de Marcel, les deux porteurs.* — Là ! Entrez ! prenez garde que vous abîmez pas !
Les deux hommes entrent, tenant la corbeille chacun par un côté ; ils vont se ranger devant le côté droit de la table à jeu.
POCHET, *admirant la corbeille.* — Mazette !
VAN PUTZEBOUM. — Figurez-vous, n'est-ce pas ! en arrivant en bas, nous nous sommes cognés contre la corbèle qu'on apportait !
POCHET. — Voyez-vous ça !
Nouvelle sonnerie.
ADONIS, *qui est au fond.* — Tiens, on sonne !
Il sort vivement.
VAN PUTZEBOUM, *aux fleuristes.* — Posez ça une

fois là, hein ? (*Il indique la table à jeu sur laquelle les porteurs posent la corbeille face aux personnages en scène. À Pochet.*) Mais où c'est la fiancée qu'elle est donc ?

POCHET. — Là, dans sa chambre, en train de téléphoner.

VAN PUTZEBOUM. — Ah ! le téléphone ! oui ! oui !
Il gagne, suivi de Marcel, le milieu de la scène.

ADONIS, *accourant, affolé.* — Ah ! par exemple, celle-là !...

POCHET. — Qu'est-ce que c'est ?

ADONIS. — Le prince !... Le prince de Palestrie !

POCHET, *subitement dans tous ses états.* — Ah ! nom d'un chien ! et tu le laisses dans l'antichambre ?

ADONIS. — Non ! y monte.

POCHET, *bousculant Van Putzeboum et Marcel, qui causent dans l'espace compris entre le canapé et le piano.* — Allez ! rangez-vous, vous autres ! Rangez-vous !

VAN PUTZEBOUM et MARCEL, *ahuris, reprenant leur équilibre.* — Qu'est-ce qu'il y a ?

POCHET, *tout en courant vers les deux porteurs qui encadrent la corbeille.* — Le roi ! C'est le roi ! (*Aux porteurs, en les repoussant derrière la table.*) Allez, derrière les arbres ! derrière les arbres... (*Courant jusqu'au piano.*) Mon Dieu ! et pas de candélabre ! (*À Adonis.*) La bougie ! allume la bougie !

ADONIS. — Mais pourquoi ?

POCHET. — Mais parce que ! Quand on reçoit des rois !... (*À Van Putzeboum et Marcel, tandis qu'Adonis allume la bougie.*) Allez ! pas de rassemblement ! Circulez ! Circulez !

VAN PUTZEBOUM, *bousculé.* — Oh ! mais une fois savez-vous... !

POCHET, *à Adonis.* — Là ! introduis... Ah ! la musique ! la musique ! (*Pendant qu'Adonis sort, il actionne le gramophone qui joue la Marseillaise. — Un temps. — Pochet, la bougie allumée à la main, va se poster à proximité de la porte, un peu en deçà du*

piano. Le prince, enfin, paraît, suivi de Koschnadieff.
Tout le monde s'incline. Pochet, la bougie haute,
l'échine courbée.) Sire !...

LE PRINCE, *le chapeau sur la tête, descendant, suivi*
de Koschnadieff. Accent slave. — Oh ! que de
monde !... (*Frappé soudain par le son de la Marseil-*
laise.) Oh ! l'hymne national !

Il se découvre. Tout le monde reste un bon instant la
tête inclinée.

KOSCHNADIEFF, *après un temps, descendant entre le*
prince et Pochet. — Je présente à Votre Altesse le père
de mademoiselle d'Avranches.

LE PRINCE. — Oh ! très bien ! je vous complimente... (*Avec intention.*) monsieur le Commandeur !

POCHET, *l'échine pliée, prenant de la main gauche la*
main que le prince tend de son côté et la baisant. —
Oh ! sire.

LE PRINCE, *considérant le bougeoir allumé que*
Pochet tient au-dessus de sa tête, presque sous le nez
du prince. — Mais que vois-je ? Vous alliez vous
coucher, peut-être ?

POCHET. — Mais non, sire ! c'est pour vous !

LE PRINCE, *passant devant Pochet en descendant en*
scène. — Oh ! mais je n'en ai que faire !

POCHET, *interloqué.* — Ah ? Ah ?

Adonis profite de cette descente pour traverser par le
fond et aller rejoindre le groupe formé par Van Putzeboum
et Marcel.

LE PRINCE, *jetant un rapide coup d'œil autour de*
lui. — Et... votre délicieuse fille n'est pas là ?

POCHET, *empressé.* — Elle va venir, Sire ! Mais... si
je puis la remplacer... ?

LE PRINCE, *vivement et avec conviction.* — Oh !
non !... Non !

POCHET, *décrivant, dos au public et face au prince*
un demi-cercle avec révérences de cour pour passer
devant lui. — Je vais la chercher, Sire ! je vais la
chercher ! (*À part, en se dirigeant vers la porte droite,*
premier plan.) Mon Dieu, et l'autre ! son Milledieu,

qui n'est pas encore parti !... (*Il ouvre carrément la porte qu'on lui referme brutalement sur le nez.*) Oh !
ENSEMBLE

Voix d'Amélie. — On n'entre pas !

Voix d'Étienne. — Mais foutez-nous la paix !

Pochet, *descendant presque à l'avant-scène droite.* — On met le verrou, que diable ! on met le verrou !... (*Remontant vivement vers le prince qui cause avec Koschnadieff.*) Par ici, Altesse ! par ici, mon prince !... (*Il le précède à reculons et remonte de la sorte, toujours son bougeoir allumé à la main dans la direction de la baie. Il va donner ainsi du dos contre le groupe Van Putzeboum, Adonis, Marcel. Se retournant et les poussant les uns contre les autres de façon à déblayer la place.*) Allez ! Allez, circulez ! circulez, vous autres ! (*Se retournant aussitôt vers le prince et comme précédemment.*) Par ici, monseigneur ! Par ici !

RIDEAU

Acte II

CHEZ MARCEL COURBOIS

Sa chambre à coucher, de construction et d'ameublement anglais. À gauche, large fenêtre à caissons et à quatre vantaux, très élevée de soubassement, ce qui permet de mettre une large banquette à dossier en dessous sans gêner la manœuvre des battants. À chaque vitre, un rideau de vitrage fixé, haut et bas, sur tringle et serré au centre par un nœud de ruban. Au sommet de cette sorte d'alcôve, au fond de laquelle est enchâssée la fenêtre, grosse barre de bronze doré sur laquelle glissent les larges anneaux des rideaux qui, fermés, doivent recouvrir la banquette qui est juste de la dimension de l'alcôve en question. De chaque côté, une embrasse-cordelière à deux gros glands. Au deuxième plan, grand panneau en pan coupé, auquel s'adosse le lit en cuivre, ayant à sa tête, à gauche, un fauteuil, à droite une table de nuit. (Ce panneau en pan coupé est indispensable pour permettre au pied gauche du lit d'être plus à l'avant-scène que celui de droite et d'arriver juste en regard de la porte de droite premier plan, qui sera indiquée plus loin.) À droite du pan coupé, le mur tourne à angle droit sur une longueur de vingt-cinq à trente centimètres pour se briser encore une fois à angle droit et se continuer alors, face au public, en un large panneau mural à gauche duquel, et non au milieu, est une porte à un seul vantail donnant sur le vestibule. À droite de la porte, contre le mur, une large console avec un fauteuil de chaque côté. Nouvelle brisure à angle droit de vingt-cinq à trente centimètres, parallèle à celle indiquée plus haut. Aux deux extrémités de ce petit renfoncement de construction, une colonne de soutènement. Puis à droite : pan coupé, au milieu duquel est la cheminée surmontée d'une étagère au centre de laquelle est enchâssée soit une glace, soit une gravure anglaise. Enfin, pan droit jusqu'à l'avant-scène, avec porte au milieu. À droite de la scène, un peu au fond, de façon à conserver libre de tout obstacle l'espace qui sépare le pied gauche du lit de la porte de droite premier plan, une table-bureau placée de biais ; adossé à la table et à sa gauche, un canapé ; à droite de la table, un fauteuil de bureau. Au-dessus de la table de nuit, fixée au mur un peu plus haut que la tête du lit, une lampe veilleuse en forme de potence et éclairée à l'électricité. Cette lampe est actionnée directement par un commutateur fixé au mur un peu au-dessus et à droite de la table de nuit, et par une poire qui pend à la tête du lit. Au-dessous du commutateur indiqué plus haut, un bouton de sonnette électrique fonctionnant directement, et au-dessous, enfin, de ce bouton, autre commutateur actionnant censément le lustre de bronze qui pend au milieu de la pièce. À droite de la cheminée, à proximité de la porte, un cache-pot monté ou posé sur pied (dans ce cache-pot, mettre un peu d'eau). Sur la console du fond, un chapeau de femme et un masque grotesque à mâchoire mobile. Sur la table-bureau, un bougeoir, un buvard, un classeur et ce qu'il faut pour écrire. Sur le fauteuil de bureau, une robe de soirée très élégante. Sur la table de nuit, une bouteille de champagne vide.

Scène première

MARCEL, couché, CHARLOTTE, puis AMÉLIE

Au lever du rideau, la scène est presque dans l'obscurité ; seule la veilleuse allumée au-dessus du lit éclaire la chambre faiblement. Marcel dort à poings fermés. — Un

Georges Feydeau.

Acte III, deuxième tableau, scène première. Jacqueline Gauthier et
Jacques Sereys. Théâtre de la Madeleine, 1969.
Mise en scène Jacques Charron.

Georges Feydeau,
dessin de
Losques.

Acte II, scène 3. A la création de la pièce, en 1908,
Suzanne Carlix, Marcel Simon et Cassive.

De gauche à droite : Georges Feydeau, Maurice Donnay,
Alfred Capus et Lucien Guitry.

L'affiche
de la création
en 1908.

Acte III, deuxième tableau, scène 2. Marcel Simon, Cassive et
Decori, créateurs de la pièce aux Nouveautés.

Acte II, scène 6. Jean Desailly, Charles Mahieu, Madeleine Renaud et André Brunot. Théâtre Marigny (1948).
Photo Roger Viollet

Projets de costumes de Jean-Denis Malcles
Photo Roger Viollet

Acte III, deuxième tableau, scène première. Madeleine Renaud et Jacques Dacqmine, mise en scène Jean-Louis Barrault, décor de Félix Labisse, costumes de Jean-Denis Malcles. Théâtre Marigny, 1948.

Acte III, premier tableau, scène 5. Jean-Pierre Cassel,
Jacqueline Gauthier et Pierre Tornade. Théâtre de la Madeleine, 1969.

Georges Feydeau présentant un manuscrit à un directeur de Théâtre.

Caricature de
Feydeau par
Sem.

Acte III, deuxième tableau, scène première. Madeleine Renaud
et Pierre Bertin. Théâtre de l'Odéon, 1960.

*temps. — La porte du vestibule s'ouvre. Charlotte entre,
apportant le déjeuner du matin sur un plateau.*

CHARLOTTE, *va au bureau sur lequel elle dépose son
plateau, puis gagnant vers le lit. —* M'sieur ! (*Marcel
ne répond pas. — Un temps. — Élevant légèrement la
voix.*) M'sieur ! (*Nouveau temps.*) Eh !... M'sieur !...

MARCEL, *dormant étendu sur le côté gauche. Sans se
réveiller. —* Hoong !

CHARLOTTE. — Il est midi trente-cinq !

MARCEL, *de même. —* Hoong !

CHARLOTTE, *criant plus fort et scandant chaque syllabe. —* Il-est-mi-di-trent'-cinq !

MARCEL, *qui, tout endormi, s'est mis à moitié sur
son séant, paraît recueillir ses esprits, puis. —* Je
m'en fous !...

Il se retourne avec humeur.

CHARLOTTE, *avec jovialité. —* Ah ?... Oh ! à ce
compte-là, moi aussi !... (*Haut, revenant à la charge.*)
J'apporte le chocolat. (*Pas de réponse. Un temps.*) Le
cho-co-lat !

MARCEL, *furieux et bourru se retournant vers
elle. —* Enfin, quoi ?... Qu'est-ce que vous voulez ?

CHARLOTTE, *sans se décontenancer. —* Le cho-co-
laaat !

MARCEL, *furieux. —* J'en ai pas !... Fichez-moi la
paix !

Il se renfonce sous sa couverture.

CHARLOTTE. — Ah ?... Bon !

MARCEL, *relevant la tête.* Quelle heure est-il ?

CHARLOTTE. — Il est midi trente-cinq.

MARCEL. — Eh ! bien, je m'en fous !

Il se renfonce sous sa couverture.

CHARLOTTE. — Oui ! j'sais !... M'sieur me l'a déjà
dit !... Seulement, alors, pour quelle heure faut-il
faire le déjeuner ?

Il se retourne avec humeur.

MARCEL. — Pour huit heures ! Zut !

CHARLOTTE. — Bien, m'sieur ! (*Fausse sortie.*) Je ferai seulement remarquer à monsieur...

MARCEL, *excédé.* — Oh !

CHARLOTTE. — ... que c'est lui, en me prenant à son service, hier matin, qui m'a donné l'ordre de le réveiller tous les jours à neuf heures !...

MARCEL, *se mettant à moitié sur son séant.* — Eh ! bien, il est midi trente-cinq ! Il y a encore huit heures vingt-cinq !

CHARLOTTE. — Ah ? bon ! Je ne savais pas que c'était neuf heures du soir !

MARCEL. — La barbe !

Il se laisse tomber sur le dos, la tête presque au milieu du lit, le bras droit étendu sur l'oreiller qui fait pendant à celui qui est sous sa tête.

CHARLOTTE. — Oui, m'sieur !

Elle sort. — Un grand temps. — Marcel essaie de se rendormir. La position ne lui convenant pas, il se retourne sur le côté droit. — Un temps. — Il se tourne sur le côté gauche. — Il se relève sur le coude gauche et flanque deux bons coups de poing dans son oreiller pour le redresser, y replonge sa tête. — Un temps.

MARCEL, *brusquement, se remettant sur son séant.* — Je la ficherai à la porte, moi, cette bonne !... ça lui apprendra à me réveiller... (*Il retourne son oreiller.*) quand elle voit que je dors !... (*Il bâille.*) Ah ! que je suis fatigué !... (*Après réflexion.*) Tout de même, il est midi !... Et midi, c'est une heure !... (*Comme se répondant à lui-même.*) Non, midi, c'est pas une heure ; c'est midi !... Ah ! je ne sais plus ce que je dis !... je dors à moitié ! Et dire... (*Il bâille.*) Et dire que si Paris était aux antipodes, il serait seulement minuit !... Je pourrais dormir encore sept heures, et je passerais pour un homme matinal !... Quel est l'idiot contrariant qui a fichu Paris de ce côté-ci du globe ?... (*Sortant ses jambes du lit.*) C'est égal ! y a pas, il faut que je me lève !... (*Il*

descend du lit ; il est en chemise de nuit et pieds nus.)
Mes chaussettes ! Qu'est-ce que j'ai fait de mes
chaussettes ?... Ah ! les voilà ! (*Tout en passant ses
chaussettes puis ses pantoufles, tout cela sans
s'asseoir ; adossé seulement contre le pied du lit.*) Midi
et demi !... J'ai un rendez-vous à onze heures !... Si je
veux y être... ! Je sais bien que c'est avec un créancier !... et, un créancier, ça peut attendre !... Il attend
depuis six mois, il attendra bien une heure de plus...
D'autant que je compte ne rien lui donner !...
alors !... il le saura bien assez tôt !... (*Avec effort.*)
Allons, du courage ! (*Tout en parlant, il s'est dirigé
vers la fenêtre aux rideaux de laquelle il passe les
embrasses — pleine lumière au-dehors — projection
de soleil sur le lit.*) Oh ! Comme il fait déjà jour !... à
midi et demi !... (*Repassant devant le lit.*) Eh bien ?...
Et la bonne ? Qu'est-ce qu'elle fait, la bonne ?...
Qu'est-ce qu'elle attend pour m'apporter mon chocolat ? (*Il va sonner au bouton électrique. Peu à peu, le
doigt sur la sonnette, il s'endort debout, tandis que le
carillon continue longuement. Soudain il perd à moitié l'équilibre. Se réveillant.*) Quel est l'animal qui
sonne comme ça ? (*Revenant à la réalité.*) Eh ! je suis
bête ! c'est moi ! Brrrou ; nom d'un chien ! qu'il fait
froid !... Ah ! et puis zut ! (*Retirant ses pantoufles.*) Je
déjeunerai dans mon lit... et je me lèverai après !... (*Il
se refourre dans son lit avec ses chaussettes. Au
moment d'enfoncer ses jambes, il sent un obstacle qui
l'arrête.*) Hein ?... Eh ! ben, qu'est-ce que c'est que
ça ? (*Il ramène ses jambes à lui pour les renfoncer de
nouveau.*) Mais qu'est-ce que c'est que ça ?... (*Même
jeu.*) Enfin, qu'est-ce qu'il y a donc ? (*Intrigué, il se
met à genoux sur le lit, rejette les couvertures et ne
peut réprimer un cri en apercevant Amélie qui, ayant
glissé vers le pied du lit, dort du sommeil du juste.*)
Ah ! (*La saisissant par le poignet et la redressant tout
endormie sur son séant.*) Amélie !

AMÉLIE, *endormie.* — Brrou !... J'ai froid.

MARCEL. — Amélie ! C'est Amélie !

AMÉLIE, *endormie*. — Hoong !

MARCEL, *la secouant*. — Comment es-tu là ?

AMÉLIE, *gonflée de sommeil*. — Hein ?... Ah ! Zut !

MARCEL. — Mais non ! mais non ! Il ne s'agit pas de dormir ! Amélie !... Amélie !... (*Entendant Charlotte qui ouvre la porte.*) Non ! bouge pas !...

Il lui lâche le poignet, elle retombe sur le dos ; il n'a que le temps de lui coller sur la figure un des oreillers sur lequel il s'accoude aussitôt en essayant de prendre un air dégagé.

CHARLOTTE. — C'est monsieur qui a sonné ?

MARCEL. — Oui ! Foutez-moi le camp !

CHARLOTTE. — C'est pour ça que monsieur a sonné ?

MARCEL. — Allez-vous me foutre le camp, n... de D... !

CHARLOTTE, *s'esquivant*. — Quel drôle de service !

Elle disparaît.

MARCEL, *se remettant à genoux sur le lit, et après avoir enlevé l'oreiller, secouant Amélie*. — Vite, Amélie !... Amélie !... Au nom du ciel !

AMÉLIE, *endormie*. — Hoong !

MARCEL. — Mais réveille-toi ! Nom d'une brique !

AMÉLIE, *à moitié endormie*. — Qu'est-ce qu'il y a ? Quoi ?

MARCEL. — Amélie, nom de nom !

AMÉLIE, *ouvrant les yeux*. — Hein ?... Ah !... Tiens ! Marcel !

MARCEL. — Eh ! Oui, Marcel !... Oui, Marcel !

AMÉLIE, *à genoux sur le lit*. — Ah !... Comment es-tu là, toi ?

MARCEL. — C'est toi !... C'est toi à qui je le demande ?

AMÉLIE, *abrutie*. — Quoi ?

MARCEL. — Qu'est-ce que tu fais chez moi ? Dans mon lit ? Avec une chemise de nuit à moi ?

AMÉLIE. — Je suis chez toi ?... Tiens, c'est vrai ! Comment que ça se fait ?

Marcel. — Mais c'est ce que je te demande, cré nom !...

Amélie, *comme saisie d'un pressentiment*. — Est-ce que... ?

Marcel. — Quoi ?

Amélie. — Est-ce qu'on aurait couché ensemble ?

Marcel. — Eh ! Cochon de sort ! Ça m'en a tout l'air !... C'est pas une farce que tu m'as faite ?... Non ?... Tu n'es pas venue tout à l'heure ?

Amélie. — Mais non !

Marcel, *descendant du lit et, pendant ce qui suit, passant le pantalon de son pyjama*. — Alors, y a pas ! On a bel et bien couché ensemble !

Amélie. — Mais oui !

Marcel. — Mais c'est épouvantable !... C'est un abus de confiance ! Je t'ai reçue en dépôt !

Amélie, *se remontant de façon à s'asseoir sur les oreillers*. — Eh ! bien, mon colon... !

Marcel. — Mais qu'est-ce que je dirai, moi, à Étienne, quand il me le demandera ?

Amélie, *vivement*. — Oh ! mais, tu ne lui diras pas !

Marcel. — Je sais bien ! mais ce sera un poids d'autant plus lourd pour ma conscience !... Au moins, en avouant tout...

Amélie. — Tu ferais de la peine à Étienne !

Marcel. — Oui, mais elle serait soulagée !

Amélie. — Qui ?

Marcel. — Ma conscience !... Oh ! Comment avons-nous fait ça !

Amélie. — Mais je ne sais pas ! Je ne me rappelle pas !

Marcel, *debout au pied du lit et tout en mettant ses brodequins*. — Étienne ! mon meilleur ami ! Lui qui m'avait si affectueusement dit en partant : « Occupe-toi d'Amélie ! Je te la confie !... parce que avec toi, au moins, je suis sûr d'elle !... »

AMÉLIE. — Oui !... ce qui, d'ailleurs, est un peu mufle !... Ça prouve qu'il n'avait pas grande confiance en moi !

MARCEL. — Et comme il avait raison !

AMÉLIE. — Je ne te dis pas ! Mais ce n'était pas lui à le prévoir. Cela me justifie jusqu'à un certain point !

MARCEL. — Toi, peut-être ! mais pas moi ! Ah ! pourquoi est-il mon meilleur ami ?... (*S'asseyant sur le lit près d'Amélie.*) Car enfin, il ne serait pas mon meilleur ami, regarde comme ce serait simple ; je ne serais plus qu'un monsieur qui a passé une nuit avec une dame... et ça, ça se voit tous les jours !...

AMÉLIE. — Sans compter qu'on ne l'aurait pas passée ensemble, la nuit !

MARCEL. — Ah ?

AMÉLIE. — Car, n'étant pas le meilleur ami d'Étienne, il ne t'aurait pas dit : « Occupe-toi d'Amélie !... »

MARCEL. — Mais oui !... (*Changement de physionomie.*) Mais alors... ! (*Descendant du lit.*) au fond, c'est sa faute, tout ça !

AMÉLIE. — Mais absolument ! Est-ce qu'on confie sa maîtresse, quand elle est jolie et jeune, à un monsieur...

MARCEL. — Jeune et joli !...

AMÉLIE, *avec une moue.* — Enfin... pas mal !...

MARCEL. — C'est ce que je voulais dire ! Et il aurait le droit de se plaindre ?... Allons donc !...

AMÉLIE. — Un homme qui te dit : « Surveille-la ! »

MARCEL. — Ah ! Non !...

AMÉLIE. — C'est dégoûtant !

MARCEL. — Non, non !... Il faut être juste ! il m'a dit : « Occupe-toi d'Amélie ! », il ne m'a pas dit : « Surveille-la ! »

AMÉLIE. — Oui, mais il t'a dit : « Avec toi, au moins, je suis sûr d'elle !... » Ce qui revient au même ! Oh ! je me vengerai !

MARCEL, *montrant le lit*. — Oh !... Ça y est !... Ah ! et puis zut, aussi ! Est-ce que j'ai une gueule de tuteur !... Pour qui me prend-il ?... Pour un eunuque ?... Est-ce qu'il s'imagine que je n'ai pas un tempérament tout aussi bien que lui ?... Est-ce qu'il n'a pas couché avec toi, lui ?...

AMÉLIE. — Tout le temps !

MARCEL, *redescendant jusqu'au pied du lit*. — Eh ! ben, alors ?

AMÉLIE, *comme lui*. — Eh ben, alors ?

MARCEL, *adossé au pied du lit*. — Pffu !

AMÉLIE. — Pffu !

Ils restent un instant silencieux et préoccupés. Marcel, après quelques hésitations, tourne la tête vers Amélie qui le regarde en hochant la sienne ; Marcel, ennuyé, retourne la tête. Répétition du même jeu de la part de Marcel. Amélie répond par une petite moue et en faisant proutter ses lèvres.

MARCEL. — Oui, oh ! tout de même, c'est dégoûtant !...

AMÉLIE, *hochant la tête*. — Oui.

MARCEL, *gagnant la droite*. — On a beau se donner de bonnes raisons, tout ça n'excuse pas... ! (*Remontant vers Amélie.*) Un homme qui m'a donné un témoignage absolu de confiance ! qui m'a dit...

AMÉLIE. — ... « Occupe-toi d'Amélie !... »

MARCEL. — Oui !... Oh ! Comment avons-nous pu en arriver là ? Sans même nous en rendre compte !

AMÉLIE. — Y a de ces choses, dans la vie !...

MARCEL, *s'asseyant* (2) *sur le lit près d'Amélie*. — Voyons, hier... hier soir, qu'est-ce qu'on a fait ?

AMÉLIE. — Comment, « ce qu'on a fait » ? Eh bien, on a été à la foire de Montmartre avec les copains : Bibichon et la bande.

MARCEL. — Oui... Ça, c'est net dans ma mémoire...

AMÉLIE. — On a monté sur les cochons.

MARCEL. — Ah ! oui, les cochons ! ce qu'ils m'ont fichu le mal de mer ! ah ! cochons de cochons !

AMÉLIE. — Et on a lancé des serpentins !

MARCEL. — Comme tout *foireman* qui se respecte.

AMÉLIE. — Puis, on s'est baladé en faisant du chahut avec des masques en carton !...

MARCEL. — C'est idiot !... Et on a rigolé à faire peur aux gens, en les poursuivant avec des allumettes-feu d'artifice !

AMÉLIE, *riant et imitant les allumettes-feu d'artifice.* — Oui ! pschiii !

MARCEL. — Ah ! Ça te fait rire ! C'est stupide ! Non, faut-il en avoir une couche !... le soir !

AMÉLIE. — Après quoi, on a soupé à l'Abbaye de Thélème [1], après quoi on a resoupé au Rat mort ; après quoi, on est allé boire du champagne au Pigalle...

MARCEL. — Après quoi, pour les kummels à la glace, on est allé au Royal.

AMÉLIE. — Après quoi... ! après quoi... ! Ça devient plus vague... J'entrevois des bars, des lumières ! et encore du champagne !...

MARCEL. — On commençait à être un peu bu !...

AMÉLIE. — Plus que bu, oui !... Tout ça m'apparaît à travers un brouillard ! et, quand on est parti, on s'est aperçu que la terre tournait.

MARCEL, *quittant le lit, mais restant à proximité.* — Comme quoi, il faut être pochard pour constater les lois de la nature !

AMÉLIE. — Alors, je t'ai dit : « Ça va pas ! Je ne pourrai jamais monter mon escalier dans cet état ! »

MARCEL, *navré.* — Oui !... Et moi, je t'ai répondu : « Passons chez moi... J'offre l'ammoniaque !... »

AMÉLIE. — L'ammoniaque, oui !

MARCEL. — Oh ! parole imprudente !

---

1. Cet établissement et ceux qui sont cités ensuite étaient des cabarets bien connus à l'époque.

AMÉLIE. — D'autant que tu n'as jamais pu le trouver, l'ammoniaque !...

MARCEL. — Jamais !

AMÉLIE. — ... et qu'on l'a remplacé par du champagne !

MARCEL, *tristement, prenant machinalement la bouteille vide sur la table de nuit.* — Ce qui n'a pas dû produire le même effet.

Il va s'affaler sur le canapé, la tête basse, les deux coudes sur les genoux, sa bouteille entre les jambes, tenue par le goulot.

AMÉLIE. — Non ! Car après ça, plus rien ! L'obscurité noire !

MARCEL, *qui a fait culbuter sa bouteille entre ses mains, la tenant dès lors le goulot vers la terre.* — Le néant !... *(Répétant tristement en balançant mollement la bouteille, goulot en bas.)* le néant !... *(Relevant la tête.)* Mais alors... le reste ?... Le reste ?...

AMÉLIE. — Quel... reste ?

MARCEL, *se levant et allant déposer la bouteille sur la table de nuit.* — Comment ! quel reste ? Mais le reste !... *(Saisissant Amélie par les poignets.)* Enfin cette nuit... là... tous les deux... est-ce... qu'on a ?... ou... est-ce qu'on n'a pas ?

AMÉLIE, *les yeux dans les yeux, et après un léger temps.* — Ensemble ?

MARCEL, *haletant.* — Oui !...

AMÉLIE, *hésite un instant, puis ouvrant de grands bras.* — Ah !...

MARCEL, *dans un recul qui l'éloigne du lit.* — Comment « Ah » !... C'est pas possible ! Voyons, tu ne te rappelles pas ?

AMÉLIE. — Rien du tout.

MARCEL. — C'est trop fort !

AMÉLIE. — Eh ! bien, et toi ?

MARCEL. — Mais moi non plus !

AMÉLIE. — Eh ben ! alors ?

MARCEL. — Ah ! mais, c'est que tout est là : avoir ou n'avoir pas !... comme dit Shakespeare ! Il est

évident, parbleu, que si on n'a été que frère et
sœur... ! Mais voilà !... l'a-t-on été ?

AMÉLIE, *indiquant le ciel de la tête.* — Dieu seul le
sait !

MARCEL, *au pied du lit.* — Et je le connais !... il ne
nous le dira pas !

AMÉLIE. — Non !

MARCEL. — Enfin, n'importe ! Avant tout, l'essentiel est qu'Étienne fasse comme nous : qu'il ignore !

AMÉLIE. — Et comme c'est pas nous qui irons lui
dire...

MARCEL. — Par conséquent, il n'y a rien de fait !

AMÉLIE. — Y a rien de fait !...

MARCEL, *redescendant à l'avant-scène.* — Voilà ! y
a rien de fait !

AMÉLIE. — Ah ! ce pauvre Étienne !

MARCEL. — On se met martel en tête et, puis
somme toute, y a rien de fait !

AMÉLIE, *qui s'est renfoncée sous les couvertures,
laissant tomber sa tête sur l'oreiller.* — Non, ce que
j'ai la flemme !

MARCEL. — Ah ! non ! non !... C'est pas le
moment !... Tu vas te lever, hein ?

AMÉLIE. — Oh ! déjà !

MARCEL. — Oui, déjà, je te crois, déjà ! je vais te
porter tes vêtements dans le cabinet de toilette, et tu
iras t'habiller par là ! Allez, grouille, grouille !

AMÉLIE. — Oh ! grouille, grouille !

MARCEL. — Oui, grouille, grouille ! Ta robe ! où
est ta robe ?

AMÉLIE. — Est-ce que je sais, moi ?

MARCEL. — Allez, debout !... debout-debout-
debout !

AMÉLIE, *obéissant, et tout en rejetant ses couvertures.* — Oh ! que c'est embêtant !... *(Poussant un
cri de surprise.)* Ah !

MARCEL. — Quoi !

AMÉLIE, *bien naïvement.* — J'ai couché avec mes
bottines !

*Elle se tord, en se laissant tomber sur le dos et en agitant
en l'air ses pieds chaussés.*

MARCEL, *peu disposé à plaisanter.* — Oh ! que c'est
drôle !... Mais ris pas, voyons ! ris pas !

AMÉLIE. — J'ris pas, mon vieux ; je suis épatée.

MARCEL, *tout en cherchant des yeux la robe d'Amélie.* — Si c'est permis... ! Enfin, ta robe ? où as-tu
fourré ta robe ?

AMÉLIE. — Mais j'sais pas, j' te dis !

MARCEL, *trouvant le chapeau sur la console du
fond.* — Ah ben ! tiens v'là déjà ton chapeau... Ah !
et ton masque d'hier qui est resté accroché après.

AMÉLIE. — Non ?

MARCEL. — Tiens ! vois ! *(Il met le masque sur sa
figure et le chapeau d'Amélie sur sa tête. Il descend
ainsi à l'avant-scène en faisant avec son menton mou-
voir les mâchoires articulées du masque. Amélie rit.
Apercevant la robe sur la table.)* Ah ! ta robe !... sur la
table !

AMÉLIE. — Sur la table ?

MARCEL, *toujours le masque sur la figure, mettant le
chapeau d'Amélie sous son aisselle gauche.* — Alors,
tu trouves qu'une table, c'est un endroit pour mettre
une robe, toi ?

AMÉLIE. — Oh ! mon chapeau !

MARCEL, *retirant vivement le chapeau.* — Je te
demande pardon.

Il le passe sous son autre bras.

AMÉLIE. — Marcel ! Marcel ! mon chapeau !

MARCEL, *reprenant le chapeau à la main.* — Ah !
t'as de l'ordre, toi ! *(Il prend la robe des plis de laquelle
tombe une petite boîte longue.)* Qu'est-ce que c'est que
ça ? *(Il ramasse.)* Ah ! la boîte d'allumettes-feu d'artifice ! Quel fourbi, mon Dieu, quel fourbi !... *(À Amélie.)* Allez ! houste ! grouille-grouille ! *(S'empêtrant les
pieds dans la robe en s'en allant. — Furieux.)* Allez !
voyons donc !

Il sort droite premier plan.

Scène 2

Amélie, puis Charlotte, puis Marcel

Amélie. — Grouille-grouille ! il est bon, lui ! J'ai aucune envie de grouille-grouiller. *(Sortant les jambes du lit.)* Ah ! j'ai les jambes en coton ! *(Sautant hors du lit.)* Allons, un peu de courage !... *(Passant devant le lit.)* Où est mon jupon ?... *(À ce moment entre Charlotte qui descend carrément en scène.)* Oh !

Charlotte. — Oh !... Pardon !

Amélie, *troublée.* — C'est moi !... Je... je venais...

Charlotte, *aussi gênée qu'elle.* — C'est... c'est M. Courbois que madame attend ?

Amélie. — Hein ? Oui... oui, précisément !

Charlotte. — Je ne sais pas si monsieur est visible ; je vais m'en assurer.

Amélie, *passant au n° 2 devant Charlotte, ceci en relevant légèrement sa chemise comme une Parisienne qui se retrousse pour trotter dans la rue.* — Oh ! bien non, ne le dérangez pas, je repasserai, mademoiselle !... Je repasserai !

Marcel, *rentrant en coup de vent.* — Là, maintenant, si tu... *(Apercevant Charlotte et passant vivement au 2 entre Amélie et Charlotte.)* Ah !... Eh bien ! qu'est-ce que vous faites là, vous ?

Charlotte. — C'est... c'est madame, qui...

Marcel. — Madame ?

Charlotte. — ... qui demandait si monsieur était chez lui !

Marcel, *tandis qu'Amélie, riant sous cape, se colle malicieusement à lui, dos contre dos.* — C'est encore

vous !... Voulez-vous me fiche le camp !... Qui est-ce
qui vous a permis d'entrer ?...

CHARLOTTE, *lui présentant un paquet de journaux et
de lettres.* — C'est le courrier que le concierge vient
d'apporter.

MARCEL. — Eh bien ! est-ce que c'est une raison
pour entrer comme dans un café ? Allons, donnez-
moi ça !...

Il lui arrache le courrier avec humeur.

CHARLOTTE, *présentant une boîte de papier à lettres
et une pelote de ficelle assez volumineuse.* — Et puis
voilà le papier à lettres !... et la pelote de ficelle
qu'hier monsieur m'a dit d'acheter.

MARCEL. — Eh bien ? Vous ne pouvez pas poser
ça sur la table de nuit ? Vous ne voyez pas que j'ai les
mains embarrassées ?

CHARLOTTE, *allant déposer les objets sur la table de
nuit.* — Oui, monsieur.

MARCEL, *la suivant, tandis qu'Amélie passe à
l'extrême gauche.* — Et emportez la bouteille de
champagne !

CHARLOTTE. — Oui, monsieur.

MARCEL, *redescendant.* — Espèce d'oie !

CHARLOTTE. — Oui, monsieur !

Elle sort.

MARCEL, *sur le devant de la scène, et la tête tournée
dans la direction de la porte.* — Espèce d'oie !

AMÉLIE, *qui s'est rapprochée de lui sans qu'il
l'entende venir. Avec malice.* — Dis donc... ! Je crois
qu'elle m'a vue !

*Elle éclate de rire et retourne à gauche s'asseoir sur la
banquette qui est dans la fenêtre.*

MARCEL. — Oui, ah ! C'est malin !... Je vais la flan-
quer à la porte, moi !

AMÉLIE, *assise.* — Pourquoi ?

MARCEL. — Ça lui apprendra... à t'avoir vue !

*Il remonte au-dessus de la table et, pendant ce qui suit,
se verse une tasse de chocolat.*

AMÉLIE. — T'as tort, elle est gentille, ta soubrette.

MARCEL. — Ah ! si tu crois que je l'ai regardée.

AMÉLIE. — Comment s'appelle-t-elle ?

MARCEL. — J'en sais rien ! je ne le lui ai pas demandé.

AMÉLIE. — Comment, tu ne sais même pas le nom de ta bonne ?

MARCEL. — Mais non ! Elle s'est présentée hier matin, je dormais, je l'ai engagée dans l'obscurité... C'est la première fois que je la vois.

AMÉLIE. — Ah ! ben ! si j'étais ta maîtresse, tu sais... ! une bonne comme ça !... elle est bien trop jolie pour un homme seul !

MARCEL, *allant la chercher à la banquette.* — Ah ! tiens, va t'habiller, tu dis des bêtises ! Si tu crois que je suis pour les amours ancillaires ! (*L'entraînant par le poignet.*) Va ! tes frusques sont par là !

AMÉLIE, *se laissant entraîner.* — T'as raison. (*Lui faisant brusquement lâcher prise.*) Ah ! Mais au fait !...

MARCEL. — Quoi ?

AMÉLIE. — C'est idiot, je peux pas la mettre, ma robe !

MARCEL. — Pourquoi ?

AMÉLIE. — Mais parce que ! C'est une toilette du soir, décolletée et toute pailletée. Je ne me vois pas rentrant dans cette tenue en plein midi.

MARCEL, *la reprenant par le poignet.* — Eh ! ben, tu prendras le Métro.

AMÉLIE, *dégageant à nouveau son poignet.* — Mais non ! mais non ! rien que pour mon concierge !... et pour moi-même, c'est ridicule !... Non, je vais écrire un mot à papa, pour qu'il m'apporte un costume tailleur ; tu feras porter la lettre par ta bonne ! Maintenant qu'elle m'a vue, il n'y a plus à se cacher.

MARCEL, *haussant les épaules.* — Comme tu voudras !... Mais ce que tu perds un temps !

Il remonte près de la table de nuit, tandis qu'Amélie va s'installer à la table-bureau, se disposant à écrire.

AMÉLIE, *bousculant tous les objets qui sont sur la*

table pour quelque chose qu'elle cherche. — Là ! voyons...

MARCEL, *qui la voit, avec inquiétude, bousculer ses affaires.* — Oh ! là ! Oh ! là ! Quoi ? Qu'est-ce que tu veux, mon petit ? demande-moi ! demande-moi !

AMÉLIE. — Du papier !

MARCEL. — Oui, eh ! bien, ne casse pas tout pour ça !

AMÉLIE, *presque crié.* — Du papier !

MARCEL, *allant chercher la boîte de papier à lettres.* — Eh bien ! oui, voilà, voilà !

AMÉLIE. — Allez ! grouille-grouille !

MARCEL, *maugréant.* — « Grouille-grouille » ! En voilà des expressions !

AMÉLIE. — Je te ferai remarquer que c'est toi qui, tout à l'heure...

MARCEL. — Oui, c'est bon ! Tiens ! attrape.

Il lui jette la boîte de papier à lettres.

AMÉLIE. — Merci !

Prononcer « Berci ».

MARCEL, *maussade.* — Ah ! « Bercy » ! Charenton, oui !

AMÉLIE, *écrivant en articulant à mesure ce qu'elle écrit.* — « Petit père ! je suis rue Cambon, chez Courbois, qui m'a logée cette nuit. Viens me prendre et apporte-moi un cos... (*Elle prend de l'encre.*) tume tailleur. Je t'embrasse, Amélie. »

MARCEL, *qui pendant ce qui précède, au-dessus de la table, à proximité d'Amélie, est en train de dépouiller son courrier, jetant par hasard un œil sur ce qu'écrit Amélie.* — Pas d'*h*.

AMÉLIE. — Quoi ?

MARCEL. — Pas d'*h*, à tailleur.

AMÉLIE. — Ah ?... Oh ! Ça fait rien ! C'est pour papa.

MARCEL. — Ah ? bon !... bon bon ! moi ce que j'en faisais c'était pour tailleur !

Il va s'asseoir sur le canapé contre la table.

AMÉLIE, *prenant une enveloppe.* — L'adresse, à présent : « Monsieur Pochet... »

MARCEL, *qui a décacheté une nouvelle lettre après y avoir jeté les yeux.* — Ah !

AMÉLIE, *écrivant.* — ... « Rue de Rivoli... » Qu'est-ce qu'il y a ?

MARCEL. — Ah ! nom de nom !

AMÉLIE. — Mais quoi ?

MARCEL. — Le parrain ! le parrain qui rapplique à Paris !

AMÉLIE. — Qui ? Van Putzeboum ?

MARCEL. — Oui ! Ah ! cochon de sort ! Mais qu'est-ce qu'il vient faire ? Il était si bien parti pour ne plus revenir !

AMÉLIE. — Nous allons encore l'avoir sur le dos ?

MARCEL. — Mais oui ! Tiens, v'là la lettre : (*Lisant.*) « Écoute, filske !... » (*Parlé.*) Parce qu'il est d'Anvers. (*Lisant.*) « Écoute, filske !... » (*Parlé.*) Il habite la Hollande...

AMÉLIE, *finissant pour lui.* — Mais il est d'Anvers.

MARCEL. — Ah ! ah ! tu sais ?

AMÉLIE. — Oui... oui, je sais !

MARCEL, *lisant.* — « Écoute, filske, je te fais la surprise. Je suis à Paris depuis ce matin ; j'espère que je vais savoir te voir cet après-midi. Ton parrain qui t'aime. » (*Se levant et gagnant jusqu'au pied du lit — entre chair et cuir.*) Cochon, va !... Ah ! elle est jolie la surprise !

Il revient vers le canapé.

AMÉLIE. — Ah ! oui !

MARCEL. — « Post-scriptum : « Nous te faut... » (*Parlé.*) Quoi ? (*Lisant.*) « Nous te faut... » ? (*À Amélie.*) Qu'est-ce que tu lis là ?

AMÉLIE, *lisant par-dessus l'épaule de Marcel.* — « Nous te faut... »

MARCEL. — Nous te faut, oui !

AMÉLIE et MARCEL, *lisant ensemble.* — « Nous te faut dîner ce soir avec ta fiancée et son père, M. d'Avranches. »

MARCEL, *regagnant vers le lit.* — Ah ! ça va bien. (*À Amélie.*) Nous te faut dîner avec lui ce soir !

AMÉLIE. — Ce soir ! Mais je ne peux pas.

MARCEL. — Ah ! y a pas ! Nous te faut, nous te faut !

AMÉLIE. — Mais ce soir je dîne avec...

MARCEL. — Ça m'est égal ! Décommande-toi. Il n'y a pas : « Nous te faut ! nous te faut ! » Ah ! le crampon ! le crampon !

AMÉLIE. — Ah ! oui, alors !... C'est gai d'être obligée de tout chambarder ! Enfin, qu'est-ce que tu veux, je vais écrire. Mais si tu crois que ça m'amuse.

MARCEL, *catégorique*. — Ah ! quoi, mon petit ! Nous te faut !

AMÉLIE, *qui a pris une autre feuille de papier et se dispose à écrire*. — Oui, oh ! c'est gai.

MARCEL, *navré, s'affalant sur le pied du lit*. — Mais qu'est-ce qu'il vient faire, mon Dieu !... Je croyais si bien en être débarrassé ! il devait partir pour l'Amérique !...

AMÉLIE, *tout en écrivant*. — Ah ! bien, c'est peut-être ça !

MARCEL. — Quoi ?

AMÉLIE, *id*. — S'il part pour l'Amérique...

MARCEL. — Eh ben ?

AMÉLIE, *id*. — Il doit s'embarquer au Havre...

MARCEL. — Alors ?

AMÉLIE. — Alors, il est tout naturel qu'il passe par Paris.

Tout en parlant, elle a pris une enveloppe et écrit l'adresse.

MARCEL, *fait une moue peu convaincue, puis*. — Enfin ! Dieu t'entende ! (*Changeant de ton.*) Eh bien ?... Ça y est ? (*Amélie, occupée à écrire, ne répond que par un imperceptible signe de la tête. Plus fort.*) Ça y est ? (*Même jeu.*) Ça y est ?

AMÉLIE. — Mais oui, ça y est.

MARCEL, *se levant et gagnant la tête du lit*. — Eh bien ! on le dit !

AMÉLIE. — Eh ! bien, je l'ai dit !

MARCEL. — Toi !

AMÉLIE. — Je l'ai dit de la tête.

MARCEL. — Ah ! « de la tête » !

Il sonne.

AMÉLIE, *qui s'apprête à mettre les deux lettres chacune dans son enveloppe.* — Attends ! c'est pas sec !

MARCEL. — Eh ben ! souffle ! (*Il descend extrême gauche. Amélie souffle alternativement sur les deux enveloppes, qu'elle tient chacune par une main, après quoi, dans chacune d'elles, pendant ce qui suit, elle introduit une des lettres qu'elle vient d'écrire.*) Entrez !

Scène 3

Les mêmes, CHARLOTTE, puis IRÈNE

CHARLOTTE, *passant la tête avec circonspection.* — On... on peut tout de même ?... Oui ?

MARCEL. — Quoi ?

CHARLOTTE. — Bien que monsieur ait sonné, on peut tout de même entrer ?

MARCEL. — Est-ce que vous vous payez ma tête ?

CHARLOTTE. — Non, monsieur.

MARCEL. — Espèce d'oie !

CHARLOTTE. — Oui, monsieur.

MARCEL. — Allez ! madame a une commission à vous donner.

AMÉLIE, *à Charlotte qui est au-dessus de la table.* — Oui, tenez, ma fille ! Ce n'est pas loin... cette lettre à porter à l'hôtel Continental [1]...

CHARLOTTE, *prenant la lettre.* — Oui, madame.

Elle remonte.

---

1. Situé 3, rue de Castiglione, cet hôtel existe toujours sous un autre nom.

AMÉLIE. — Attendez ! attendez ! Et puis cette autre : rue de Rivoli, à côté.

CHARLOTTE. — Ah ?... Ah ben ! alors, c'est pas une commission.

MARCEL. — Comment, c'est pas une commission ?

CHARLOTTE. — C'est... deux commissions !

MARCEL, *a un hochement de tête significatif au public, puis bien contenu.* — Dites donc ! Voulez-vous me foute le camp ?

CHARLOTTE, *obéissant sans empressement.* — Oui, monsieur.

MARCEL, *bondissant vers elle et sur un tout autre ton.* — Voulez-vous me foute le camp ?

CHARLOTTE, *détalant au plus vite.* — Oui, monsieur !

MARCEL, *sur le seuil de la porte du fond, parlant à la cantonade.* — Espèce d'oie !

AMÉLIE, *traversant la scène derrière Marcel sans qu'il l'aperçoive.* — Ah ! zut, moi je gèle comme ça !

Elle se recouche dans le lit.

MARCEL, *toujours à la cantonade.* — Vous m'entendez : espèce d'oie ! (*Il referme la porte et, se dirigeant vers la table où il croit trouver encore Amélie.*) Non, on n'a pas idée, ma chère... (*L'apercevant dans le lit.*) Hein ! Ah non, non ! tu ne vas pas te recoucher !

AMÉLIE. — Oh ! mais, je suis gelée, moi ! et en attendant papa...

MARCEL, *voulant la faire lever.* — Il n'y a pas d'« en attendant papa » ! Allez ! Allez ! debout !

AMÉLIE. — Oh ! mais voyons...

MARCEL. — Debout-debout-debout !

On sonne.

MARCEL. — Chut ! (*Tous deux restent cois, l'oreille tendue.*) On a sonné.

AMÉLIE. — Oui.

MARCEL, *prêtant l'oreille à la porte.* — Qui est-ce qui vient nous embêter ?

VOIX DE CHARLOTTE. — Mais qui demandez-vous, madame ?

Voix d'Irène. — Est-ce que monsieur est là ?
Oui ?

Marcel, *bondissant vers le lit*. — Nom d'un chien,
Irène !

Amélie. — Quoi ?

Marcel. — Ma maîtresse, fous le camp !

Amélie, *qui se dispose à descendre du lit*. — Hein !
c'est madame ?

Marcel, *la poussant par la croupe, ce qui la fait
tomber du lit, la tête et les mains en avant*. — Mais
fous le camp, n... de D... ! Cache-toi !

Amélie, *tombant la tête en bas*. — Mais où ? Mais
où ?

Marcel, *qui a fait le tour du lit et se dispose à
détacher les embrasses des rideaux pour les fermer*. — Mais je ne sais pas ! Là, sous le lit !
Dépêche-toi, sacrebleu !

Amélie, *se disposant à se glisser sous le lit*. — Ah !
bien, je m'en souviendrai de cette matinée !

Marcel, *lui envoyant deux poussées du plat du
pied*. — Mais vas-tu te dépêcher, nom d'un chien !

*Il détache les embrasses, les rideaux se ferment (nuit).
Marcel ne fait qu'un bond sur le lit, sur lequel il s'étale de
tout son long. À ce moment, on frappe à la porte.*

Irène, *passant la tête*. — On peut entrer ?

Marcel, *comme si on le réveillait en sursaut*. — Qui... ? Qui est là ?

Irène, *entrant*. — *On voit qu'il fait grand jour dans
l'antichambre alors que la chambre est dans l'obscurité.* — Oh ! qu'il fait noir !

Marcel. — Mais qui... qui est là ?

Irène, *tout en refermant la porte*. — Ton cœur ne
te le dit pas ?

Marcel, *d'une voix qu'il veut faire tendre et qui
n'est que chevrotante*. — Ohohoh ! Irène !

Irène. — Ah ! Son cœur le lui a dit ! (*S'élançant
vers le lit à tâtons.*) Ah ! Chéri !... Mais où es-tu
donc ?

Marcel, *de la même voix chevrotante*. — Mais là !

(*La main d'Irène, dans l'obscurité, vient cogner le visage de Marcel.*) Oh !

Irène. — Oh ! Je t'ai mis le doigt dans l'œil ?

Marcel. — Non ! c'est ma bouche !

Irène, *avec élan.* — Oh ! mon chéri !

Marcel. — Oh ! ma Rérène !

   Ils s'embrassent.

Amélie, *surgissant à mi-corps du dessous du lit, face au public, comiquement.* — Oh ! ce qu'on est mal là-dessous !

Irène, *se dégageant de l'étreinte de Marcel.* — Mais pourquoi es-tu dans le noir, comme ça ? Attends !

   Elle cherche le bouton électrique à tâtons.

Marcel. — Qu'est-ce que tu cherches ?

Irène, *même jeu.* — Le bouton de l'électricité.

Marcel. — Oh ! tu veux allumer !

Irène. — Mais oui, c'est triste, ici ! On ne se voit pas ! (*Avec coquetterie.*) et on y perd !... Moi, du moins !

Marcel, *s'efforçant de se mettre au diapason.* — Oh ! mais moi aussi.

Irène, *même jeu.* — Oh ! tu dis ça pour ne pas être en reste.

Marcel, *même jeu.* — Mais non, j'y perds bien plus que toi !

Irène. — Oh ! t'es gentil !

   Elle l'embrasse.

Amélie, *sous le lit.* — Non, mais ils n'ont pas fini au-dessus !

Irène. — Enfin ! où est-il donc le bouton ?

Marcel. — Près du lit, au-dessus de la table.

Irène. — Au-dessus de la table, bon ! (*En tâtonnant, elle fait tomber la pelote de ficelle, qui roule sous le lit*.*) Oh ! qu'est-ce que j'ai fait tomber ? C'est sous le lit ! attends !

---

* En réalité, elle ne fait pas tomber la pelote ; mais, au contraire, pendant les quelques répliques ci-dessus, elle l'a escamotée et glissée sous le traversin sans que le public s'en aperçoive.

Elle se baisse pour ramasser l'objet tombé.

AMÉLIE, *à part.* — Fichtre !

MARCEL, *vivement arrêtant le mouvement d'Irène.* — Laisse donc ! Laisse donc !

IRÈNE. — Mais c'est là... !

MARCEL, *la relevant en la voyant se rebaisser.* — Mais laisse donc, voyons !... Ça n'a pas d'importance !... C'est une pelote de ficelle ! On la ramassera plus tard.

IRÈNE. — Ah ! Et puis, comme tu voudras.

AMÉLIE, *sur un ton blagueur.* — Oh ! c'est dommage ! on aurait reçu une visite !

IRÈNE, *trouvant le bouton qui allume le lustre et non celui de la veilleuse.* — Je le tiens. Ah ! voilà ! (*Elle tourne le commutateur, le lustre s'allume.*) Ah ! à la bonne heure ! on se voit, à présent !

MARCEL, *se faisant un abat-jour de sa main comme quelqu'un que la lumière aveugle.* — Ah ? tu trouves ?

IRÈNE. — Oh ! ça te fait mal aux yeux ?

MARCEL. — C'est parce que je viens de me réveiller, n'est-ce pas ? alors...

IRÈNE. — C'est moi qui t'ai réveillé !... Oh ! je suis désolée !

MARCEL. — Mais non ! non ! mais tu as bien fait ! il est temps de me lever.

Il fait mine de descendre du lit, côté droit.

IRÈNE, *lui repoussant les jambes sur le lit.* — Comment as-tu dit ça ?

MARCEL, *même jeu.* — Oui, tu comprends, n'est-ce pas ?...

IRÈNE, *même jeu.* — Mais rien du tout ! Tu me parles de te lever, quand j'arrive ! Eh ! bien, c'est encore gentil, ça !... Quand je suis là, près de toi, tout heureuse, toute frémissante du désir de toi.

MARCEL. — Hein ?

AMÉLIE, *à part.* — Eh ! bien, mon colon !

IRÈNE, *enlevant son manteau et se préparant à se déshabiller.* — Du tout, du tout ! Tu étais en train de dormir, eh ! bien, on va dormir tous les deux !

MARCEL, *avec un sourire angoissé.* — Aha ?

IRÈNE. — Comme un petit mari et une petite femme !

MARCEL, *même jeu.* — Aha ?

IRÈNE. — T'es pas content ?

Prononcer « cotent »

MARCEL. — Oh ! Si ! si ! Ah ! ben !

AMÉLIE. — Eh ! ben, on va rigoler là-dessous !

IRÈNE, *grimpant à deux genoux sur le lit.* — Et puis tout, comme un petit mari et une petite femme !

MARCEL. — Aha ?

AMÉLIE. — Et tout ça sur ma tête ?

IRÈNE, *lui sautant au cou.* — Oh ! mon chéri-chéri !

MARCEL, *s'efforçant d'être au diapason.* — Oh ! ma Réré-Réreine !

AMÉLIE. — Ça y est ! on entame l'ouverture !

MARCEL, *pendant qu'Irène, qui est à droite, sur le lit — par conséquent à la gauche de Marcel — l'embrasse dans le côté droit du cou.* — *À part.* — Ce que c'est gênant de sentir un tiers sous soi, dans ces moments-là !

IRÈNE, *descendant du lit et allant retirer son chapeau sur la table de droite.* — Et maintenant, sois heureux ! J'ai toute ma journée à toi.

AMÉLIE, *bien largement.* — Hein !

MARCEL, *terrifié.* — Aha ?

AMÉLIE, *à part.* — Il va falloir que je reste toute la journée là-dessous, moi ?

MARCEL. — Toute... toute la journée ?

IRÈNE. — Tu n'as pas l'air ravi.

MARCEL. — Moi ! Ah ben ! ah ! là là !

IRÈNE. — Non, vraiment, écoute ! quand je suis là, près de toi... !

MARCEL. — Tu as raison ! Tiens ! J'ai un bain à prendre ! Viens ! Viens ! dans la salle de bains...

Il fait mine de descendre du lit.

IRÈNE, *lui repoussant les jambes comme précédemment.* — Hein ! mais non ! mais non ! En voilà une idée !

Marcel, *même jeu.* — Tu ne veux pas venir dans la salle de bains ?

Irène, *même jeu, sur un ton qui ne souffre pas de réplique.* — Mais non !

Amélie, *à part, sur un ton précieusement comique, et la bouche en cul de poule.* — Ah ! ça serait pourtant si bien, si elle allait dans la salle de bains !

Irène, *descendant un peu en scène, ce qui fait s'éclipser Amélie sous le lit.* — Quand on a une bonne chambre, aller dans la salle de bains ! Ah ! non ! non, merci ! (*Revenant à Marcel.*) Tu vas me faire une place dans ton dodo ; et moi, je vais me déshabiller.

Elle va jusqu'à la table et se met à dégrafer son col.

Marcel, *avec angoisse.* — Aha ?

Amélie, *paraissant à gauche du pied du lit.* — Hein ! ces femmes honnêtes ! Et ça vous traite de haut en bas !

Irène, *qui se débat contre les difficultés d'un corsage agrafé dans le dos.* — Oh ! cette agrafe !... (*Sautant assise sur le lit et présentant sa nuque à Marcel qui, tout occupé à monologuer en lui-même, semble ne pas l'entendre.*) Tiens, Marcel, veux-tu... ? (*Voyant que Marcel ne lui répond pas.*) Marcel ! (*Descendant du lit, puis saisissant Marcel brusquement par le menton et lui faisant ainsi tourner la tête de son côté.*) Non, mais quoi ? Qu'est-ce que tu as ?

Marcel, *qui immédiatement s'est composé un sourire.* — Hein ?

Irène — Ça ne te va pas ?

Marcel. — Oh ! mais si !

Il tend les mains pour défaire l'agrafe.

Irène, *repoussant sa main.* — Non, non ! Tu as l'air de faire une tête ! Ah çà ! dis donc, est-ce que, par hasard, depuis que tu fréquentes mademoiselle d'Avranches... ?

Amélie. — Moi !

Marcel. — Oh ! quoi ? Quoi ? Qu'est-ce que tu vas t'imaginer ?

Irène. — Ah ! C'est que je suis bonne personne ;
j'ai bien voulu me prêter pour ton parrain... ! mais
peut-être qu'à jouer comme ça à la fiancée et au
fiancé... qui sait ? Il a bien pu arriver que... Ah ! mais
c'est que ça ne m'irait pas !

Marcel. — Oh ! moi, moi ! avec Amélie ! Ah ben !
Ah ! là là, tu ne m'as pas regardé !...

Amélie, *la moitié du corps sortie côté gauche du lit,
étendue sur le dos.* — Pendant qu'il parle, donnant de
la main des petits coups sur le matelas. — Non, mais
dis donc ! Dis donc, là-haut !

Irène. — Ah ! J'espère ! D'ailleurs, ce n'est pas
une femme pour toi, cette petite ! Évidemment, elle a
une frimousse.

Marcel, *trop heureux de cette concession, tapotant
de sa main droite le matelas, pour attirer l'attention
d'Amélie.* — Ah ! ça oui, oui, elle a une frimousse.

Amélie, *le saisissant au poignet et le secouant comiquement de façon à le faire presque tomber du
lit.* — Merci, trop aimable !

Marcel, *luttant pour retrouver son équilibre.* — Aha !... aha !

Irène, *le rattrapant par la jambe.* — Eh bien !
qu'est-ce que tu as ?

Marcel, *se remettant sur son séant.* — Rien !
Rien !... C'est le matelas qui dégouline !

Irène, *haussant les épaules.* — Oh !

Elle descend un peu en scène. Marcel profite de ce qu'elle
lui tourne le dos pour envoyer un coup de plat de pied sur
la nuque d'Amélie qui, à ce moment, est à quatre pattes, se
disposant à rentrer sous le lit.

Amélie, *que ce choc aplatit par terre.* — Oh !

Irène, *se retournant au cri étouffé d'Amélie.* — Quoi ?

Marcel, *qui a repris sa position primitive, de l'air le
plus naturel.* — Rien, rien ! J'ai fait « oh ! ».

Irène, *revenant à ses moutons.* — Non, mais,
qu'est-ce que c'est cette Amélie ! Une ancienne
femme de chambre ! Un torchon !

AMÉLIE, *à plat ventre, toujours gauche du lit, les coudes par terre et le menton dans les mains.* — Non, mais entrez donc !

IRÈNE. — ... et vulgaire !... sans race !...

AMÉLIE. — N'en jetez plus, la cour est pleine !...

IRÈNE. — C'est comme ses mains ! Tu n'as pas vu ses mains ?

MARCEL. — Non ! Non, je...

AMÉLIE, *regardant ses mains.* — Quoi ? Qu'est-ce qu'elles ont, mes mains ?

IRÈNE. — C'est une bonne fille, mais pas soignée...

AMÉLIE. — Ah ! mais elle m'embête, madame !

IRÈNE. — Elle s'ondule avec de la vanille, mon cher ! Te figures-tu ça ?

AMÉLIE. — Et je resterais là-dessous pour entendre ça ! Ah ! non, alors !

Elle disparaît sous le lit.

IRÈNE. — Vois-tu, mon chéri, la vraie femme qu'il te faut, c'est moi.

AMÉLIE, *passant la tête face au public, entre les deux pieds du lit.* — Comment donc ! c'est ça !

MARCEL, *voyant Irène qui allume la veilleuse.* — Qu'est-ce que tu fais ?

IRÈNE. — Il y a des moments où je préfère l'obscurité.

La veilleuse étant allumée, elle tourne le bouton qui éteint le lustre (demi-nuit).

AMÉLIE. — Oh ! la pelote de ficelle !... Attends un peu !

Elle disparaît sous le lit et, pendant tout ce qui suit, on la devine qui manigance quelque chose car, sans qu'on la voie, elle, on aperçoit de temps en temps sa main qui manipule le couvre-pied qui pend au pied du lit.

IRÈNE, *sautant joyeusement sur le lit.* — Oh ! Chéri ! Chéri !

MARCEL. — Oh ! Réré-Réreine !

Ils s'embrassent.

IRÈNE, *s'asseyant complètement, les jambes sur le lit, à côté de Marcel.* — On est bien sur ton lit !... Ah ! si tu savais comme j'ai mal dormi cette nuit !

MARCEL, *sainte nitouche.* — Ah ! pas plus que moi ! J'ai travaillé tard !

IRÈNE. — Moi, j'ai eu des cauchemars !... Figure-toi : je somnolais ; j'ai été réveillée en sursaut par une longue forme blanche, qui, à la lueur de la veilleuse, agitait de grands bras... (*Sans transition, l'embrassant.*) Je t'adore.

MARCEL, *pressé de connaître la suite.* — Oui, oui !... C'était quoi ?

IRÈNE. — Mon mari, qui passait sa chemise de nuit ! Crois-tu ? C'est tout simple, mais quand on ne s'attend pas !... Toute la nuit, ça m'a poursuivie ! (*Apercevant le couvre-pied qui dégringole du lit, tiré d'en bas par Amélie.*) Tiens, ton couvre-pied qui est tombé.

MARCEL. — Oui, ça ne fait rien.

IRÈNE. — Et tout le temps, il me semblait voir les objets s'agiter, les meubles marcher... (*Poussant un grand cri en apercevant le couvre-pied sous lequel est cachée Amélie, avancer dans la chambre avec des soubresauts comiques.*) Ah !

Elle ne fait qu'un bond en saut de mouton par-dessus le corps de Marcel et se précipite à l'extrême gauche de la scène, tandis que la couverture animée se dirige par petits soubresauts vers le cabinet de toilette.

IRÈNE, *cri strident et prolongé.* — Aaaah !

MARCEL, *bondissant sur les genoux jusqu'au pied du lit qu'il n'a pas quitté.* — Quoi ? Quoi ? Qu'est-ce qu'il y a ?

IRÈNE, *acculée à l'extrême gauche.* — Là !... là !... ton couvre-pied qui marche !

MARCEL, *à part, en pouffant sous cape.* — Ah ! chameau d'Amélie, va ! (*Haut, faisant l'innocent.*) Où ça ? Je ne vois rien !

IRÈNE. — Mon Dieu ! C'est mon cauchemar qui me reprend... Oh ! Marcel, j'ai peur !

MARCEL, *qui est allé rejoindre Irène.* — Allons, voyons ! voyons ! pour un couvre-pied qui marche ! mais ça se voit tous les jours. Faut être au-dessus de ça ! Faut être au-dessus de ça !

À ce moment, par la porte du cabinet restée ouverte, on voit le couvre-pied qui revient tout seul et retourne par petits sauts saccadés dans la direction du lit. (Lire l'explication à la fin de l'acte.)

IRÈNE, *cri strident.* — Aaah !

MARCEL, *sursautant.* — Quoi !

IRÈNE. — Là ! Là ! le voilà qui revient !

MARCEL. — Hein !

IRÈNE. — Là ! Là !

MARCEL, *éperdu.* — Mon couvre-pied qui revient tout seul.

Pendant ce temps-là, le couvre-pied s'est rapproché par secousses espacées. Nouvelle secousse.

IRÈNE, *poussant un grand cri et se précipitant sur le lit pour en redescendre aussitôt du côté droit.* — Ah !

MARCEL, *faisant comme elle.* — Allons, voyons ! Allons, voyons ! (*Très troublé.*) Mais du calme..., du calme, quoi !

Irène est au-dessus de la table (2), Marcel plus bas (1).

IRÈNE, *voyant Marcel qui, peu rassuré, se dirige cependant avec circonspection vers la couverture. Brusquement et crié.* — Marcel ! Marcel ! N'y va pas !

MARCEL, *bondissant en arrière au cri d'Irène, puis.* — Allons ! Allons ! Qu'est-ce que tu penserais de moi si !... Ce n'est pas au moment du danger qu'un homme se dérobe !

Marcel gagne sur la pointe des pieds vers la couverture.

IRÈNE, *vivement, au moment où Marcel s'en approche.* — Marcel ! Marcel ! prends garde !

MARCEL, *nouveau bond en arrière, puis.* — Ah ! là ! voyons ! (*Comme précédemment, il gagne prudemment vers le couvre-pied. Arrivé auprès, il le considère de l'œil, risque un ou deux coups timides de la pointe du pied dans la couverture, puis voyant que rien ne bouge, après un peu d'hésitation, la saisit par un des coins et, triomphant, la ramène en courant vers Irène qui, pendant ce jeu de scène, est descendue à l'avant-scène droite, à distance respectable de Marcel.*) Là !... tu vois ! petite peureuse !

IRÈNE, *avec admiration*. — Ah! Tu en as du courage, toi!

MARCEL, *avec panache, le bras tendu tenant haut la couverture*. — Un homme ne recule pas, même devant un couvre-pied!

À ce moment, d'une secousse brusque, le couvre-pied lui est arraché des mains et va rejoindre le pied du lit.

TOUS DEUX, *poussant un même cri de terreur*. — Ah!

IRÈNE, *courant en tous sens, affolée*. — Ah! mon Dieu! Au secours! Au secours!

MARCEL, *gagné par la contagion de la peur*. — Mais ne crie donc pas ainsi à la fin! Ça finirait par me gagner!

IRÈNE, *même jeu, et courant prendre son chapeau sur la table*. — La couverture est enchantée! Je ne veux pas rester une minute de plus!

MARCEL. — Mais ne crie donc pas comme ça! Ne crie donc pas comme ça!

Affolée, Irène se précipite vers le cabinet de toilette quand, à ce moment, en surgit Amélie, tel un gnome monstrueux, revêtue d'un peignoir de bain dont elle a le capuchon sur la tête, la figure recouverte du masque déjà vu, et agitant dans chaque main une allumette-feu d'artifice enflammée. Elle se fait toute petite en marchant et avance ainsi par petits pas rapides et déhanchés.

IRÈNE, *rebroussant chemin*. — Ah! Au secours! Au secours!

CHARLOTTE, *entrant à ce moment*. — Qu'est-ce qu'il y a? Qu'est-ce qu'il y a?... (*Poussant un cri.*) Ah! Au secours! Au secours!

Les deux femmes se précipitent dehors.

MARCEL, *aussi affolé qu'elles*. — Mais taisez-vous donc! Mais taisez-vous donc!

Il s'est réfugié entre le lit et la fenêtre, littéralement hypnotisé par l'apparition qu'il a devant lui. Voyant sa terreur, et pour s'en amuser, Amélie va se camper devant lui, mais de l'autre côté du lit. Marcel redescend vivement vers le pied du lit comme pour traverser la scène. Amélie

redescend également. Marcel remonte vers la tête du lit,
saisit un des oreillers, le lance à Amélie et court grimper
sur la banquette qui est sous la fenêtre, tout en s'envelop-
pant le corps dans le rideau. Amélie, se tordant de rire, va
jeter ses allumettes dans le vase près de la porte du cabinet
de toilette, lance dans le cabinet de toilette masque et
peignoir, puis :

AMÉLIE. — Eh bien ! je crois que c'est mené... ça !

MARCEL, *toujours dans son rideau.* — Hein ! C'est
toi ! C'est toi qui nous fiches des venettes[1]
pareilles ?...

Il descend de la banquette et met les embrasses au
rideau. Grand jour.

AMÉLIE. — Eh ! oui, faut bien que les masques et
les allumettes-feu d'artifice servent à quelque chose !

MARCEL, *allant à Amélie.* — Ah ! non, écoute, c'est
idiot !... Tu as vu dans quel état tu as mis ces mal-
heureuses femmes ?

AMÉLIE. — Plains-toi, je t'ai sauvé la partie avec
madame ; sans cela, elle serait encore là, et tu étais
plutôt empêtré !... Elle a eu un peu le trac, hein ? Ah !
bien, ça lui apprendra à me chiner ! Après l'accueil
que je lui avais fait chez moi ! Non, « mes mains » !
Mais, qu'est-ce qu'elles ont, mes mains ?

Elle les lui fourre brusquement sous le nez.

MARCEL. — Allons, voyons ? (*Changeant de ton.*)
Ah ! parbleu, quand j'ai vu le couvre-pied filer, j'ai
bien pensé que tu étais dessous !... Mais, quand je l'ai
vu revenir tout seul !... Ah ! ça, par exemple !...

AMÉLIE. — T'as eu la frousse.

MARCEL, *étourdiment.* — Oui !... (*Vivement.*)
Hein ! non !... Non mais, enfin, je n'y étais plus ! Je
ne... Comment diable as-tu fait ça ?

AMÉLIE. — Oh ! que c'est malin ! Madame m'avait
envoyé de la ficelle, n'est-ce pas ? Alors, moi, avec

---

1. « Peur » en langage familier. Ce mot n'est plus utilisé de nos
jours.

une épingle à cheveux, j'ai relié la corde au couvre-
pied, j'ai passé autour du pied du lit... et, une fois
dans le cabinet de toilette, aïe donc ! je n'ai eu qu'à
tirer pour que le couvre-pied revienne en place.

Elle remonte et va éteindre la veilleuse.

MARCEL, *ramassant le couvre-pied et le remettant
sur le lit*. — Ah ! que c'est bête ! Veux-tu que je te
dise ? C'est enfantin !

AMÉLIE, *redescendant*. — Ben oui ! C'est l'œuf de
pigeon !

MARCEL, *la regarde, étonné, puis*. — Quel œuf de
pigeon ?

AMÉLIE. — Ben, je ne sais pas ! C'est toi qui disais
ça l'autre jour !

MARCEL. — Moi ?

AMÉLIE. — Enfin quoi ? Il fallait le trouver.

MARCEL. — Ah ! l'œuf de Colomb, tu veux dire.

AMÉLIE, *remontant vers le lit*. — Oh ! bien, oui,
quoi ! Colombe, pigeon, c'est toujours le même animal.

MARCEL. — Le même animal ! Évidemment, évidemment ! (*Répétant en riant sous cape.*) L'œuf de
pigeon !

Il gagne la droite.

AMÉLIE, *grimpant sur le lit et se refourrant
dedans*. — Voilà comme je suis, moi ! Je suis inventive !

MARCEL. — Ah ! grande gosse, va !... (*Se retournant et apercevant Amélie dans le lit.*) Ah ! non, non,
tu ne vas pas te recoucher. Allez ! debout-debout-
debout !

AMÉLIE. — Oh ! mais enfin !...

MARCEL. — Allez, deb...

Sonnerie qui les galvanise, — ils se regardent.

AMÉLIE. — On a sonné.

MARCEL. — Oui.

Il va prêter l'oreille à la porte du fond.

Scène 4

Les mêmes, puis Van Putzeboum

Voix de Van Putzeboum. — Alleï! alleï, laissez, puisque je vous dis que je suis le parrain.

Marcel, *bondissant à la voix de Van Putzeboum.* — Nom d'un chien, le parrain! Allez! Fous le camp, n... de D...! fous le camp.

Amélie. — Mais où ça?

Marcel, *la poussant par le bas des reins comme à l'arrivée d'Irène.* — Mais sous le lit, donc!

Il se précipite vers la porte pour écouter.

Amélie, *se rattrapant au moment de tomber du lit sous la poussée de Marcel.* — Ah! non, zut! j'en ai assez!

Elle se renfonce dans le lit.

Marcel, *revenant au lit et y retrouvant Amélie.* — Mais vas-tu fiche le camp! (*Au même moment on voit tourner le bouton de la porte du fond.*) Non, trop tard!

Marcel n'a que le temps de sauter sur le lit et, d'un même mouvement, lui et Amélie rabattent le drap sur leur tête. À ce moment précis paraît Van Putzeboum.

Van Putzeboum, *qui est entré juste à temps pour apercevoir le jeu de couverture, reste un instant bouche bée, puis fait un geste de la tête comme pour dire : « Eh ben! » puis, au public, avec un geste prometteur de la main.* — Attends un peu, donc!

Il s'approche du lit sur la pointe des pieds, puis, d'un mouvement brusque, découvre Marcel et Amélie.

Marcel et Amélie, *ensemble et vivement.* — On n'entre pas!

Van Putzeboum, *ahuri, reconnaissant Amélie.* — Mademoiselle Amélie d'Avranches!

Amélie. — Hein! oui... oui, je passais.

Marcel, *à Amélie, comme s'il la rencontrait dans la rue.* — Ah ! Tiens ! c'est vous ! Oh ! comment ça va ?
Il lui tend la main.

Amélie, *lui serrant la main.* — Quelle charmante surprise !

Van Putzeboum. — Et dans le lit donc, ensemble !

Marcel. — Oh ! Si on peut dire !...

Amélie. — On passait ! On passait !

Van Putzeboum, *hochant la tête d'un air moqueur.* — Oui ! oui !... Eh ! bé ! Eh ! bé !

Marcel. — Quoi ?

Van Putzeboum. — Ça va bien, pour une fois !

Marcel. — Mais pas mal, mon parrain ! Vous aussi, je vois !

Van Putzeboum. — Vous avez eu bon ? Oui ? Oui ?

Marcel. — Oh ! mon parrain !

Van Putzeboum, *descendant un peu en scène.* — Ah ! Godferdeck ! Tu ne l'as pas encore mariée, ta femme, et tu profites déjà sur !

Tous deux. — Hein !

Van Putzeboum. — Eh ! bé, filske !

Marcel, *descendant du lit.* — Mon parrain, je vais vous expliquer...

Amélie, *toujours dans le lit.* — Je vous assure, monsieur, que...

Van Putzeboum, *levant les bras au ciel.* — Hou là ! Mais qu'est-ce que c'est donc ? C'est votre affaire, savez-vous !

Marcel, *qui a pris la veste de son pyjama et l'a enfilée. Redescendant n° 3.* — Hein ! Oui, je sais bien.

Van Putzeboum (2). — Ça est comme qui dirait une avance sur titre... Tu touches avant ; ça te regarde ! (*Allant au lit.*) Et ça va, la jeune fiancée ?

Amélie, *rieuse.* — Mais vous voyez... le parrain !

Van Putzeboum. — Ouyouye ! Ah ! tout de même, le garnement !... Quand c'est que je pense que vous étiez si innocente donc il y a quinze jours !

AMÉLIE, *bien sainte nitouche.* — Moi !

VAN PUTZEBOUM. — Comme on dit à Paris... il a fait vite de vous dessaleï.

AMÉLIE. — Oh !

VAN PUTZEBOUM, *à Marcel, en lui envoyant une poussée avec son ventre qui le fait tomber sur le canapé.* — Être de perdition, va !... Et le papa, alors ! M. d'Avranches ? Ça, qu'est-ce qu'il dit donc ?

MARCEL, *vivement, allant à lui.* — Oh ! il ne sait pas ! il ne faut pas lui dire... ni à personne ! hein ?... Surtout... surtout à personne !...

VAN PUTZEBOUM. — Alleï, alleï ! Qu'est-ce que tu penses, hein ! Est-ce que ça est même à dire, ces choses-là ?

AMÉLIE. — D'ailleurs, il n'y a rien, vous savez... On... on dormait.

VAN PUTZEBOUM, *moqueur.* — Ouie ! ouie ! Ça, je me doute... Ah ! Tout de même, non ! écoutez ; je vous demande une fois pardon d'être entré... comme ça jusque dans le lit, mais ça, je ne savais pas, n'est-ce pas ?

AMÉLIE. — Oh ! mais...

VAN PUTZEBOUM. — Je voulais seulement faire la surprise de mon retour.

MARCEL. — Ah ! le fait est que je ne m'attendais pas !... Vous êtes de passage à Paris ? Oui !... Évidemment.

VAN PUTZEBOUM. — Espère donc ! Ça est la surprise justement. Je me suis dit : « Vraiment, en souvenir de son père, et pour son amitié, je ne sais pas laisser faire le mariage pour que je n'y sois pas. »

MARCEL. — Hein !

VAN PUTZEBOUM. — Alors, je me suis arrangé ! J'envoie mon fondé de pouvoir pour qu'il me remplace en Amérique et je vais une fois le rejoindre après la noce. Que tu saisis, fils ?

MARCEL, *ahuri.* — Ap... ap... ap...

VAN PUTZEBOUM. — Ap... ap... ap... Tu broubelles (*broubeulles*) à présent ?

MARCEL. — Quoi ?

VAN PUTZEBOUM. — Tu broubelles ?... Tu es bègue ?

MARCEL. — Non, je dis : « Ap... après la noce ? »

VAN PUTZEBOUM. — Oui... Comme ça, je pourrai te remettre de la main ta fortune, que je suis dépositaire.

MARCEL. — Aha ? Ah ! ben, voilà une surprise !

AMÉLIE. — Le fait est que pour une surprise !

MARCEL. — Ça, c'est une surprise !

Il s'effondre sur le canapé.

VAN PUTZEBOUM, *s'asseyant près de lui sur le canapé.* — Oui ? Ça te plaît, ça ?

MARCEL (3), *sur le canapé.* — Oh ! je suis radieux !

VAN PUTZEBOUM (2), *sur le canapé.* — Eh bé, ça te faut dire, savez-vous !... car, quand je te regarde, ce que tu peux, une fois, avoir l'air lugubre, quand tu es radieux !

MARCEL. — Qu'est-ce que vous voulez, ça dépend des natures.

VAN PUTZEBOUM. — Oui, ça, je sais ! J'en ai eu un comme ça, quand il était joyeux... Ça était triste ! il gémissait, il gémissait !

MARCEL. — Là ! ben, vous voyez !

VAN PUTZEBOUM. — Et il me léchait ! il me léchait !

MARCEL, *le regardant, ahuri.* — Hein !

AMÉLIE. — Qui ?

VAN PUTZEBOUM. — N'poleion premier donc ! Mon bouledogue. (*Caressant machinalement la nuque de Marcel.*) Si vous aviez vu la gueule qu'il avait !

MARCEL, *dégageant sa tête avec humeur.* — Allons ! voyons donc !

VAN PUTZEBOUM. — Ah ! C'était ça une bonne bête !

MARCEL. — Je suis vraiment heureux de vous l'avoir rappelé.

VAN PUTZEBOUM, *se levant, et tout en parlant*

gagnant jusqu'au lit pour parler à Amélie. — Mais je bavarde, je bavarde, ça est pas tout à fait ça, filske ! Maintenant que je t'ai vu... ta fiancée se faut s'habiller, n'est-ce pas ? Et moi, je gêne !

MARCEL, *qui s'est précipité sur la canne et le chapeau de Van Putzeboum que celui-ci a déposés, en entrant, sur la console. Les lui passant par-dessus l'épaule et devant le nez, afin que rien ne retarde son départ.* — Oh ! vous partez !... déjà ! Oh ! vraiment !

VAN PUTZEBOUM, *se retournant de son côté et prenant les objets qu'on lui présente.* — Oui ! En attendant, je vais savoir faire une course ou deux, et je passe dans la demi-heure vous reprendre tous les deux. On fera la *promenade* jusqu'au dîner, hein donc ?

MARCEL, *le poussant sans avoir l'air vers la porte.* — C'est ça ! bon ! c'est ça !

AMÉLIE. — Vous nous gâtez vraiment ! Vous nous gâtez !

VAN PUTZEBOUM. — Alleï ! Alleï !... Ça est pour moi le plaisir !... Et alors on prévient le papa, hein donc ? qu'il dîne avec nous !

MARCEL, *de même.* — Entendu, entendu !

VAN PUTZEBOUM. — Alleï ! Ne vous dérangez pas ! s'il vous plaît !

MARCEL, *de même.* — C'est ça ! Au revoir ! au revoir ! (*Lui fermant la porte sur le dos, puis à Amélie.*) Eh bien ! nous sommes propres !

AMÉLIE. — Comment vas-tu sortir de là, maintenant ?

MARCEL, *descendant en scène.* — Eh ! C'est fini ! Ma combinaison est dans l'eau ! C'est la catastrophe !

AMÉLIE, *sortant du lit et allant à lui.* — Allons, allons ! s'agit pas de se démonter !

MARCEL, *passant n° 1.* — Quoi ! il veut assister au mariage... Je ne peux pas le lui donner, moi, le mariage ! C'est au-dessus de mes moyens.

AMÉLIE. — Ah ! oui, dame, ça !

Van Putzeboum, *rentrant en flèche.* — Le papa !
Voilà le papa !

Marcel. — Quoi ?

Amélie. — Quel papa ?

Van Putzeboum. — Ton papa à vous ; il monte
l'escalier !

Marcel. — Eh bien ! après ?...

Van Putzeboum. — Mais alleï, cachez-vous !

Amélie. — Moi ?

Van Putzeboum. — S'il vous voit comme ça, il va
se douter... Cachez-vous.

Marcel. — Hein ! Ah ! Oui ! oui !

Amélie, *que Van Putzeboum fait passer
n° 3.* — C'est vrai ! Ah ! malheureuse que je suis !

Van Putzeboum, *la poussant, suivi de Marcel, vers
le cabinet de toilette.* — Non ! non ! ne soyez pas
désoléï ! Ça n'est pas le moment, savez-vous ! Alleï,
alleï, entrez là ! *(Il lui indique le cabinet de toilette et
retourne vers Marcel.)*

Amélie, *entre ses dents, au moment d'entrer.* —
Oh !... Vieille colle, va !

*À peine est-elle sortie que Pochet fait irruption par le
fond.*

Scène 5

Les mêmes, Pochet

Pochet. — Ah ! je vous trouve.

Marcel. — Vous !

Pochet (1). — Ma fille ? ma fille est ici ?

Marcel (2). — Amélie ?...

Van Putzeboum, *vivement, tirant Marcel par le poignet de façon à le faire passer n° 3.* — Non, monsieur, non ! elle n'est pas là !

POCHET. — Comment, elle n'est pas là ?

VAN PUTZEBOUM. — Non, j'ai visiteï tout l'appartement ; elle n'est pas là !

MARCEL. — Oui, en effet, elle...

POCHET. — Ah ! par exemple !... Mais où est-elle ?

VAN PUTZEBOUM. — Ah ! Ça, on ne sait pas dire, savez-vous !... (*Posant sa main gauche sur l'épaule de Marcel.*) Mais Marcel ça est un galant homme, tu sais ! et il n'oublie pas qu'une file est une file.

POCHET. — Quoi ? Quoi ? « Une file est une file ? » (*À Marcel.*) Enfin, n'importe, il faut que je vous parle.

Il va déposer son chapeau sur la banquette qui est sous la fenêtre.

MARCEL, *entourant familièrement de son bras gauche les épaules de Van Putzeboum de façon à l'entraîner vers la porte.* — Ah ? Ah ?... Eh bien ! alors, mon cher parrain !...

VAN PUTZEBOUM. — Quoi ?

MARCEL. — Vous aviez une course à faire, n'est-ce pas ? Je crois que maintenant...

VAN PUTZEBOUM, *bas.* — Oh ! prends garde, tu sais !... le vieux, il a flairé le vent !... Si je te laisse !...

MARCEL. — Non, non ! n'ayez pas peur !

VAN PUTZEBOUM, *esquissant le mouvement d'aller vers le cabinet de toilette.* — Au moins, je vais la faire filer, que le père ne la voie pas !

MARCEL, *le retenant.* — Non, non ! ne vous inquiétez de rien, je réponds de tout.

VAN PUTZEBOUM. — Allons ! Ça te regarde, hein ! donc !... Moi ! c'était pour toi.

MARCEL. — Oui, oui, je vous remercie bien.

VAN PUTZEBOUM. — Au moins, tâche un peu de savoir mentir.

MARCEL. — Oui, oui, soyez tranquille !

VAN PUTZEBOUM. — Au revoir alors !... à tout à l'heure donc !... (*Se dégageant de Marcel et descendant un peu vers Pochet qui est devant le pied du lit.*) Monsieur d'Avranches, on dîne ensemble ce soir, n'est-ce pas ?

Pochet, *étonné.* — Moi ?

Van Putzeboum. — Oui ! Ça est convenu avec Marcel et votre file.

Pochet. — Hein ? Ben... vous l'avez donc vue ?

Van Putzeboum, *très troublé.* — Hein ! non, non ! Mais je suppose, n'est-ce pas ? Puisque le fiancé il dîne, la fiancée doit faire avec.

Pochet. — Ah ! oui.

Il descend.

Van Putzeboum, *à Marcel et à mi-voix.* — Oh ! je m'en vais, moi ! Ça est plus sûr.

Marcel. — C'est ça ! C'est ça ! Allez !

Van Putzeboum. — À tout à l'heure.

Marcel l'accompagne jusqu'à la porte.

Pochet (1), *aussitôt la sortie de Van Putze-boum.* — Eh bien, qu'est-ce que ça veut dire ? Il est revenu, lui ?

Marcel (2). — Ah ! il m'est retombé sur le dos !

Pochet. — Pour longtemps ?

Marcel. — Eh ! jusqu'au mariage ! Il vient pour y assister.

Pochet. — Non ? C't averse ! Comment allez-vous faire ?

Marcel. — Ah ! est-ce que je sais !

Pochet, *passant n° 2.* — Ah ! c'est embêtant !... Oh ! c'est embêtant !... Sans compter que cette situation-là, c'est bon un moment ! mais à trop durer... ça finirait par compromettre Amélie.

Marcel, *qui s'est assis sur la barre du pied du lit, les talons sur le sommier.* — En quoi ?

Pochet. — Dame ! si on croit vraiment qu'elle est fiancée, ça décourage !

Marcel, *à part, moitié riant, moitié scandalisé, levant les yeux au ciel.* — Oh !

Pochet. — Croiriez-vous qu'elle n'est pas rentrée cette nuit, cette petite !

Marcel, *jouant l'étonnement.* — Non ?

Pochet. — Comme je vous le dis ! Ah ! je ne suis pas content !

Scène 6

Les mêmes, AMÉLIE, LE PRINCE

AMÉLIE, *la frimousse espiègle, passant la tête par l'entrebâillement de la porte du cabinet de toilette.* — Bonjour, papa !

POCHET. — Ah !... eh ! ben, mais !... tu es ici, toi ?

AMÉLIE, *entrant.* — Mais oui, quoi ? Tu le sais bien.

POCHET. — Mais non ! (*À Marcel.*) Ah çà ! qu'est-ce que vous me disiez ?

MARCEL, *toujours perché sur sa barre de lit.* — Mais c'est pas moi ! C'est le parrain !

AMÉLIE. — Comment, tu ne sais pas ? mais je t'ai écrit !

POCHET. — À moi !

AMÉLIE. — Mais oui ! Alors, quoi ? Tu ne m'apportes pas mon tailleur ?

POCHET. — Je devais t'apporter un tailleur ?

AMÉLIE. — Oui, enfin, un costume tailleur... Je n'ai qu'une toilette de nuit.

POCHET, *sur un ton choqué, en indiquant la chemise d'Amélie.* — Oh !... je vois !... Mais je n'ai rien reçu... On a dû porter ton mot comme j'étais déjà sorti pour venir.

AMÉLIE. — Alors, qu'est-ce que tu viens faire ?

POCHET. — Mais vous prévenir, donc ! pour le cas où il aboulerait ici.

AMÉLIE et MARCEL. — Qui ?

POCHET. — Mais Étienne !

MARCEL et AMÉLIE. — Étienne !

Marcel a sauté à bas du lit pour rejoindre Pochet.

POCHET. — Il a fini ses vingt-huit jours.

MARCEL. — En quinze jours !

POCHET. — Son régiment est licencié ! Il y a une épidémie d'oreillons !

MARCEL. — Oh ! nom d'un chien.

POCHET. — Alors, au débotté, tout à l'heure, il est tombé à la maison.

MARCEL, *gagnant la gauche*. — Oh ! ma mère ! ma mère !

AMÉLIE. — Et qu'est-ce que tu as dit ?

POCHET. — Eh ! naturellement, j'ai dit n'importe quoi !... J'ai dit que tu étais sortie de bonne heure...

AMÉLIE. — Bon ça !

POCHET. — Qu'est-ce que tu voulais ! il fallait bien sauver la face. Ah ! c'est chic de me mettre dans des situations pareilles... Obliger ton père à mentir !...

MARCEL, *regrimpant sur sa barre de lit*. — Oh ! ben !...

POCHET. — Moi ! un ancien assermenté !

AMÉLIE. — Une fois n'est pas coutume.

POCHET. — Ah ! non, non ! je ne suis pas content ! Ça n'est pas sérieux ! Découcher maintenant !...

AMÉLIE. — Oh ! papa : on n'a rien à se reprocher ! J'ai couché ici, mais !...

POCHET, *l'arrêtant d'un geste*. — C'est très bien ! Je ne veux pas le savoir ! (*À Marcel sévèrement*.) Je ne veux pas le savoir !

MARCEL, *toujours perché sur sa barre*. — Mais je vous dis rien, moi !

POCHET. — Tu reconnaîtras que je ne me mêle jamais de tes affaires. Il y a certaines choses dans la vie où un père qui se respecte doit garder ses distances... Je n'ai donc jamais voulu être pour toi, ni un juge ni un *ascenseur* !... C'est-y vrai ?

AMÉLIE. — C'est vrai.

POCHET. — Mais je tiens à te dire ceci : c'est que moi, qui suis un homme ! jamais, tu entends, de toute ma carrière — en dehors des jours... où j'étais de nuit — jamais, je n'ai découché !... (*À Marcel*.) Jamais !

MARCEL, *comme précédemment*. — Mais encore une fois, je ne vous dis rien, moi !

POCHET. — Que ton père te serve d'exemple !

(*Dégageant.*) Quand je défaillais, moi... c'était l'après-midi.

AMÉLIE, *respectueusement*. — C'est vrai, papa ; c'est plus convenable !

POCHET, *satisfait de cette approbation.* — Ah !

AMÉLIE, *prenant son père par le bras.* — Mais je vais te dire aussi, pour notre excuse : ce n'est pas entièrement de notre faute ; hier soir, on avait tellement fait la bombe ; on était tellement ronds !...

MARCEL, *descendant de sa barre pour aller à Pochet.* — C'est-à-dire que, si on n'a pas la gueule de bois...

AMÉLIE. — C'est un miracle.

POCHET, *convaincu et affectueux.* — Mais oui ! Mais oui ! Mais je ne doute pas que tu n'aies d'excellentes raisons ! mais c'est tout de même des choses qu'on ne peut pas expliquer au concierge ! Alors !...

AMÉLIE. — Ben, oui ! Je sais bien.

POCHET, *un bras autour des épaules d'Amélie, l'autre autour de celles de Marcel.* — *Avec élan.* — Ah ! (*Il embrasse sa fille : instinctivement se tourne ensuite vers Marcel, fait le mouvement de l'embrasser et s'arrête en route.*) La jeunesse est légère !

À ce moment on entend une rumeur à la cantonade.

VOIX DU PRINCE. — Logeur, s'il vous plaît ?

MARCEL, *remontant.* — Qu'est-ce que c'est que ça ! Qui est-ce qui crie comme ça dans l'antichambre ? (*Ouvrant la porte du fond et la refermant aussitôt.*) Sapristi ! le prince, chez moi !

POCHET, *courant, affolé.* — Le prince ici !

AMÉLIE, *qui est à l'extrême droite.* — Oh ! je suis en chemise !

Elle traverse la scène en courant et va se réfugier derrière le rideau de droite de la fenêtre dont elle défait l'embrasse.

POCHET, *courant à la table.* — Nom d'un chien !... le bougeoir !... le bougeoir !...

Il saisit le bougeoir qui est sur le bureau. Marcel se tient près de la cheminée.

LE PRINCE, *surgissant et s'arrêtant sur le seuil.* — Oh ! que de monde !...

POCHET, *qui s'est précipité (3) le bougeoir tendu au-devant du prince*. — Sire !

LE PRINCE. — Ah ! monsieur le père ! oui ! Encore avec une bougie !

Il descend un peu.

POCHET, *descendant avec lui*. — Excusez-moi, Majesté ! je n'ai pas eu le temps d'allumer.

LE PRINCE. — Mais qu'est-ce que vous faites donc toujours avec une bougie ? C'est donc une manie ? Un tic ? Dites-moi quoi ?

POCHET. — Mais non, sire !...

LE PRINCE. — Et puis, je vous prie ! je ne suis pas sire ! Je suis Monseigneur, Altesse ! Donc votre sire et votre bougie, vous pouvez laisser ça ensemble.

En ce disant il passe devant lui et gagne la droite.

POCHET, *qui l'a suivi et avec malice*. — Pour que ça fonde.

LE PRINCE, *se retournant et brusque*. — Quoi ? Qu'est-ce que ça veut dire ?

POCHET. — C'est un mot pour faire rire Votre Altesse : « Sire... bougie... la cire dans la bougie... la bougie dans la cire... ça fond !... »

LE PRINCE, *le regarde avec dédain, puis*. — C'est idiot !

POCHET, *interloqué*. — Ah ?

LE PRINCE. — Et je vous ai décoré !

POCHET. — Commandeur, oui, Altesse ! (*Tirant à moitié le brevet de sa poche.*) J'ai même reçu le brevet !

LE PRINCE. — Oui, oui... enfin !... C'est au titre étranger !

POCHET. — Croyez bien, monseigneur... !

LE PRINCE, *lui tournant carrément le dos*. — Oui, assez ! merci !

POCHET, *se le tenant pour dit*. — Bon !

Il dépose le bougeoir sur la table.

MARCEL, *toujours dans son coin près de la cheminée. À part*. — Ah çà ! qu'est-ce qu'il vient faire chez moi ?

Le Prince, *remontant par l'extrême droite jusqu'au fond de la scène — en passant, il bouscule presque Marcel sans même avoir l'air de faire attention à lui. Marcel s'efface tout contre la cheminée.* — Mais quoi ? Je ne vois pas mademoiselle d'Avranches !

Pochet, *courant à la fenêtre.* — Amélie ! Amélie ! Son Altesse t'appelle !

Amélie, *à voix basse.* — Ah ! non ! non !

Pochet. — Mais viens donc, voyons ! Quand un roi commande !... (*Au prince, qui est à droite du lit.*) Elle se cache, la chère enfant !

Le Prince. — Oh ! mademoiselle d'Avranches, je vous en prie !

Amélie, *derrière le rideau.* — Oh ! Monseigneur !...

Pochet (1), *à Amélie (2).* — Allons, voyons ! (*Au prince.*) Elle... s'habille.

Il va la chercher.

Amélie, *présentée par son père qui la tient de la main gauche, elle a passé l'embrasse du rideau autour de sa taille comme une ceinture.* — Oh ! Monseigneur... vraiment !... je suis en chemise.

Le Prince, *affirmatif.* — Oh ! très bien, je vois ! vous m'attendiez.

Amélie,   *avec   un   soubresaut   d'étonnement.* — Moi !...

Pochet, *passant 2 et allant au prince qui est devant le pied du lit.* — *Et presque dans son oreille.* — C'est un amour, cette petite !... Ah je comprends qu'une tête couronnée...

Le Prince, *très sec, en lui faisant signe avec son chapeau qu'il tient à la main, de passer à sa gauche.* — Oui ! Eh bien ! comprenez !... mais en silence.

Pochet. — Ah ?... pardon.

Il passe 3 en décrivant à distance un demi-cercle autour du prince auquel il fait en passant des révérences de cour.

Le Prince, *tournant carrément le dos à Pochet puis s'adressant à Amélie.* — Vous m'avez écrit de venir, je suis venu.

Amélie, *stupéfaite*. — Moi !

Le Prince. — Le général me suit !... avec les costumes tailleur.

Amélie. — Hein !

Le Prince. — Je lui ai dit de prendre un choix... (*Sur un ton de regret.*) n'ayant pas la mesure !

Amélie, *sur un ton de protestation*. — Oh ! mais, monseigneur, il y a erreur !... Je ne vous ai jamais écrit ça.

Le Prince. — Comment donc ? mais tenez ! (*Il tire de sa poche la lettre qui lui a été portée ; il la déplie pour la lire ; Pochet curieusement s'est approché, les deux mains dans les poches, et jette les yeux sur la lettre par-dessus l'épaule du prince ; ce que voyant, celui-ci toise avec hauteur Pochet qui, se le tenant pour dit, pivote sur les talons, les yeux au plafond, et s'éloigne de l'air le plus innocent du monde ; dès lors, le prince entame la lecture de la lettre.*) « Petit père... »

Amélie, *scandalisée*. — Oh !... et vous admettriez !...

Le Prince. — Mais comment ! C'est très drôle ! J'aime ça ! (*Lisant.*) « Je suis rue Cambon, chez Courbois, qui m'a logée cette nuit. » (*Parlé.*) Courbois, quel drôle de nom !

Pochet, *riant avec complaisance*. — Oui, hein ?

Amélie, *indiquant Marcel qui, se sentant en dehors de la conversation, a fini par s'asseoir au fond, près de la console*. — C'est monsieur !

Pochet. — Oui, c'est... (*À Marcel.*) Hep !

Marcel, *à cet appel se précipitant par l'extrême droite sur le bougeoir et courant avec jusqu'auprès du prince*. — *S'inclinant profondément*. — Monseigneur !

Le Prince. — Encore la bougie !

Amélie. — C'est M. Courbois.

Pochet. — C'est... c'est Courbois.

Le Prince. — Aha !... C'est vous le logeur ?

Marcel (3), *ahuri*. — Hein ?

Le Prince. — C'est très bien !

Il lui tourne le dos.

MARCEL, *à Pochet*. — Comment, « le logeur » ?

POCHET, *le prenant par le biceps et le faisant passer 4*. — Chut, pas de rouspétance.

LE PRINCE, *à Amélie*. — Où en étais-je ? Ah ! oui. (*Lisant.*) « Viens me prendre et apporte un costume tailleur. »

AMÉLIE. — Oh ! Monseigneur. Mais ce n'était pas à Votre Altesse que j'écrivais ainsi.

LE PRINCE. — Hein !

AMÉLIE. — C'est à papa.

LE PRINCE. — Mais comment ?

AMÉLIE. — Je ne sais pas ! Je me suis trompée d'enveloppe !

POCHET, *jovial et familier*. — J'y suis ! C'est moi, alors, qui recevrai la lettre que tu écrivais à Son Altesse.

LE PRINCE, *lui imposant silence par des petits « ah ! ah ! » nerveux et saccadés*. — Ah !... ah !... ah !... (*Un temps. Pochet s'arrête court*.) Mademoiselle expliquera tout aussi bien.

AMÉLIE. — Mais monseigneur, je ne vous aurais pas appelé « petit père ! »

MARCEL, *très courtisan*. — Elle n'aurait pas tutoyé Votre Altesse.

LE PRINCE, *comme pour Pochet*. — Ah !... ah !... ah !

MARCEL, *s'inclinant*. — Pardon !

LE PRINCE. — De quoi vous mêlez-vous... le logeur ?

MARCEL, *à part*. — Ah ! zut !

POCHET, *haut et par flagornerie pour le prince*. — Évidemment, voyons ! On n'adresse pas la parole à un prince royal avant qu'il vous parle. (*Au prince, dont il est tout près*.) Pas vrai ?

LE PRINCE. — Eh bien ?... puisque vous le savez !

POCHET. — C'est pour ça que je lui dis.

LE PRINCE. — Faites-le !

POCHET. — Ah ! bon !

Le Prince, *haussant les épaules, puis se retournant vers Amélie et le sourire aux lèvres.* — Au contraire, c'est charmant de m'appeler petit père ! C'est tendre, c'est affectueux ! C'est slave ! C'est charmant de me tutoyer, moi que j'ai tant horreur de l'étiquette, du protocole.

Pochet*, *à Amélie*. — Là, tu vois.

Le Prince, *à Pochet, pour le faire taire*. — Ah !... ah !... ah !...

Pochet, *s'écartant prudemment*. — Oui !... Oui, oui !

Le Prince, *à Amélie*. — Je suis un bon garçon, à la bonne franquette, comme vous dites !... j'aime à rire, à m'amuser, à faire des farces. Vous verrez, je suis très farceur !... À la cour de Palestrie, je suis connu pour...

Amélie. — Vraiment ?

Pochet, *qui s'est rapproché, riant*. — Oh ! que je vous comprends !

Le Prince, *brusquement, à Pochet*. — Ah !... ah !

Pochet, qui ne s'y attend pas, pivote brusquement et, dans son mouvement, envoie un renfoncement dans l'estomac de Marcel qui est tout près de lui.

Marcel, *en recevant le coup dans l'estomac, exactement sur le même ton que le prince*. — Ah !

Le Prince, *à Amélie*. — Ainsi, tenez, dernièrement : vous connaissez le gros Patchikoff ?

Amélie. — Non.

Pochet. — Non, nous ne...

Le Prince, *sèchement*. — Je demande ça à mademoiselle.

Pochet. — Non, mais je sais, elle ne le connaît pas.

Le Prince. — Ah !... ah !... ah !

Pochet se reculant en faisant signe avec les mains qu'il a compris.

---

* Toute cette scène doit être jouée par Pochet, toujours près du prince, de façon à recevoir chaque fois les « Ah !... ah !... ah !... » presque dans le nez.

MARCEL, *avec malice, dans l'oreille de Pochet.* — On ne parle pas à un prince royal, avant qu'il vous adresse la parole.

POCHET, *à Marcel, en imitant le prince.* — Ah !... ah !... ah !

Il remonte pour redescendre peu de temps après.

LE PRINCE. — Patchikoff, c'est un chambellan de la cour. Eh bien ! l'autre soir, après le dîner, nous l'avons empoigné, avec quatre de mes officiers, par les jambes et par les bras, et nous l'avons plongé dans une baignoire d'eau glacée.

AMÉLIE. — Non ?

LE PRINCE. — Il était furieux ! Il n'osait rien dire, mais il était furieux ! Nous avons ri ! Nous avons ri !... (*Changeant de ton et le plus naturellement du monde.*) Et il est mort... d'une congestion !

AMÉLIE et POCHET, *qui est revenu (3) à sa place première.* — Non ?

POCHET, *qui est devant le pied du lit, tout près du prince, se tordant complaisamment.* — Ah !... Ah ! que c'est drôle !

MARCEL, *gagnant l'extrême droite.* — Ce prince est décidément idiot !

Il remonte au fond et va s'asseoir sur le siège qui est près de la console, à côté de la porte.

POCHET, *presque courbé en deux par le rire, se retenant à la barre du lit pour ne pas tomber.* — Que c'est drôle ! Que c'est drôle !

LE PRINCE, *toise un instant avec dédain Pochet qui se tord presque sur sa poitrine, puis.* — Écoutez, le papa !... Je vous fais grand officier !... mais par Dieu le Père, foutez-nous la paix. (*On sonne.*) Tenez, la sonnette. Ça doit être le général !... Voyez donc, logeur !

MARCEL, *au fond, se levant, à part.* — Non mais, c'est ça ! il me prend pour son larbin. (*À ce moment la porte du fond s'ouvre et l'on voit Charlotte introduire le général suivi d'un commis de magasin portant une caisse. Le général entre ; trouvant Marcel à droite*

*de la porte, il lui remet, sans même le regarder, son
chapeau entre les mains et descend un peu en scène.
Marcel, considérant le chapeau.*) Oh ! charmant !

    Il pose le chapeau sur la console.

Scène 7

Les mêmes, KOSCHNADIEFF, UN COMMIS DE MAGASIN

LE PRINCE. — Eh ! entre donc, général !

KOSCHNADIEFF, *faisant avec la main le salut militaire palestrien.* — Altessia !

    Il descend vers le prince.

LE PRINCE. — Et alors ?... Tu apportes les costumes ?

KOSCHNADIEFF, *très respectueux.* — Voilà tout ce
que j'ai pu trouver, Monseigneur... (*Brusque, au
commis.*) Mettez là, subalterne ! (*Au prince.*) On m'a
donné plusieurs, à condition, comme ils disent. (*Au
commis.*) Allez, l'employé ! vous ferez reprendre ! je
vous prie.

LE COMMIS, *après avoir déposé la caisse par
terre.* — Bien, monsieur ! Au revoir, messieurs-
dame !

    Il sort.

LE PRINCE, *très galant, à Amélie, en lui tendant la
main.* — Tenez donc ! si vous voulez voir... ?

AMÉLIE, *la main dans celle du prince, face à lui, dos
au public et le bras tendu, faisant une révérence de
cour.* — Oh ! Monseigneur, vraiment... ! (*Toujours
la main dans celle du prince, ayant décrit un demi-
cercle autour de lui qui l'a amenée au 2, faisant une
nouvelle révérence.*) Oh ! vraiment, monseigneur !...

    *En faisant la révérence elle donne du talon dans la
caisse et manque de tomber.*

Tous, *se rapprochant d'Amélie.* — Oh !

AMÉLIE, *qui a repris son équilibre.* — Ça n'est rien !

LE PRINCE, *lisant sur la caisse le nom du magasin.* — « Trois Quartiers. » Z'est-ce que c'est bien ?

AMÉLIE. — Mon Dieu !... ce n'est pas là où je m'habille !... mais enfin !...

LE PRINCE. — Si vous voulez essayer, celui qui vous va ?...

AMÉLIE, *indiquant le cabinet de toilette.* — Volontiers ! Alors, si on veut m'apporter ça par là...

Tout en parlant elle gagne jusqu'à la porte du cabinet de toilette en passant devant Koschnadieff, Pochet et Marcel.

LE PRINCE, *voyant Pochet qui, empressé, a ramassé la caisse à robes.* — Ah !... ah !... ah ! (*Pochet interdit lâche la caisse qui tombe avec fracas devant lui, de toute sa hauteur. Le prince faisant alors un signe impératif au général.*) Koschnadieff !

Le général ramasse la caisse avec empressement.

AMÉLIE, *s'interposant.* — Oh ! prince ! le général !...

LE PRINCE. — Laissez ! Il est fait pour ça ! Un général doit servir à quelque chose !

Le général, flatté, approuve d'un geste fier de la tête ; le prince gagne la gauche.

AMÉLIE, *au général qui vient à elle avec la caisse.* — Oh ! je suis confuse !

KOSCHNADIEFF, *s'inclinant.* — Je vous prie !

AMÉLIE. — Alors, par ici, général.

Elle entre dans le cabinet de toilette.

POCHET, *au général qui, arrivé à la porte du cabinet de toilette, ne peut y introduire la caisse qu'il présente par la largeur.* — Non, jamais comme ça, général ! Dans l'autre sens !

KOSCHNADIEFF, *à Pochet.* — Kolaschnick [1]. Euh ! Merci.

---

1. Ce mot, et certains autres que l'on entendra dans la bouche de Koschnadieff et du Prince, appartiennent à une langue pseudo-slave fabriquée par l'auteur.

*Il retourne la caisse dans le sens de la hauteur et entre
dans le cabinet de toilette.*

M<small>ARCEL</small>, *qui est descendu à gauche de la
table.* — Dites donc, Pochet...

P<small>OCHET</small>, *au moment de sortir, se retournant vers
Marcel.* — Kolaschnick.

Il entre dans le cabinet à la suite du général.

Scène 8

L<small>E</small> P<small>RINCE</small>, M<small>ARCEL</small>

L<small>E</small> P<small>RINCE</small>, *qui a arpenté la scène, redescendant tout
contre Marcel qui est resté bouche bée de la sortie de
Pochet et lui tourne le dos.* — *Brusquement.* — Et
vous, alors ? quoi ?

M<small>ARCEL</small>, *qui a sursauté à cette brusque et toni-
truante interpellation, se retournant vers le
prince.* — Moi ? Mais rien, monseigneur ! je
regarde ; parce que moi, dans tout ça, n'est-ce pas ?...

L<small>E</small> P<small>RINCE</small>, *passant au n° 2.* — Évidemment !

M<small>ARCEL</small>. — Je vais même, si Votre Altesse le permet, aller m'habiller.

L<small>E</small> P<small>RINCE</small>, *se retournant à demi et dédaigneusement
par-dessus l'épaule.* — Qu'est-ce que vous voulez que
ça me fasse ?

M<small>ARCEL</small>. — Non ! C'est parce que Votre Altesse
me demande...

L<small>E</small> P<small>RINCE</small>, *de son index tendu battant l'air d'un
coup sec sous le nez de Marcel, ce qui fait battre les
paupières et sursauter la tête de ce dernier. (Faire ce
geste à froid et ne parler chaque fois
qu'après.)* — C'est drôle ! Je connais... votre figure !

Même jeu de l'index, même sursaut de Marcel.

MARCEL, *flatté*. — Ah ! vraiment, monseigneur ?

LE PRINCE. — Où donc ?...

   Même jeu.

MARCEL, *à part*. — Mon Dieu que c'est désa-gréable !

LE PRINCE. — ... vous ai-je vu ? Vous n'avez pas servi... ?

MARCEL. — Dans l'infanterie, à Compiègne.

LE PRINCE, *brusque*. — Non !... Non !

MARCEL. — Ah ! pardon !

LE PRINCE. — ... À Monte-Carlo !... Hôtel de Paris ?

MARCEL, *vexé*. — Moi ? Ah ! non ! non, c'est pas moi.

LE PRINCE. — Ah ? je confonds, alors ! il y a un sommelier qui vous ressemble.

   Il passe.

MARCEL. — Très flatté, monseigneur ! mais c'est un autre !

LE PRINCE, *qui est remonté au fond, considérant l'appartement*. — Et alors, dites-moi ! c'est votre logement, ça ?

MARCEL. — Mon Dieu, oui.

LE PRINCE. — Oui !... Il est laid.

MARCEL. — Ah ?

LE PRINCE. — Oui !

MARCEL, *à part*. — Non, mais, est-ce qu'il est venu ici pour chiner ?

LE PRINCE. — Très laid !

MARCEL. — Mon Dieu, monseigneur, je ne dis pas ; mais, n'est-ce pas, étant donné ce que je le loue...

LE PRINCE. — Ah ?... et... qu'est-ce que ?

MARCEL, *qui ne comprend pas*. — Monseigneur ?

LE PRINCE, *répétant*. — Et... qu'est-ce que ?

MARCEL, *avec un geste vague, pour avoir l'air d'avoir compris*. — Ben, vous savez, mon Dieu... ! hein ?

LE PRINCE, *soupe au lait*. — Qu'est-ce que vous louez ça ?

Marcel, *vivement.* — Ah ! qu'est-ce que je loue ça !... Dix-huit cents francs !...

Le Prince. — Par jour ?

Marcel, *sans réfléchir.* — Par jour. (*Se reprenant.*) Hein ? Non, par an.

Le Prince. — À la bonne heure !

Marcel. — Alors, n'est-ce pas ? pour dix-huit cents francs... !

Le Prince. — Et qu'est-ce que ça vous fait, chaque jour ?

Marcel. — Quoi ? Oh !... Ça m'embête un peu au moment du terme ; mais sans ça !...

Le Prince. — Non !... Chaque jour, combien ça vous fait ?

Marcel. — Ah ! ce que ça me fait par jour !

Le Prince. — Oui !

Marcel. — Oui ! oui... oui !... (*À part.*) Est-il curieux !

Le Prince. — Eh bien ?

Marcel. — Diable ! c'est que c'est tout un calcul à faire !

Le Prince. — Eh bien ! faites-le !

Il remonte.

Marcel. — « Faites-le » ! Oui, évidemment ! c'est... c'est une solution ! (*À part.*) On n'a pas idée d'être curieux comme ça ! (*Commençant le problème.*) Dix-huit cents francs par an, qu'est-ce que ça fait par jour ? (*À part.*) Si je m'attendais à faire des mathématiques aujourd'hui !... (*Haut.*) Dix-huit cents... (*À part.*) Il faut bien que ce soit pour une Altesse Royale ! (*Haut.*) Étant donné qu'il y a douze mois dans l'année, si c'était cent francs par mois, n'est-ce pas ?... si c'était cent francs par mois...

Le Prince, *qui arpente, s'arrête, remarque, descendant à ce moment.* — Allez ! prenez votre temps !

Marcel, *interrompu dans son calcul.* — Ah ! là, voyons ! (*Reprenant.*) Si c'était cent francs par mois, ça ferait cent multiplié par douze ; égal euh... ? douze cents ! C'est très simple !... J'ai déjà douze cents francs, je les mets de côté. (*Il fait la mimique de ramasser avec les doigts douze pions imaginaires et de les fourrer dans les poches de côté de son pyjama.*) Ça va ! ça va ! Bon ! de douze, aller à dix-huit... reste... reste...

Le Prince. — Huit !

Marcel. — Mais non, six !

Le Prince. — Ah ! douze, dix-huit ! oui, six ! six !

Marcel. — Je vous en prie, monseigneur ! je ne tiens pas à faire le calcul, mais du moment que vous me le demandez, ne vous en mêlez pas ! sans ça nous n'en sortirons pas !

Le Prince. — Allez ! allez ! ne vous troublez pas !

Marcel. — Oh ! c'est pas moi qui me trouble ! (*Reprenant.*) Six ! bon ! reste donc six cents ! six cents par douze, ça fait... ?

Le Prince. — Six cent douze !

Marcel. — Ah ! là, monseigneur ! voyons ! par notre père !

Le Prince. — Allez ! allez ! ne vous troublez pas !

Marcel. — Étant donné que six cents est la moitié de douze cents et que douze cents font cent francs, six cents feront donc moitié moins ; soit cinquante francs ! c'est logique.

Le Prince. — Eh ! ben, ça y est ?

Marcel. — Ça va ! ça va ! (*Reprenant.*) Je reprends tous les cents francs que j'ai mis dans ma poche ; avec les cinquante que j'ai là ! ça fait cent cinquante ! Ça y est ! (*Au prince.*) Monseigneur, ça y est ! ça fait cent cinquante francs ! Ouf !

Il s'assied, satisfait et épuisé.

Le Prince. — Par jour ?

Marcel. — Par jour. (*Se reprenant.*) Non, par mois !

Le Prince. — Ah ? et qu'est-ce que ça fait par jour ?

Marcel. — Qu'est-ce que ça... ? (*Il regarde le public avec découragement, puis au prince.*) Vous y tenez ?

LE PRINCE. — Évidemment ! Je me moque, moi, par mois !

MARCEL. — Aha ?... tandis que par jour... ?

LE PRINCE. — Évidemment !

Il remonte.

MARCEL. — Oui, oui ! il aime mieux ça par jour ! c'est une question de goût !... soit ! allons !... (*Il se lève, résigné.*) Il me fera avoir une congestion, ce prince-là ! (*Reprenant.*) Voyons, nous disons cent cinquante francs par mois, qu'est-ce que ça fait par jour ? — c'est très simple ! — Comme il y a trente jours dans le mois, ça fait cent cinquante divisé par trente.

LE PRINCE. — Oui !

MARCEL. — Merci !... En quinze combien de fois trente ?... En quinze combien de fois trente, il y va deux fois !... Voilà ! je pose deux !... et je retiens trente ! (*À part.*) Mon Dieu, que c'est dur quand on n'est pas entraîné ! (*Calculant de tête.*) Deux fois trente, soixante ; de quinze... ? soixante de quinze... ?

Il continue de suer sang et eau... se prenant la tête de la main droite, comptant mentalement avec ses doigts de la main gauche ; dessinant avec son pied par terre des signes imaginaires de division, inscrivant de même des chiffres ; puis, avec sa semelle, les effaçant.

LE PRINCE, *brusquement*. — Eh ! bien, ça y est !

MARCEL, *sursautant*. — Ah ! là... ! Ah ! c'est malin ! il faut que je recommence, maintenant !

LE PRINCE. — Enfin, quoi ? Vous n'avez pas encore trouvé !

MARCEL. — Mais si ! j'allais, j'allais ! et puis vous me coupez ! Attendez ! attendez ! je retrouve le fil ! Oui !

LE PRINCE. — Quel fil ?

MARCEL. — Chut... (*Comptant.*) Cinq, oui, neuf, sept, zéro, zéro... Voilà ! Je trouve vingt-cinq mille francs.

LE PRINCE. — Vingt-cinq mille francs ? Par jour !

MARCEL, *contemplant par terre son opération imaginaire*. — Il doit... il doit y avoir une erreur !

Le Prince. — Sûr !

Marcel. — Mon Dieu ! quand je pense qu'il y a des gens qui gagnent cent sous par jour ! cent cinquante francs par mois ! et qui... (*Brusquement, avec un cri de victoire.*) Ah !... Je l'ai. (*Au prince.*) Je l'ai, monseigneur ! « Cent cinquante francs par mois, cent sous par jour » ! Quel éclair ! Ça fait cinq francs ! Cinq francs par jour !

Le Prince. — Cinq francs par jour !

Marcel. — Tout rond ! (*À part.*) Oh ! comme on arrive mieux à un résultat quand on ne procède pas par le calcul.

Le Prince. — Cinq francs par jour, vous louez ça !

Marcel. — Oui !

Le Prince. — Évidemment, pour cinq francs par jour on ne peut pas avoir le palais des doges !

Marcel, *haut, avec complaisance.* — Non. Et puis, qu'est-ce que j'en ferais ?

Le Prince. — Cinq francs par jour, c'est très bien !... (*Tout en gagnant la gauche.*)... Vous direz ça au général, n'est-ce pas ?

Marcel. — Au général ?... Quoi ?

Le Prince, *s'échauffant.* — Que ça fait cinq francs par jour.

Marcel. — En quoi ça peut-il l'intéresser ?

Le Prince, *soupe au lait, la voix dans la tête.* — Il s'occupe de ces choses-là.

Marcel, *à part.* — Il faut vraiment qu'il ait du temps à perdre !

Scène 9

Les mêmes, Pochet, puis Koschnadieff

Pochet. — Voilà ! elle a choisi.

Le Prince. — Ah ! très heureux ! (*Koschnadieff à ce moment sort de la chambre de droite.*) Ah ! Koschnadieff !

Koschnadieff, *s'arrêtant* (4) *sur le pas de la porte du cabinet de toilette.* — Altessia ?

Le Prince. — Moïa marowna ! Tetaïeff polna coramaï momalsk scrowno ? (*Avance un peu ! A-t-on trouvé le costume voulu ?*)

Koschnadieff. — Stchi ! A spanié co ténia, monseigneur, co rassa ta swa lop ! (*Certes ! un costume tailleur, monseigneur, qui lui va comme un gant.*)

Le Prince. — Très bien !

Le Général, *la main à son front, dans l'attitude militaire.* — Swoya Altessia na bouk papelskoya mimi ? (*Votre Altesse n'a plus besoin de moi ?*)

Le Prince. — Nack. (*Le général redescend* (2).) Woulia mawolsk twarla tschikopné, à la logeur là, euh !... (*Voulez-vous donner au logeur, là, euh !...*)

Marcel (3), *entendant qu'on parle de lui.* — Ça y est ! v'lan ! « le logeur » !

Le Prince. — ... Quantchi prencha. (*Vingt francs !*)

Il gagne l'extrême gauche.

Le Général. — Oh ! stchi ! (*Oh ! oui !*)

Il fouille dans sa poche de gilet, en tire sa bourse et y prend vingt francs.

Marcel, *à Pochet (4).* — Qu'est-ce qu'il dit encore de moi ? Qu'est-ce qu'il dit ?

Le Général, *mettant un louis dans la main de Marcel.* — Quantchi prencha ; voilà !

Marcel, *ahuri.* — Qu'est-ce que c'est que ça !

Pochet, *facétieux.* — Prenchi, prencha ; c'est un louis.

Marcel. — Un louis ! (*Au prince.*) Eh ! ben, qu'est-ce que vous voulez que j'en fasse ?

Le Prince. — Pour le logement donc !

Marcel. — Comment, pour le logement ! Ah çà ! Son Altesse plaisante ?

Le Prince. — Quoi ? Quoi ? C'est cinq francs, je vous donne vingt !

Le Général. — On vous donne vingt !

Marcel, *allant vers le prince, en passant devant le*

général. — Hein ? Mais justement ! mais pas du tout !... je ne veux pas ! en voilà une idée.

Le Prince. — Comment ! Quoi ? Qu'est-ce que ?

Marcel, *s'échauffant et voulant absolument forcer le prince à reprendre son louis.* — Mais je ne suis pas tenancier ! reprenez ça !

Le Prince, *scandalisé de ce sans-façon vis-à-vis de lui.* — Eh là ! eh là !

Le Général, *saisissant Marcel par le bras et le faisant passer (3).* — Quelles sont ces façons !... Quand Son Altesse... !

Pochet, *même jeu, le faisant passer (4).* — Eh ! Ne compliquez pas !...

Marcel, *furieux.* — Mais je ne veux pas de son louis, moi !

Pochet, *lui prenant le louis des mains.* — Eh ! bien, ce n'est pas une raison pour faire tant d'histoires. (*Au prince, la main qui tient le louis tendue vers lui comme pour le lui rendre.*) Excusez-le, monseigneur !... ce manque d'usage... ! (*Il met le louis dans son gousset.*) Ah ! là, là !

Le Prince, *de loin à Marcel.* — Je suis très mécontent, vous savez ! Jamais, entendez-moi ! jamais, je ne reviendrai plus chez vous.

Pochet, *à Marcel.* — Là !...

Marcel, *à part.* — Tu parles !

Le Prince. — Et maintenant, allez ! je vous ai assez vu !

Marcel. — Que je m'en aille ?

Pochet, *abondant dans le sens du prince par flagornerie.* — Oui, allez-vous-en ! ça vaut mieux. (*Au prince.*) N'est-ce pas ?

Le Prince. — Oui !... Et vous aussi.

Pochet. — Ah ? Et moi aussi ?

Le Prince. — Allez ! tous les deux !

Pochet. — Bon !... bon, bon !...

Marcel, *se tordant d'un rire nerveux.* — Aha ! C'est le comble... Il me fiche à la porte de chez moi !...

Pochet, *prenant le bras de Marcel*. — Allons-nous-en, alors, puisqu'y dit... !

Ils se dirigent tous deux, bras dessus bras dessous, vers le cabinet de toilette.

Le Prince, *criant à les faire sursauter*. — Non !

Pochet et Marcel, *se retournant au cri*. — Quoi ?

Le Prince. — Pas par là !... j'ai loué !...

Marcel, *rebroussant chemin ainsi que Pochet. Avec le même rire*. — Il a loué ! Ça devient comique ! Ma parole, ça devient comique !...

Pochet, *à Marcel*. — Où va-t-on alors ?

Marcel. — Je ne sais pas !... Allons à la lingerie.

Pochet. — Allons à la lingerie !... On comptera le linge !

Marcel. — C'est ça ! on comptera le linge.

Ils sortent par le fond.

Le Général, *la main à son front, au prince qui arpente nerveusement la chambre*. — Swoya Altessia na jabo dot schalipp as madié ? (*Votre Altesse n'a pas d'ordres à me donner ?*)

Le Prince, *s'arrêtant, et après une seconde d'hésitation*. — Nack. (*Non.*)

Le Général. — Lovo, sta Swoya Altessia lo madiet, me-pipilski teradief. (*Alors, si Votre Altesse le permet, je vais me retirer.*)

Le Prince. — Bonadia, Koschnadieff ! (*Bonjour, Koschnadieff.*)

Le Général. — Arwalouck, Motjarnié ! (*Au revoir, monseigneur.*)

Sortie du général.

Scène 10

Le Prince, puis Charlotte

Le Prince, *qui s'est remis à arpenter*. — Vraiment, cette Amélie est charmante, mais je ne sais donc pas pourquoi elle a choisi ce logeur ! (*Il s'assied sur le lit, côté droit. Au même moment on frappe à la porte du cabinet de toilette.*) Entrez ! (*Entre Charlotte portant sur les bras une paire de draps pliés.*) Ah !... la camériste !... Qu'est-ce que vous voulez ?

CHARLOTTE, *qui a gagné carrément en scène de façon à se trouver à un mètre environ en face du prince.* — J'viens faire le lit !

LE PRINCE, *avec indifférence.* — Ah ? (*Considérant Charlotte.*) Montrez-vous un peu !... soubrette !

CHARLOTTE, *avançant d'un pas.* — Non : Charlotte !

LE PRINCE. — Oui ! « Soubrette », c'est un nom générique.

CHARLOTTE. — J'sais pas ce que c'est.

LE PRINCE, *tendant la main vers elle.* — Bien ! ça n'a aucune importance. (*L'attirant tout contre lui.*) Vous êtes très jolie, savez-vous bien !... pour une camériste !

CHARLOTTE, *debout entre les jambes écartées du prince.* — Ben oui ! mais si vous restez sur le lit, je ne pourrai jamais mettre les draps.

LE PRINCE. — Je suis le prince Nicolas de Palestrie !

CHARLOTTE. — J'vous dis pas ; mais j'pourrai pas les mettre davantage.

LE PRINCE, *prend les draps des mains de Charlotte et les jette à côté de lui sur le lit, puis les deux mains sur le gras des hanches de la bonne.* — Venez un peu là, qu'on vous regarde.

CHARLOTTE, *riant.* — Ah ! ben, vous avez une façon d'entendre le service !

LE PRINCE, *émoustillé, la faisant asseoir sur son genou gauche.* — Alors, mon bébé, quoi ?

CHARLOTTE. — Il est rigolo, l'vieux !

LE PRINCE, *la faisant sauter avec son genou.* — Quoi, alors, mon bébé ?

CHARLOTTE, *lui tapotant les joues entre ses deux mains.* — Ehé ! Nicolas !

LE PRINCE. — Aha ! très drôle ! j'aime dans ces

moments-là qu'on me manque de respect ! (*Se renversant en arrière et entraînant sur lui Charlotte.*) Charlotte !

    Prononcez « Chaar...lott » 1re syllabe longue ; 2e brève.

CHARLOTTE, *imitant le prince*. — Nicoo-las !

Scène 11

Les mêmes, AMÉLIE, nu-tête, mais habillée d'un modeste petit costume tailleur qui lui va tant bien que mal

AMÉLIE, *surgissant du cabinet de toilette juste pour assister aux épanchements du couple et s'arrêtant, interdite*. — Oh ! monseigneur ! je vous demande pardon !

    Elle fait mine de rebrousser chemin.

LE PRINCE, *se remettant sur son séant*. — Hein ?... du tout, du tout ! (*Du ton le plus naturel en indiquant de la main droite, comme une justification, Charlotte qu'il tient toujours enlacée.*) Je... je vous attendais. (*Faisant pivoter Charlotte, et lui donnant une bonne claque sur la hanche.*) Allez ! déguerpis !... la bonne !

CHARLOTTE, *ahurie*. — Ah !... eh bien, en voilà une girouette !

    Elle sort par le fond.

LE PRINCE, *affectueusement, de sa place en lui tendant les mains*. — Amélie !

AMÉLIE, *s'avançant vers le prince et avec une pointe d'ironie*. — Je crains, monseigneur, de vous avoir dérangé.

LE PRINCE. — Du tout ! du tout !... Comme vous dites en France : je pelotais !... en attendant partie [1].

_____

1. Vieille image signifiant « s'exercer en attendant de jouer sérieusement » (allusion au jeu de la pelote).

AMÉLIE, *faisant un pas de plus vers le prince*. — Bravo ! Votre Altesse possède notre langue !

LE PRINCE, *émoustillé*. — Ah ! taisez-vous ! ne me dites pas des choses ! (*Toujours assis sur le lit, tendant la main gauche vers Amélie.*) Tenez ! venez là !

AMÉLIE, *mettant sa main droite dans celle du prince et faisant en même temps la révérence de cour*. — Par obéissance, monseigneur !

LE PRINCE. — Oh ! mais pourquoi avez-vous mis ce costume !

AMÉLIE. — Il ne me va pas très bien.

LE PRINCE. — Mais pourquoi ?

AMÉLIE. — Mais, monseigneur, c'est vous qui m'avez dit... !

LE PRINCE. — Eh ! Pour l'essayer, donc ! mais ensuite... ! Ah ! Vous étiez plus confortable tout à l'heure ! Enfin !... mieux vaut, peut-être, progressivement !... (*Brusquement, la faisant asseoir sur son genou gauche.*) Oh ! mon bébé ! alors, quoi ?

AMÉLIE, *souriante et gênée*. — Mais, monseigneur... rien !...

LE PRINCE. — Je suis le prince de Palestrie.

AMÉLIE. — Je sais.

LE PRINCE. — Alors, quoi ? Mon bébé !...

AMÉLIE, *riant*. — Eh ! ben... voilà !

LE PRINCE, *ravi*. — Elle est charmante ! Elle est charmante ! (*Changeant de ton.*) Qu'est-ce que je disais donc ?

AMÉLIE. — Monseigneur disait : (*Imitant l'accent et la grosse voix du prince.*) Alors quoi ? Mon bébé !

LE PRINCE, *riant très fort*. — Ah ! Oui ! Mon bébé, alors quoi ?

Ils rient ensemble.

Scène 12

Les mêmes, POCHET, suivi de MARCEL

POCHET, *entrant en coup de vent*. — Vite ! vite !...

MARCEL, *entrant également en coup de vent*. — Putzeboum ! voilà Putzeboum !

LE PRINCE. — Hein !

AMÉLIE, *instantanément debout*. — Putzeboum !

LE PRINCE, *qui n'a pas lâché la taille d'Amélie, la tirant à lui*. — Eh ! bien, quoi, Putzeboum ? Qu'est-ce que c'est encore, Putzeboum ? On ne peut donc jamais être tranquille ?

AMÉLIE, *sur les genoux du prince*. — Putzeboum ! mais comment savez-vous ?

POCHET, *très vite*. — Je me disposais à partir ; je l'ai vu dans l'escalier.

MARCEL, *très vite*. — Il monte ; dans une seconde il sera là.

AMÉLIE, *se levant d'un bond*. — Ah ! nom d'un chien !

LE PRINCE, *tirant Amélie à lui*. — Eh ! bien, ça nous est égal...

AMÉLIE, *se relevant aussitôt*. — Oh, non, monseigneur, non ! Il ne faut pas qu'il vous voie.

LE PRINCE. — Pourquoi ? C'est un terroriste [1] ?

AMÉLIE. — Non ! non !

LE PRINCE, *voulant la tirer à lui*. — Alors, je m'en moque !

MARCEL. — Ah ! oui, mais pas nous !

On sonne.

AMÉLIE. — Tenez, on sonne ! C'est lui !

ENSEMBLE

POCHET. — Venez ! venez !

AMÉLIE. — Vite, monseigneur, vite !

---

1. Allusion aux terroristes russes qui avaient notamment assassiné le tsar Alexandre II.

MARCEL. — Vite, allez par là ! Allez par là !

LE PRINCE, *entraîné par tous vers le cabinet.* — Oh ! mais, c'est très désagréable ! Si c'est une farce, je la trouve mauvaise.

AMÉLIE. — Monseigneur ! monseigneur ! je vous en prie.

TOUS. — Venez ! Venez !

Amélie et le prince disparaissent dans le cabinet de toilette.

POCHET, *sur le pas de la porte du cabinet de toilette, à Marcel.* — Vous voyez ! vous voyez ce que nous faisons pour vous !

MARCEL. — Oui, bon ! nous parlerons de ça plus tard... (*Entendant parler au fond à la cantonade, il pousse vivement Pochet dans le cabinet de toilette.*) Vite donc !

Ils disparaissent dans le cabinet de toilette.

Scène 13

CHARLOTTE, VAN PUTZEBOUM, puis ÉTIENNE

CHARLOTTE. — Ah ! C'est bien ! Entrez, monsieur, puisque vous êtes le parrain !

VAN PUTZEBOUM. — Eh ! oui donc ! (*Entrant et croyant trouver tout son monde.*) Alléï là ! Est-ce qu'on est prêt ? (*Ne voyant personne.*) Eh bé !... Ma où sont donc ?... (*Appelant.*) Eh ! la file !

CHARLOTTE, *qui est déjà dans le vestibule, reparaissant.* — Monsieur ?

VAN PUTZEBOUM. — La file de quartier !

CHARLOTTE, *à part, tout en descendant un peu en scène.* — Comment est-ce qu'il m'appelle ?

VAN PUTZEBOUM (1). — Où sont donc, qu'il y a personne.

CHARLOTTE. — Ah ! Tiens ?... On était là tout à l'heure !

VAN PUTZEBOUM. — Ma ne sont plus donc !

CHARLOTTE, *faisant mine d'aller au cabinet de toilette.* — Je vais voir par là !... (*On sonne.*) Oh ! pardon ! on a sonné.

Elle rebrousse chemin et sort du fond pendant ce qui suit.

VAN PUTZEBOUM. — Bon ! Oui ! Allez !... (*Une fois Charlotte sortie, au public.*) Qu'est-ce que tu paries qu'il est encore quéqué part à faire caresse à sa fiancée, donc ! Ah ! ça est un homme de tempérament, mon fileul ! Ça on sait dire !

Il a gagné jusqu'à l'extrême gauche.

VOIX D'ÉTIENNE. — Mais oui... mais oui !... inutile de m'annoncer !...

VOIX DE CHARLOTTE. — Mais, monsieur !...

VAN PUTZEBOUM. — Qu'est-ce que ça est, hein ? Cette voix, je connais !

ÉTIENNE, *entrant carrément en scène.* — Bonjour, Marcel ! (*Ne rencontrant que Van Putzeboum.*) Ah ! je vous demande pardon !

VAN PUTZEBOUM. — Monsieur Chopart !

ÉTIENNE, *qui n'y est pas.* — Quoi ?... (*Se rappelant.*) Ah ! oui !...

VAN PUTZEBOUM. — Et qu'est-ce que vous faites là ? Je vous croyais une fois militaire ?

ÉTIENNE, *allant poser son chapeau sur la table.* — Libéré ! je suis libéré !... Cause d'oreillons !...

VAN PUTZEBOUM. — Tiens ! Tiens !

ÉTIENNE. — Ah ! la belle maladie !

VAN PUTZEBOUM. — Oui... et vous venez voir alors votre futur cousin.

ÉTIENNE, *ne comprenant pas au premier moment.* — Mon fut... ? Ah ! oui, oui !... Il n'est pas là ?

VAN PUTZEBOUM. — Si donc ! qu'on a dû le prévenir.

ÉTIENNE. — Mais, vous-même ? Amélie m'avait écrit que vous étiez reparti en Hollande.

VAN PUTZEBOUM. — Oui ! parti, ça j'étais !... mais aussi revenu, ça je suis.

ÉTIENNE. — Ah !

VAN PUTZEBOUM. — Oui... Ça me cause une fois beaucoup de dérangement, hein donc ! mais j'ai pensé que ça ferait peut-être de la peine à Marcel si je n'assistais pas pour son mariage.

ÉTIENNE, *ahuri*. — Hein ?

VAN PUTZEBOUM. — Et alors, en souvenir de son père donc, je me suis arrangé pour ; et alors, voilà : pour le mariage je reste.

ÉTIENNE, *à part*. — Oh ! nom de nom de nom ! (*Haut.*) Et Marcel ! Marcel, qu'est-ce qu'il a dit de ça ?

VAN PUTZEBOUM. — Marcel ? Oh ! Ça l'a profondément touché, savez-vous !...

ÉTIENNE, *n'en croyant pas ses oreilles*. — Ah ? Aha !

VAN PUTZEBOUM. — Oui ! Ça j'ai senti !

ÉTIENNE, *à part*. — Oh ! le malheureux ! Quel pétrin, mon Dieu ! quel pétrin !

VAN PUTZEBOUM. — Et c'est dans trois semaines le mariage, il paraît.

ÉTIENNE, *de plus en plus ahuri*. — Aha !

VAN PUTZEBOUM. — Oui. (*Avec malice.*) Et même que je pense que ça n'est pas trop tôt, donc... (*Riant.*) parce que...

ÉTIENNE, *dressant l'oreille*. — Parce que quoi ?

VAN PUTZEBOUM, *faisant le discret*. — Hein ? Non, rien... Ça te dire, je sais pas !...

ÉTIENNE, *flairant la vérité*. — Quoi ?... Mais si, mais si, quoi ?

VAN PUTZEBOUM. — Non, non ! Je sais pas ! Il m'a fait promettre que je dise à personne.

ÉTIENNE. — Oh ! oui, oui !... Mais, voyons ! à moi...

VAN PUTZEBOUM. — Oui, ça est vrai !... À toi... Toi

tu n'es pas tout le monde ! Je sais ! Tu es son meilleur ami ; il te vous dit tout ; alors... comme il te vous
le dira aussi bien, n'est-ce pas ?

Étienne, *sur les charbons*. — Mais évidemment,
évidemment !

Van Putzeboum. — Oui, mais seulement tu pro-
mets que tu le dis à personne ?

Étienne, *rongeant son frein*. — Mais oui ! mais
parbleu, voyons !

Van Putzeboum. — Ah ! Parce que, tu comprends,
ça ferait des ruses avec Marcel, et moi je ne veux pas
des ruses, hein donc !

Étienne, *même jeu*. — Bien oui ! Bien oui !

Van Putzeboum. — Eh ! bé... Ça je te dis bien
entre nous : je crois qu'il est assez bien temps qu'on
les marie !...

Étienne. — Hein ?... Pourquoi ?

Van Putzeboum. — Mais parce qu'il ne peut plus
attendre, donc ! et la petite aussi !... (*Ravi.*) Et que les
tourtereaux, ils ont déjà profité sur !

Étienne, *bondissant*. — Qu'est-ce que vous dites ?

Van Putzeboum. — ... même que tout à l'heure je
les ai trouvés couchés dans le lit, là !...

Étienne. — Dans le lit !

Van Putzeboum. — Oui... elle est fameuse ! hein ?

Étienne, *éclatant*. — Ah ! n... de D... !

Van Putzeboum, *faisant un bond en
arrière*. — Qu'est-ce qu'il y a ?

Étienne, *le saisissant au collet et le secouant
comme un prunier*. — Vous les avez trouvés couchés dans le lit ?... Vous les avez trouvés couchés
dans le lit ?...

Van Putzeboum, *cherchant à se dégager*. — Hein !
Mais laisseï-moi !...

Étienne, *même jeu*. — Vous les avez trouvés...

Van Putzeboum, *se dégageant d'un geste
brusque*. — Mais qu'est-ce que ça vous fait donc ?

Étienne, *remontant avec rage*. — Ah ! les
cochons ! les cochons ! les cochons !

Van Putzeboum. — Mais puisqu'ils font mariage, alleï ! Qu'est-ce que ça sait une fois te faire ?...

Étienne. — Quand je pense que j'avais confiance en lui !... Que je lui avais laissé Amélie en me disant : « Avec lui je peux être tranquille !... »

Van Putzeboum. — Ah ! Godferdom ! Ah ! bien, si j'avais su savoir !

Étienne, *redescendant à proximité de Van Putzeboum.* — Et voilà... voilà ce qui se dit un ami !...

Van Putzeboum, *piteux et suppliant.* — Chopart ! voyons, Chopart !

Étienne, *avec une brusquerie furieuse qui fait bondir Van Putzeboum en arrière.* — Ah ! fichez-moi la paix avec votre Chopart ! Il n'y a plus de Chopart ! (*Arpentant la scène.*) Ah ! les cochons ! les cochons ! les cochons !

Van Putzeboum. — Mais comme il est *pointilleux* pour sa cousine, donc !

Étienne, *qui est arrivé au lit.* — Je n'ai pas plus tôt le dos tourné qu'on les trouve cou-chés-en-sem-ble !

Il scande chaque syllabe des deux derniers mots d'un coup de poing rageur sur le matelas du lit.

Van   Putzeboum. — Non... écoute   donc ! écoute !... Il ne faut pas tout de même juger comme ça...

Étienne. — Ouais ! Ouais !

Van Putzeboum. — Après tout, s'ils étaient couchés, peut-être que...

Étienne, *le narguant.* — Que quoi ? que quoi ?

Van Putzeboum, *bien bête.* — Mais, je ne sais pas dire ! Ils étaient peut-être fatigués !...

Étienne, *l'imitant.* — Fatigués ! fatigués !... Ah ! Ah ! C'est vous qui m'avez l'air fatigué !... Oh ! mais ça ne se passera pas comme ça !... Oh ! ils me le paieront !

Tout en parlant, il a gagné l'extrême droite.

Van Putzeboum. — Hein ? Ah ! non ! non ! écoute ça, non !... Ah ! bien ! Si j'avais su !... Écoute ! qu'est-ce que tu m'as promis ; que, si je te disais, tu ne dirais à personne !...

ÉTIENNE, *avec un ricanement nerveux.* — Ah ! ah !
c'est ça qui m'est égal !

 Il remonte par l'extrême droite pour redescendre ensuite
par le milieu de la scène.

VAN PUTZEBOUM, *remontant parallèlement à lui de*
l'autre côté de la table, puis redescendant ensuite avec
lui. — Ah ! non ! non ! Ça elle est mauvaise !... Ça est
me mettre dans les patates, tu sais, et ça, je veux
pas !...

ÉTIENNE, *arpentant sans l'écouter.* — Oh ! les
cochons ! les cochons !

VAN PUTZEBOUM. — Écoute, Chopart ! ça tu ne
sais pas faire !... J'ai fait un pataquès... j'aurais pas
dû te dire... mais toi aussi, tu sais, tu m'as promis...

ÉTIENNE. — Ouais ! ouais !

VAN PUTZEBOUM. — J'ai ta parole, Chopart... ça tu
dois pas faire... ça tu dois pas, Godferdom !... Et puis
enfin, puisqu'ils font mariage !

ÉTIENNE, *le saisissant par les revers à l'encolure de*
sa jaquette. — ... mariage !... mariage ! mais espèce
de c... (*Brusquement, d'un mouvement sec imprimé*
au revers du veston, envoyant, comme avec un ressort,
pirouetter Van Putzeboum au loin, — puis comme
frappé d'une idée lumineuse.) Oh ! qu'elle serait pom-
mée, celle-là !

 Il continue à combiner intérieurement.

VAN PUTZEBOUM, *après avoir repris tant bien que*
mal son équilibre, se rapprochant et frappant douce-
ment sur l'épaule d'Étienne. — Chopart ! Voyons !
Réponds !

ÉTIENNE, *se retourne vers lui, le toise une seconde*
fois, puis comme un homme qui prend une détermina-
tion. — Soit ! vous avez raison ! Je vous ai promis !
c'est bien ! je ne dirai rien.

VAN PUTZEBOUM, *soulagé d'un poids.* — Ah ! À la
bône heûre !

ÉTIENNE, *sardonique.* — Mais comment donc !

VAN PUTZEBOUM. — D'autant que je te répète, il
n'y a peut-être rien eu !

ÉTIENNE, *même jeu.* — Mais oui ! mais oui !... À la

réflexion, parbleu !... Ils n'étaient peut-être que fatigués !

Van Putzeboum. — Mais absolument donc !

Étienne, *les dents serrées à grincer*. — Mais c'est évident, ces chers petits !

Van Putzeboum, *s'épongeant, tout en gagnant la gauche*. — Ouf ! Je suis tout en chaud, moi !

Ne pas prononcer le t final de « tout ».

Étienne, *à part*. — Ah ! saligauds !... Ah ! vous me le paierez ! et... bien !...

Il ponctue le dernier mot d'un geste du poing plein de menace.

Van Putzeboum, *à part*. — Heureusement qu'au fond il est gôbeur !

Scène 14

Les mêmes, Marcel, Amélie, Pochet

Marcel, *sortant du cabinet de toilette*. — Qu'est-ce qu'on me dit, mon parrain !...

Van Putzeboum. — Eh ! le voilà !

Marcel, *apercevant Étienne, vivement, à part*. — Nom d'un chien ! Étienne. (*Haut et allant à lui.*) Toi, toi ! ici !

Dans ce mouvement il s'arrange pour passer n° 2 afin d'être entre lui et Van Putzeboum.

Étienne. — Oui, moi ! moi !

Amélie, *surgissant, suivie de Pochet*. — Étienne !

Pochet. — Vous !

Étienne *. — Moi !

---

* Van Putzeboum (1), Marcel (2), Étienne (3), Amélie (4), Pochet (5).

AMÉLIE, *s'élançant dans ses bras*. — Ah ! mon Étienne !

ÉTIENNE. — Ma petite Amélie ! (*Baisers, puis, à part*.) Petite traînée !... (*À Marcel*.) Ce bon Marcel !

MARCEL. — Et ça va bien ?

ÉTIENNE. — Si ça va !... Ah !

MARCEL, *lui serrant la main avec exagération*. — Ah ! je suis bien content !

ÉTIENNE. — Et moi donc !... (*Entre les dents*.) Salaud, va !...

POCHET. — Vous êtes heureux de vous revoir ?

ÉTIENNE. — Moi ? Aux anges !

MARCEL, *comme un éclair, bas à Van Putzeboum*. — Surtout à lui, pas un mot ! pas un mot de ce que vous savez !

VAN PUTZEBOUM, *bas*. — Hein ? Ah ! là, mais oui, voyons... Est-ce que ça est même à dire ces choses-là ?

MARCEL, *bas*. — Oh ! oui, hein ?

VAN PUTZEBOUM, *bas*. — Est-ce que tu me crois assez bête pour aller lui raconter... !

MARCEL, *bas*. — Ah ! est-ce qu'on sait jamais ! (*À part*.) Ouf ! ça me tranquillise !

Il retourne à Étienne qui cause avec Amélie avec des sourires pleins de venin.

ÉTIENNE, *sur un ton hypocrite*. — Et dis-moi, elle ne t'a pas trop ennuyé ?... Elle a été bien sage ? Bien raisonnable ? Oui ?

MARCEL. — Si elle a été sage !

POCHET, *croyant donner le meilleur des arguments*. — C'est-à-dire qu'ils ont été tout le temps ensemble.

ÉTIENNE. — Ainsi, voyez !

POCHET. — Ils ne se sont pas quittés... alors !

ÉTIENNE (3), *enserrant dans une même étreinte Marcel (2) et Amélie (4)*. — Mais, comment donc, évidemment ! (*Les dents serrées*.) ces chers amis !

VAN PUTZEBOUM, *les voyant tous réunis et en pleins épanchements, s'avançant jusqu'à eux en longeant la rampe et arrivé entre Marcel et Étienne bien face à eux et dos au public.* — Écoutez, mes enfants, j'étais revenu pour vous chercher, mais je vois que Marcel n'est pas encore *habilé*...

MARCEL. — Excusez-moi ! j'ai eu du monde tout le temps ; mais ça ne sera pas long !

VAN PUTZEBOUM. — Laisse donc ! laisse donc ! D'autre part, Amélie, elle doit assez bien désirer qu'elle reste un peu avec son cousin, qu'elle n'a pas vu depuis quinze jours !...

AMÉLIE. — Évidemment, ça... !

VAN PUTZEBOUM. — Oui !... alors qu'est-ce que je sers, moi ? Je sais pas aider Marcel à *s'habiler*, et je sais encore moins pour vos épanchements cousinaux !... Alors, comme je suis de trop...

TOUS, *protestant ironiquement.* — Oh ! Oh !

VAN PUTZEBOUM. — Si ! Si ! Ça est devinable ! Eh ! bé, juste ça se trouve que je voulais passer chez le perruquier !... pour ma barbe, donc !

MARCEL. — Ah ! oui !... la barbe !

VAN PUTZEBOUM. — La barbe, oui ! J'avais dit que je remettrais pour demain, mais, puisque ça est ça, j'ai le temps, hein ?... Et, alors, je vous retrouve dans la *demi-lyheure* chez Amélie... ça va une fois ?

TOUS, *l'accompagnant, le poussant presque, dans la hâte de le voir partir.* — Comment donc ! c'est ça, c'est ça !

VAN PUTZEBOUM. — Alleï ! Alleï ! Ne me reconduisez pas... (*À Marcel.*) Toi, tu *t'habiles*... et vous autres, vous épanchez ! À tout à l'heure !

TOUS. — À tout à l'heure ! À tout à l'heure !

Van Putzeboum sort ; déjà tous redescendent, quand il reparaît presque aussitôt.

VAN PUTZEBOUM. — Dites donc, il n'y a pas un raseur près d'ici ?

MARCEL, *excédé.* — Oh ! pas loin !

AMÉLIE. — Tenez, en face ! il y en a un en face.

VAN PUTZEBOUM. — Ah ! bon ! bon ! À cette heure-ci, il y sera, oui ?

MARCEL. — Oui, oui ! allez toujours ! S'il n'est pas là, il y en aura toujours un quand vous serez là, je vous le garantis.

VAN PUTZEBOUM. — Parfait ! Merci ! À tout à l'heure !

Il sort.

Scène 15

Les mêmes, moins VAN PUTZEBOUM

MARCEL (1). — Ouf ! crampon, va ! (*À Étienne* (2).) Hein, crois-tu ?

AMÉLIE (3). — Le v'là revenu !

ÉTIENNE, *faisant l'innocent*. — Mais oui, j'en suis baba ! Qu'est-ce qu'il fait ici ? Je le croyais en Hollande.

MARCEL. — Ah ! mon ami, ne m'en parle pas !

AMÉLIE. — Il rapplique pour notre mariage.

ÉTIENNE, *feignant de tomber de son haut*. — Qu'est-ce que vous dites ?

POCHET. — Et il vient assister à la cérémonie.

AMÉLIE et MARCEL. — Oui !

ÉTIENNE. — Oh ! nom de nom ! Oh ! mes pauvres enfants ! (*À Marcel.*) Mais alors, tu es flambé ?

MARCEL, *avec un geste découragé*. — Ah !... à moins d'un miracle...

Il va s'adosser contre le pied du lit.

POCHET. — ... c'est dans le lac !

ÉTIENNE. — Oh ! mais pas du tout ! Il ne s'agit pas de se laisser abattre. Il faut trouver une solution ! Ce miracle, il faut l'accomplir !

MARCEL. — Mais quoi ? Quoi ?

AMÉLIE. — Comment veux-tu ?

ÉTIENNE. — Ah ! je ne sais pas ! Mais il ne sera pas dit que je laisserai un ami... (*avec intention*) un bon ami comme toi dans l'embarras.

Et ce disant il serre la main de Marcel à le faire crier.

MARCEL, *ne pouvant réprimer un petit cri de douleur*. — Aha ! (*Tout en faisant manœuvrer ses phalanges endolories.*) Ce cher Étienne !

ÉTIENNE, *avec un sourire qui en dit long*. — Oui ! mon vieux !... (*Changeant de ton.*) Bien, ma foi, je ne vois qu'une chose. Il veut assister au mariage. Eh bien ! ce mariage... (*avec énergie*) il faut le lui donner !

MARCEL, *quittant le pied du lit et descendant vers Étienne*. — Hein ! Tu veux que j'épouse Amélie ?

AMÉLIE. — Tu veux me marier à Marcel ?

MARCEL. — Ah ! non ! J'aime bien Amélie, mais de là à l'épouser !...

POCHET, *avec dignité et comme un argument sans réplique*. — Quoi ! J'ai bien épousé sa mère !

MARCEL. — Ah ! Je ne vous dis pas, mais Amélie !... Ah ! non !

ÉTIENNE. — Mais, là ! là ! il ne s'agit pas de ça ! Ah ! bien, merci ! te donner Amélie ! elle, si bonne !... si droite !... si fidèle !...

Sur chaque qualificatif, il donne un baiser à Amélie, avec plus l'envie de la mordre que de l'embrasser.

AMÉLIE, *sur les mots « si fidèle », gênée*. — Taistoi ! Tais-toi !

MARCEL. — Oui, tais-toi !

ÉTIENNE, *se complaisant à tourner le fer dans la plaie*. — Non, non ! je tiens à le dire !... Eh bien ! de quoi s'agit-il ? De rouler ton parrain ? Eh bien ! on le roulera. (*Prenant Amélie et Marcel par la main et les faisant descendre quelque peu.*) Et voici !... ce que je propose.

TOUS, *anxieux*. — Quoi, quoi ?

ÉTIENNE, *à Marcel*. — Nous allons à la mairie avec Putzeboum, de façon qu'il assiste à tout ; nous publions les bans.

Marcel, *avec un sursaut de surprise*. — Pour de vrai ?

Étienne. — Pour de vrai.

Amélie. — Mais alors... c'est le mariage.

Étienne. — Mais non ! c'est les formalités... obligatoires du mariage, mais ça ne le rend pas obligatoire pour ça ! ton parrain est convaincu : désormais il est à nous.

Amélie et Marcel, *ne comprenant pas*. — Oui !

Pochet, *avec admiration*. — C'est épatant !

Marcel et Amélie. — Quoi ?

Pochet, *interloqué*. — Hein ?... Je ne sais pas !... ce qu'il a trouvé.

Marcel, *haussant les épaules*. — Ah ! là !...

Amélie. — Voyons, papa !

Marcel. — Allez, circulez !

Étienne. — Suis-moi bien !... À la mairie même, pour la date fixée, je loue la salle des fêtes.

Tous. — Oui.

Étienne. — Bon ! J'ai loué ; je suis chez moi ; je fais ce que je veux !

Tous. — Oui.

Étienne. — Bien ! Je prends un ami à moi ; tiens : un de la Bourse ; Toto Béjard, par exemple.

Marcel. — Toto Béjard ?

Étienne. — Oui ! tu ne connais pas ; (*à Pochet et Amélie*) vous ne connaissez pas.

Pochet. — À la Bourse, je connais Chaminet.

Étienne. — Oui, eh bien ! c'est pas lui. (*Reprenant son exposé.*) Je dis à Toto Béjard, qui est un blagueur à froid..., je lui dis : « Tu vas être le maire ! » Il ceint l'écharpe ; et dès lors, devant ton parrain réuni, nous célébrons ton mariage avec Mlle Amélie d'Avranches ici présente et couverte d'oranger.

Tous, *ravis et sautant de joie*. — Ah ! Ah ! Ah ! bravo !

> *Marcel, Amélie et Pochet font une ronde bruyante et joyeuse autour d'Étienne.*

Étienne, *pendant qu'ils dansent autour de lui, avec*

des hochements de tête et des sourires significa-
tifs. — Oui, mon vieux ! Danse ! danse !

MARCEL, *serrant les mains d'Étienne avec effu-*
sion. — Ah ! Étienne, tu me sauves la vie ! Quel
ami ! ah ! quel ami !...

ÉTIENNE, *sardonique.* — Mais... autant que tu en
es un, toi-même.

MARCEL. — Ah ! comment te remercier !

ÉTIENNE. — Laisse donc !... Tu me remercieras
plus tard !

   Reprise de la ronde autour d'Étienne.

RIDEAU

EXPLICATION DU TRUC DE LA COUVERTURE

Ce truc pourrait s'exécuter ainsi que le personnage l'explique lui-même, mais cela aurait plusieurs inconvénients dont le plus grave serait, étant donné l'angle aigu que formerait la ficelle autour du pied du lit, de voir cette ficelle se rompre sous l'action du frottement, ce qui rendrait la continuation de l'acte impossible.

Voici donc comment il s'effectue :

Dans le décor, sous le lit, à gauche (dans l'angle formé par le pied et le cadre du lit), percer deux trous horizontalement parallèles, distants de cinq ou six centimètres l'un de l'autre et à une hauteur du sol égale à celle du dessous du lit qui doit être de trente-cinq centimètres environ.

— En regard de ces trous, à chaque traverse du sommier (qui doit être en bois et creux), visser deux pitons.

— À l'envers du couvre-pied ouaté (côté tourné vers la tête du lit), à dix centimètres du bord et bien au milieu de ce bord, coudre solidement deux languettes d'étoffe bien résistantes, longues de huit centimètres sur quatre de large et placées parallèlement à cinq ou six centimètres de distance dans le sens de la longueur du couvre-pied. À chacune de ces languettes fixer solidement deux anneaux de rideau (cela fait quatre en tout), le second cinq centimètres au-dessous du premier.

— Avoir deux pelotes de ficelle solide (fouet), ayant chacune un peu plus que le métrage nécessaire au trajet de la tête du lit au pied du lit et du pied du lit au cabinet de toilette, intérieurement.

— De la coulisse, passer chacun de ces fils par chacun des trous percés dans le décor et ensuite par chacun des pitons correspondants du sommier. (Éviter d'emmêler les fils.)

Après quoi, contourner extérieurement le pied gauche du lit avec les deux fils parallèles, les faire monter le long du devant du lit, les passer par-dessus la barre de traverse, les glisser sous le couvre-pied et les attacher chacun d'abord au second anneau, puis au premier anneau (pour lequel on a réservé un peu de fil avant de faire le nœud) de sa languette respective. Après quoi, tirer le pied du couvre-pied, de façon qu'il retombe en biais sur le devant du lit, de manière à cacher la ficelle au public et en même temps à permettre à Amélie de tirer la couverture à elle quand elle est sous le lit. Pour le reste, l'accessoiriste chargé de la manœuvre n'a qu'à lâcher du fil quand Amélie s'en va avec la couverture, et à tirer le fil à lui quand il s'agit de faire revenir le couvre-pied. S'assurer que tout fonctionne bien avant le lever du rideau et aussi que les ficelles passées par les pitons ne traînent pas par terre, afin qu'Amélie, quand elle se glisse sous le lit, ne s'empêtre pas dedans.

Nota : *Il est préférable aussi bien dans l'intérêt du décor — dont la toile aurait à souffrir par l'usage — que dans l'intérêt même de la manœuvre du fil, de fixer derrière le décor, à l'endroit où il est percé, une petite armature en bois percée également des mêmes trous dans lesquels on aura serti deux œillets en verre ou en métal, ce qui permettra un glissement plus facile.*

Acte III

LA SALLE DES MARIAGES À LA MAIRIE

En pan coupé gauche, deuxième et troisième plan, grande baie donnant sur un vaste atrium auquel on accède par deux marches. Au premier plan, perpendiculaire à la rampe, mur plein auquel est adossée une banquette occupant toute la largeur. Au fond, tout de suite après la baie, grande partie oblique. Au centre, une porte donnant sur les couloirs de la mairie. À droite, deuxième plan, porte donnant dans le cabinet du maire. Trois tables sont placées parallèlement au mur de droite. Celle du milieu, plus grande que les deux autres et sur estrade : c'est la table du maire ; elle est recouverte du traditionnel tapis vert ou grenat, suivant la décoration de la mairie. Derrière la table, un fauteuil. Au-dessus, sur une console appliquée au mur, le buste de la République. Une chaise à chacune des deux autres tables. À l'avant-scène, parallèlement à la rampe et tout près de la table la plus près du public, une petite banquette sans dossier, pour deux per-

sonnes. *Face à la table du maire, les deux fauteuils des mariés, encadrés de chaque côté par deux chaises ; puis au fond, continuant la rangée mais formant angle droit avec elle, deux chaises face au public. (Ce premier rang doit être très en oblique, de façon à ce que chacun des artistes reste visible le plus possible des spectateurs. Placer donc les meubles de ce premier rang d'une ligne qui partirait du trou du souffleur pour aller rejoindre le fond du décor, à deux mètres environ de l'angle de droite.) Derrière ce premier rang, un second rang de cinq chaises (cette rangée un peu moins oblique que la première), puis, derrière, deux rangées de banquettes sans dossier ; l'avant-dernière banquette doit être encore moins oblique que la rangée de chaises et la dernière banquette perpendiculaire à la scène. Sur la table du maire, un encrier, un petit code, différents papiers. Un registre sur chacune des tables qui encadrent la table du maire.*

Scène première

Mouilletu, Valéry, Mouchemolle, Gaby,
invités, invitées

Au lever du rideau, le monde est assis çà et là dans la salle, dans l'attente de la cérémonie qui se prépare. Gaby est entrée et s'engage dans la rangée de chaises.

Mouilletu, *à Gaby, sur le ton d'un refrain habituel*. — Sur les banquettes, messieurs-dames ! les chaises et fauteuils sont pour le cortège.

Gaby, *s'introduisant dans le rang suivant formé par la banquette derrière les chaises*. — Pardon, je ne savais pas ! Pardon, monsieur. (*Le monsieur se lève.*) Pardon, madame.

La dame se lève.

UN MONSIEUR, *à son voisin.* — C'est bien à trois heures, la cérémonie ?

LE VOISIN. — Si les mariés ne sont pas en retard, c'est pour trois heures.

Sur ces entrefaites sont entrés, bras dessus, bras dessous, Valéry et Mouchemolle ; ils longent le fond, tout en parlant à haute voix.

VALÉRY. — Oui, mon vieux ! et tous les garçons sont alors tombés sur le pochard et on l'a sorti en cinq sec.

MOUCHEMOLLE. — Ah ! la bonne histoire !

VALÉRY, *à Mouilletu.* — Ah ! dites donc, garçon ! le mariage Courbois ?

MOUILLETU. — C'est ici, monsieur.

GABY, *qui est assise au bout de la banquette, côté public, de sa place faisant des signes à Valéry et Mouchemolle.* — Eh !... psstt !

MOUCHEMOLLE, *joyeusement.* — Ah ! Tiens ! voilà Gaby !

VALÉRY, *même jeu.* — Ah ! Gaby ! (*Valéry se glissant dans le rang de Gaby.*) Ah ! te voilà, toi !

GABY. — Tu parles !

MOUILLETU, *voyant Mouchemolle qui s'engage dans le rang de chaises.* — Pas sur les chaises ! Sur les banquettes !

MOUCHEMOLLE, *sur un ton blagueur.* — Oui ! Merci, mon ami.

Il sort du rang de chaises et s'engage dans le rang suivant, à la suite de Valéry.

VALÉRY, *dérangeant les deux personnes qui occupent le commencement de la banquette.* — Pardon, monsieur ! Pardon, madame !

MOUCHEMOLLE, *se glissant derrière lui et passant devant les personnes.* — Pardon !... pardon !

VALÉRY. — Bonjour, Gaby !

MOUCHEMOLLE. — Ça va bien ?

Ne trouvant pas de place pour s'asseoir, il enjambe et s'assied sur la dernière banquette.

GABY. — Bonjour, les gosses ! Vous n'avez pas voulu rater le mariage, hein !

VALÉRY. — Tiens !

MOUCHEMOLLE. — Mais dis donc, tu en es une autre à ce que je vois !

GABY. — Tu penses ! C'est l'attraction du jour !

VALÉRY. — Non, mais tout de même, c'est incroyable, hein ?

GABY. — Quoi ?

VALÉRY. — Mais ce mariage, donc !

MOUCHEMOLLE. — Marcel épouser Amélie !

GABY. — Mais il paraît que c'est une blague.

VALÉRY. — Comment, une blague ! C'est-à-dire qu'on l'a cru d'abord. Mais maintenant, il n'y a plus à douter, voyons ! puisque le mariage a lieu.

GABY. — Mais non, mais non ! Marcel a passé la soirée hier à Tabarin [1] et il nous a assuré que c'était un bateau qu'on montait à son parrain !... à propos d'une question d'héritage !

VALÉRY. — Oh ! voyons ! c'est à vous qu'il a monté le bateau ! Comment veux-tu ? À la mairie !...

GABY. — Ah ! je ne sais pas ! je te dis ce qu'il nous a dit.

Ils continuent à causer.

Scène 2

LES MÊMES, CORNETTE, PUIS LE MAIRE

CORNETTE, *une épaule plus haute que l'autre, accourant du fond.* — Mouilletu ! Mouilletu !

MOUILLETU, *debout sur l'estrade, en train de ranger sur la table du maire.* — Ah ! monsieur Cornette !

---

1. Music-hall du quartier de Pigalle.

CORNETTE. — Bonjour, Mouilletu ! le patron ne m'a pas demandé ?

MOUILLETU. — Oh ! si... vous pouvez me remercier ; je vous ai sauvé la mise en disant que je vous avais déjà vu.

CORNETTE. — Oh ! merci !... J'ai été retenu plus longtemps que je ne voulais.

MOUILLETU. — Au café, je parie ?

CORNETTE. — Je faisais une manille avec Jobinet.

MOUILLETU, *cherchant*. — Jobinet ?

CORNETTE. — Le comptable d'en face... Jobinet, vous savez bien... qui est si rigolo !... Jobinet, des pompes funèbres.

MOUILLETU. — Ah ! oui !... eh bien ? Vous avez gagné au moins ?

CORNETTE. — Mais non !... C'est pas étonnant, il est bossu !

LE MAIRE, *passant la tête à la porte de droite*. — Cornette !

CORNETTE, *empressé*. — Voilà, monsieur le maire !... voilà !

> *Le maire est rentré, Cornette court le rejoindre dans son cabinet.*

Scène 3

Les mêmes, PÂQUERETTE, GISMONDA, puis DEUX PHOTOGRAPHES

VALÉRY, *apercevant Pâquerette et Gismonda qui, sur les derniers mots, sont arrivées de gauche et traversent au fond*. — Tiens, voilà Pâquerette et Gismonda.

GABY. — Ah ! oui... (*Leur faisant signe.*) Eh !...

VALÉRY et MOUCHEMOLLE, *de même*. — Hep ! hep !

PÂQUERETTE, *à Gismonda*. — Ah ! les copains !

GISMONDA. — Tiens ! Ça va bien ?

GABY, *leur faisant signe de venir près d'elle*. — Vous venez là ?

GISMONDA et PÂQUERETTE. — Oui.

MOUILLETU, *aux deux femmes qui s'engagent dans le rang des chaises*. — Pas sur les chaises, mesdames, pas sur les chaises !

PÂQUERETTE, *sur un ton gouailleur*. — Qu'est-ce qu'il a, celui-là !

GISMONDA. — Oh ! bien, vous n'avez pas de place...

PÂQUERETTE, *qui est descendue à l'avant-scène*. — Si on se casait au fond, on serait mieux pour l'entrée du cortège...

VALÉRY. — Oh !... Si vous voulez !

GABY. — Moi, je veux bien.

MOUCHEMOLLE. — Allons !

Les deux hommes se dirigent vers la banquette de gauche, tandis que les femmes iront peu à peu, lentement, tout en causant.

GABY. — Vous êtes restés encore tard cette nuit ?

PÂQUERETTE. — Ne m'en parlez pas : six heures du matin !...

GISMONDA. — On s'est quitté en se donnant rendez-vous ici ; mais toute la bande était si vannée, qu'elle a, bien sûr, dû rester au lit !

VALÉRY, *qui est près de la banquette adossée au mur*. — C'est là qu'on se met !

PÂQUERETTE. — Oui ! on sera très bien.

GISMONDA. — Il paraît que c'est un nommé Toto Béjard qui fait le maire ?

VALÉRY et MOUCHEMOLLE. — Toto Béjard ?

PÂQUERETTE. — Un type de la Bourse, oui.

GABY, *à Valéry*. — Ah ! tu vois. (*Aux deux femmes.*) N'est-ce pas que Marcel nous a dit, pour son mariage, que c'était une blague qu'on faisait à son parrain.

PÂQUERETTE et GISMONDA. — Absolument !

GABY. — Là !

VALÉRY. — Eh bien, qu'est-ce que tu veux, ça me dépasse.

UN PHOTOGRAPHE, *son appareil sous le bras, fendant, pour passer, le rassemblement formé par Valéry, Gaby, Pâquerette, Gismonda et Mouchemolle, et qui obstrue le passage.* — Pardon, messieurs ! Pardon, mesdames ! (*À part.*) Oh ! nom d'un chien, il y a du linge ! (*Arrivé à Mouilletu, à l'avant-scène droite.*) Dites-moi : le cortège entre par là, naturellement ?

MOUILLETU. — Dame ! par où voulez-vous qu'il entre ?

LE PHOTOGRAPHE. — C'est que je voudrais l'avoir bien en face... Je suis le photographe du *Matin*.

MOUILLETU. — Ah !... Très bien, monsieur !...

UN DEUXIÈME PHOTOGRAPHE, *après avoir accompli le même trajet que son confrère, surgissant dans le dos de ce dernier, pour s'adresser à Mouilletu.* — Dites-moi, garçon... (*Reconnaissant l'autre photographe qui s'est retourné.*) Tiens ! vous !

PREMIER PHOTOGRAPHE. — Bien oui, je viens pour le *Matin*.

DEUXIÈME PHOTOGRAPHE. — Et moi pour le *Journal* !

LES DEUX PHOTOGRAPHES, *en chœur.* — Naturellement !

Ils remontent. Pendant ce qui précède, Mouilletu a gagné la gauche en passant derrière les photographes.

VALÉRY, *à Mouilletu qui est arrivé près de lui.* — Dites-moi, garçon !

MOUILLETU. — Monsieur ?

VALÉRY. — C'est bien à trois heures, le mariage ?

MOUILLETU. — Oui, monsieur.

LE MAIRE, *passant la tête par la porte.* — Mouilletu ! Mouilletu !

MOUILLETTU. — Voilà, monsieur le maire !

Le maire rentre chez lui.

TOUS, *étonnés.* — Mouilletu ?

MOUILLETU, *se rapprochant de Valéry, pour s'excuser.* — Je vous demande pardon !

GABY, *le retenant par la manche*. — Dites donc !
« Mouilletu », c'est à vous qu'il demande ça ?

MOUILLETU. — Oui, madame ! C'est mon nom.

GABY, *riant*. — Quelle drôle d'idée !

MOUILLETU, *tandis que tout le groupe rit*. — Je n'en
suis pas plus fier !... Je vous demande pardon !

Il les quitte pour aller chez le maire.

MOUCHEMOLLE. — Oh ! bien, si c'est à trois
heures : il est moins trois...

VALÉRY. — Ça ne peut être long.

GISMONDA. — D'ailleurs, quand nous sommes
arrivés, il y avait déjà des voitures en bas qui
entraient.

VALÉRY. — Oh ! bien, alors !...

*À ce moment, on entend dans l'atrium l'orchestre qui
attaque la marche du* Prophète [1].

GABY. — La musique ! Voilà la musique !

GISMONDA. — C'est les mariés ! C'est les mariés
qui arrivent !

TOUS. — C'est les mariés !

MOUILLETU, *sortant de chez le maire et courant vers
l'entrée*. — Le cortège, mesdames, messieurs ! voici
le cortège !

LES DEUX PHOTOGRAPHES, *qui étaient à l'affût dans
l'atrium, accourant en scène*. — Le cortège ! voilà le
cortège ! (*Mouilletu a disparu dans l'atrium.*)

TOUT LE MONDE. — Le cortège ! Voilà le cortège !

*Un des photographes s'est mis contre le manteau d'arle-
quin gauche ; l'autre grimpe sur une banquette. Tous
deux, l'appareil braqué sur l'entrée.*

GABY. — Allons voir l'entrée. Allons voir l'entrée.

TOUT LE GROUPE. — Allons ! Allons !

*Ils grimpent les marches de la baie qu'ils obstruent
complètement. Dans la salle, les gens sont debout sur les
banquettes.*

MOUILLETU, *revenant de l'atrium et repoussant les*

---

1. Opéra en cinq actes de Meyerbeer (livret de Scribe) créé en
1849.

gens qui embarrassent l'entrée. — Place, messieurs-dames ! place pour le cortège ! rangez-vous !

GABY, *indiquant la banquette de gauche.* — Là ! là !

TOUT SON GROUPE. — C'est ça ! C'est ça !

Gaby, Gismonda et Pâquerette grimpent sur la banquette. Les deux hommes, debout devant, se collent contre elles. À ce moment, entrée du cortège. En tête, Amélie en mariée, donnant le bras à son père qui est en habit, le chapeau à la main, la croix de commandeur de Palestrie au cou. Derrière, Marcel, donnant le bras à Virginie Pochet, sœur de Pochet. Derrière, Adonis en smoking, donnant la main à une petite fille de six ans, tenant un bouquet de demoiselle d'honneur. Derrière, les quatre témoins : Étienne, Van Putzeboum, le général et Bibichon. Puis les invités : Valcreuse, Yvonne, Boas et Palmyre.

MOUILLETU, *les recevant sur le pas de la porte.* — Par ici, messieurs les mariés ! par ici !

DES VOIX *dans l'assistance.* — Oh ! qu'elle est bien !... quelle jolie toilette !... comme elle est en physique !... etc.

Ils descendent par la gauche pour gagner la droite en traversant la scène, conduits par Mouilletu. Les photographes prennent des instantanés. Au moment où Amélie passe devant Valéry, Gaby et la bande... chacun lui fait un compliment : « Oh ! délicieuse !.. épatante !... Tu as une robe qui te va !... compliments !... etc., etc. » À chacun Amélie répond par un : « Merci... Merci bien... »

MOUILLETU, *gagnant la droite en tête du cortège.* — Par ici, messieurs-dames !

AMÉLIE, *qui est arrivée avec Pochet à l'avant-scène gauche, s'arrêtant en voyant Pochet dont la figure se contracte d'émotion.* — Tu pleures, papa ?

POCHET, *contenant mal son trouble.* — Non !... Oui !... Qu'est-ce que tu veux : l'émotion !... C'est pas des larmes positivement ; c'est plutôt comme quand on épluche un oignon sous son nez, ça vous...

AMÉLIE. — Oui ! Oui !

POCHET. — N'est-ce pas, sentir sa fille en fleur d'oranger... comme ça... sous l'œil de la foule !...

AMÉLIE. — Mais puisque c'est une blague.

POCHET. — Je sais bien, mais, tout de même !... (*Il se mouche bruyamment, puis.*) Ah ! le mariage est une belle institution !

AMÉLIE. — Allons, calme-toi !...

MOUILLETU, *de l'extrême droite, voyant qu'on ne l'a pas suivi.* — Suivez, messieurs-dames ! suivez !

POCHET. — Voilà ! Voilà !

Ils gagnent par la suite jusque devant la table du maire.

VIRGINIE, *à Marcel, à qui elle donne le bras. Parlant tout en suivant.* — Je vous dirai que ça dépend ! À domicile, pour faire les ongles, je prends huit francs ; mais, pour les amis, c'est cent sous.

MARCEL. — Oh ! c'est tout à fait intéressant !

ADONIS, *tirant la petite qui marche en regardant derrière elle.* — Mais suis donc, la gosse ! Tu es tout le temps à te faire traîner.

LA PETITE. — Mais je suis !

ADONIS, *dépité.* — Oh ! C't'idée aussi de m'avoir collé la môme à la concierge comme demoiselle d'honneur. Je suis ridicule !

Ils vont s'asseoir sur les deux chaises qui forment la tête du premier rang.

MOUILLETU, *indiquant à chacun sa place respective.* — La mariée ici, le marié là !

VAN PUTZEBOUM, *à Étienne.* — Ça est le grand jour, hein donc ! les chers petits, ils doivent être très émus.

ÉTIENNE. — Oui !... (*Les dents serrées.*) Les chers petits !

MOUILLETU. — Monsieur le père, ici ! Madame la mère.

POCHET. — La mère ? Y en a pas !

VIRGINIE. — Non, je suis la tante.

MOUILLETU. — Eh bien ! madame la tante, là !

LE GÉNÉRAL, *à Bibichon, gauche de la scène.* — C'est-à-dire que, si je suis témoin, c'est que Son Altesse Royale m'a délégué...

BIBICHON. — En vérité !... Eh bien ! moi, c'est à

cause... (*En se donnant une bonne tape sur la cuisse*) de ma respectabilité.

MOUILLETU. — Messieurs les témoins !

LES QUATRE TÉMOINS, *s'avançant*. — Voilà ! Voilà !

MOUILLETU, *leur indiquant leurs places*. — Les témoins de la mariée, ici ; les témoins du marié, là !

VAN PUTZEBOUM, *voyant sa place prise par Adonis*. — Alleï, les petits ! débarrassez, hein, donc ?

Adonis va s'asseoir sur la première chaise du deuxième rang ; la petite reste debout, près d'Amélie.

YVONNE, *à Boas qui, derrière, donne le bras à Palmyre. Tous les quatre sont à l'extrême gauche.* — Dis donc, ce mariage, ça ne te donne pas envie d'en faire autant ?

BOAS. — Avec toi ?

YVONNE. — Avec moi.

BOAS. — Eh bien ! tu sais, j'y penserai !

PALMYRE. — Moi, si je voulais, je n'aurais qu'un mot à dire, n'est-ce pas, chéri ?

VALCREUSE. — Ah ? possible ; mais pas avec moi, toujours.

PALMYRE. — Ah ! animal ! Tu me disais l'autre jour...

VALCREUSE. — Pardon, l'autre nuit !... et la nuit il y a bien des choses qu'on dit...

BOAS, *achevant sa pensée*. — ... par politesse.

MOUILLETU. — Monsieur le garçon d'honneur et la demoiselle ?

LA PETITE, *se précipitant vers Adonis et le tirant par la main*. — C'est nous, mon cher !

ADONIS, *entraîné par la petite*. — Oh ! « mon cher », non, pigez-moi, c'te larve !... si ça ne fait pas transpirer !

MOUILLETU, *indiquant la petite banquette à droite de la scène*. — Ici, monsieur le garçon d'honneur et sa demoiselle.

ADONIS, *à la petite, tout en s'asseyant à droite de la banquette*. — Non, mais à quelle heure qu'on te couche !

La Petite. — À huit heures, mon garçon !

Adonis. — Oh ! là, là ! le biberon ! Allez, tâche de te la clore.

La Petite. — Quoi ?

Adonis. — La ferme !

Mouilletu, *au restant du cortège.* — Si vous voulez prendre place sur les chaises ?... (*Boas, Palmyre, Valcreuse et Yvonne s'asseyent aux places indiquées.*) M. le maire est à vous dans un instant.

Il entre chez le maire. Conversation générale en sourdine.

Marcel, *après un temps, à Étienne.* — Dis donc ?

Étienne. — Quoi ?

Marcel, *à Étienne.* — C'est toujours Toto Béjard, le maire ?

Étienne, *sur un ton qui en dit long, mais dont l'intention échappe à Marcel.* — C'est Toto Béjard ! Oui.

Marcel. — Dis donc, Amélie !

Amélie. — Quoi ?

Marcel. — C'est toujours Toto Béjard, le maire.

Amélie. — Eh bien ! oui, je sais.

Pochet, *curieux.* — Quoi ? Qu'est-ce qu'il y a ?

Amélie. — Non, rien ! Il me dit que c'est Toto Béjard, le maire.

Pochet. — Ah ! oui ! (*Se tournant vers Virginie.*) C'est Toto Béjard le maire !

Virginie. — Eh ?... eh ben ! après ?... je m'en fiche !

Van Putzeboum, *à Étienne.* — Comment vous dites le bourgmestre ? Toto Béjard ?

Étienne, *interloqué.* — Hein ! non, oui ! Ça n'a pas d'importance.

Un temps. Puis grand éclat de rires dans la bande, Yvonne, Palmyre, Boas et Valcreuse.

Yvonne, *riant.* — Idiot, va !

Boas, *riant.* — Oh ! ben, quoi, si on ne peut plus être spirituel !

Amélie, *se levant et se retournant, un genou sur son*

fauteuil, riant de confiance. — Quoi ? Quoi ?
Qu'est-ce qu'il y a ?

BOAS, *riant.* — Rien, rien !

PALMYRE, *riant.* — C'est Boas qui fait des plaisanteries d'un goût douteux.

AMÉLIE, *curieuse.* — Ah ! quoi ? Quoi ?

ENSEMBLE

VALCREUSE. — Il demande...

YVONNE. — Il demande...

PALMYRE. — Il demande...

YVONNE, *cédant la parole à Palmyre.* — Non, toi !

PALMYRE. — Toi !

AMÉLIE. — Eh bien ! quoi ? Qu'est-ce qu'il
demande ?

VALCREUSE, *se levant.* — Il demande pourquoi tu
n'as pas mis d'oranges dans ta couronne !

AMÉLIE. — Oh ! que c'est fin ! Oh ! que c'est spirituel !

Elle se rassied.

POCHET, *se levant et se retournant vers
eux.* — C'est Gueuledeb qui a trouvé ça ?... Ah ! c'est
distingué, oui !

BOAS, *assez content de lui.* — Ben, mon Dieu !...

POCHET. — Allons, allons ! circulez ! Où croyez-
vous donc z'être ! hein ? Où croyez-vous donc z'être !

*Il se rassied. On entend les autres répéter en sourdine en
riant :* « Où croyez-vous donc z'être. » — *Un temps.*

VALÉRY, *assis sur la dernière banquette, à
Gaby.* — Eh bien ! mais y a qu'à lui demander...
(*Appelant Bibichon.*) Eh ! Bibichon ?

BIBICHON, *se levant.* — Eha ?

VALÉRY. — Est-ce que tu es du dîner, demain,
chez Fifi-l'andouille ?

BIBICHON. — Ah ! non !

GABY, PÂQUERETTE, VALÉRY, GISMONDA, MOUCHE-
MOLLE, *ensemble.* — Ah ?

YVONNE, *se levant.* — Tu n'en es pas ?

BIBICHON. — Non.

PALMYRE, *se levant.* — Nous en sommes, nous.

Elles se rasseyent.

BIBICHON. — Oh ! mais ça ne fait rien ! On mange bien chez elle, je m'invite !

GABY. — Ah ! bravo !

BIBICHON. — Mais, dame ! (*Il se rassied pour se relever aussitôt, et, à ceux du fond.*) Allô !... Merci du renseignement.

Il s'assied. Mouilletu, sortant de chez le maire, monte sur l'estrade.

ADONIS, *à la petite qui lui parle à l'oreille.* — Quoi ?... Qu'est-ce que tu dis ? (*La petite lui reparle.*) Hein !... Ah ! zut ! Non !... tout à l'heure ! quand on s'en ira.

AMÉLIE. — Qu'est-ce qu'il y a ?

ADONIS. — Non, rien !

AMÉLIE. — Mais quoi ?

ADONIS. — Rien, c'est la gosse qui...

N'osant pas achever tout haut, il se lève et va parler bas à Amélie, après quoi il redescend pour retourner à sa place.

AMÉLIE, *pendant qu'Adonis redescend.* — Eh ! bien, quoi ? Conduis-la, mon petit !

ADONIS. — Moi ! Ah ! ben non, alors ! tu m'as pas regardé.

Il s'assied.

POCHET, *se levant et, curieux, à Amélie.* — Quoi ! Qu'est-ce qu'il y a ?

AMÉLIE. — Non, rien, papa ! C'est la petite qui...

Elle lui parle bas.

POCHET. — Ah ?

ADONIS, *sur un ton indigné.* — Oui !

POCHET. — Eh bien ! quoi ? C'est humain.

AMÉLIE, *allant à Mouilletu qui est debout sur l'estrade du milieu.* — Dites donc, garçon !

MOUILLETU. — Mademoiselle ?...

AMÉLIE. — Pourriez-vous nous indiquer...

Elle achève sa phrase à voix basse dans l'oreille de Mouilletu.

ADONIS, *vexé, pendant qu'Amélie parle bas à Mouilletu.* — Non, comme c'est agréable !

Mouilletu. — Oh ! rien de plus facile, mademoiselle. (*Indiquant Adonis.*) C'est pour monsieur ?

Adonis, *furieux*. — Hein ? Mais non ! mais non !

Mouilletu, *descendant de l'estrade du maire*. — C'est pour la petite demoiselle ! Tenez, par ici, mademoiselle.

Précédant la petite fille, il se dirige vers le rang de chaises.

La Petite, *qui déjà suivait Mouilletu, s'apercevant qu'Adonis ne vient pas avec elle, courant à lui et le tirant par la main*. — Eh ben ! tu viens ?

Adonis. — Mais, fiche-moi la paix !

Amélie. — Eh ben ! quoi ? Va avec elle !

Adonis. — Moi !

Pochet. — Un garçon d'honneur ne lâche pas sa demoiselle d'honneur.

Adonis. — Ah ! ben, non, zut !

Amélie. — Je te dis d'y aller... tu ne peux pas laisser cette petite toute seule.

Adonis, *rageant*. — Oh !

Pochet. — Quoi, c'est pas la mer à boire.

Adonis, *se laissant entraîner par la petite en maugréant*. — Non ! De quoi que j'ai l'air, moi ? De quoi que j'ai l'air ?

Mouilletu, *s'engageant entre le premier et le deuxième rang de chaises, suivi par la petite et Adonis, sur un ton pompeux et rythmé*. — Laissez passer la demoiselle d'honneur ! Laissez passer la demoiselle d'honneur !

Dans le rang, chacun se lève à son tour pour laisser passer.

Adonis, *furieux*. — Oh ! c't' averse ! (*À la petite.*) Tu pouvais pas prendre les précautions avant, toi !

Marcel, *au moment où Adonis passe derrière lui*. — Va donc, petit Soleilland [1] !

Adonis, *rageur*. — Oh ! oui ! oh !

---

1. Cet homme avait été condamné à l'époque pour avoir commis plusieurs viols.

MOUILLETU. — Par ici, tenez, par ici !

ADONIS. — Sale gosse, va ! (*Arrivés au seuil de la porte du fond, Mouilletu, avec force gestes, lui indique le chemin à prendre. Adonis, sur les charbons.*) Oui, c'est bon ; pas de gestes, monsieur ! pas de gestes !... je trouverai bien ! merci ! Sale gosse, va !

Ils sortent.

VAN PUTZEBOUM, *qui s'est levé sur le départ d'Adonis et l'a suivi des yeux, à Étienne qui se lève également pour se dérouiller les jambes.* — Où c'est ça qu'ils vont donc ?

ÉTIENNE. — Rien, c'est la petite qui... (*Il achève sa phrase à l'oreille de Van Putzeboum.*)

VAN PUTZEBOUM. — Ah ! oui, oui... Meneken !... Meneken... pssse [1] !...

ÉTIENNE. — Vous y êtes.

VAN PUTZEBOUM, *joyeux et prenant le bras d'Étienne.* — Oh ! ça est tout de même un mariage vraiment parisien !

Ils gagnent l'extrême gauche.

MARCEL, *étalé dans son fauteuil, après un temps, regardant sa montre.* — C'est pas pour dire, mais il nous fait poser, Toto Béjard.

AMÉLIE. — Tu parles !... et moi, tu sais... je veux bien qu'on s'épouse, mais faut pas oublier que j'ai rendez-vous à quatre heures à la maison avec le prince.

MARCEL. — À quatre heures ?... Oh ! bien, tu as de la marge.

AMÉLIE. — C'est que, depuis le temps que je la fais droguer, la malheureuse... !

MARCEL. — Quelle... « malheureuse » ?

AMÉLIE. — Eh ! ben, Son Altesse !... C'est du féminin.

MARCEL. — Ah ?... C'est juste !

MOUILLETU, *montant sur l'estrade.* — Voici Monsieur le Maire.

---

1. Allusion à une célèbre statuette qui, à Bruxelles, représente un enfant lâchant un filet d'eau.

Il descend se mettre à la table la plus près de l'avant-scène tandis que Van Putzeboum et Étienne regagnent vivement leurs places.

Scène 4

Les mêmes, LE MAIRE. Il a, sur la partie gauche du front, une loupe énorme.

Le maire, en redingote, ceint de l'écharpe, entre, suivi de Cornette. Il monte à son estrade tandis que Cornette s'installe à sa table, au fond. Tout le monde s'est levé. Le maire s'incline légèrement pour saluer l'assistance, puis, d'un geste circulaire de la main, il fait signe à chacun de s'asseoir. Tout le monde s'assied, sauf Pochet qui regarde distraitement du côté de l'entrée.

LE MAIRE, *la main tendue vers Pochet pour lui faire signe de s'asseoir.* — Monsieur !

AMÉLIE, *à Pochet, lui indiquant le maire.* — Papa !

POCHET. — Oh ! pardon ! (*Croyant que le maire lui tend la main.*) Enchanté.

LE MAIRE. — Non, c'est pour vous prier de vous asseoir.

POCHET, *s'asseyant.* — Oh ! pardon.

Le maire s'assied et se penche vers Cornette pour lui faire quelques recommandations.

MARCEL, *bas, à Étienne.* — Dis donc !... C'est Toto Béjard, ça ?

ÉTIENNE, *l'œil malin.* — C'est Toto Béjard.

Marcel se lève et va considérer de plus près le maire.

LE MAIRE, *relevant la tête.* — Qu'est-ce qu'il y a ?

MARCEL, *d'un ton blagueur.* — Rien, rien ! (*À Étienne, en allant s'asseoir.*) La gueule est bonne ! Tu es sûr de lui, au moins ? Il ne va pas faire de blague ? Se mettre à rigoler ?

ÉTIENNE, *perfide*. — Non, non ! sois tranquille !... Il ne fera pas de blagues.

LE MAIRE, *se levant, à Marcel*. — Veuillez, je vous prie... ! (*Voyant que Marcel ne l'écoute pas*.) Monsieur le marié !...

AMÉLIE, *donnant un coup de coude à Marcel*. — Marcel !

MARCEL. — Hein ! moi ?...

LE MAIRE, *sur un ton aimablement plaisant*. — Évidemment, vous ! vous n'êtes pas plusieurs ! (*Achevant*.)... me donner vos nom et prénoms !

MARCEL, *à Étienne, tout en se levant*. — Il est épatant !

ÉTIENNE. — N'est-ce pas ?

MARCEL, *le bord de son chapeau contre sa joue gauche pour dissimuler son envie de rire que révèle le son de sa voix*. — Joseph-Marcel Courbois.

LE MAIRE, *le regarde, ahuri, puis*. — Qu'est-ce qui vous fait rire ?

MARCEL, *blagueur et entre les dents*. — Ça va bien, allez ! ça va bien !

LE MAIRE, *le considère un instant, un peu étonné, puis à Amélie*. — Et vous, mademoiselle ?

Amélie se lève pour répondre. Pochet, d'un geste, la fait rasseoir et s'avance vers la table du maire.

POCHET. — Clémentine-Amélie Pochet !

LE MAIRE. — Non, pas vous ! C'est à mademoiselle que je demande.

POCHET, *allant se rasseoir*. — Ah ! pardon.

AMÉLIE, *se levant*. — Clémentine-Amélie Pochet.

Elle s'assied.

POCHET, *allant jusqu'à la table du maire*. — Eh ! ben, hein ?... Qu'est-ce que j'ai dit ?

LE MAIRE, *commençant à être agacé*. — Oui, c'est bien.

POCHET. — Vous comprenez, n'est-ce pas, c'est moi qui lui ai donné ces noms... C'est ma fille, alors !... je les connaissais avant elle.

Le Maire, *lève les yeux au ciel, puis*. — Je vous en prie, monsieur !

Pochet. — Continuez, monsieur le maire ! continuez !

Il va se rasseoir.

Van Putzeboum, *à Étienne*. — Mais « Pochet, Pochet » ? Je croyais le nom était « d'Avranches » ?

Étienne. — Hein ?... Oui, c'est... c'est un titre du pape ; ça ne se mentionne pas dans les actes.

Van Putzeboum, *étonné*. — Tenez, tenez, tenez !

Le Maire. — On va vous donner lecture de l'acte de mariage ! (*À Cornette*.) Lisez, Cornette !

Le maire se rassied et, pendant ce qui suit, écoute la lecture, le coude droit sur la table, la main en visière au-dessus des yeux.

Marcel. — Il est épatant, ce Toto ! On dirait qu'il n'a fait que ça toute sa vie.

Cornette, *le coude gauche sur la table, la tête appuyée dans sa main, commençant la lecture de l'acte*. — « L'an mil neuf cent huit et le cinq mai, à trois heures du soir, devant nous, Maire du huitième Arrondissement de Paris, ont comparu en cette mairie pour être unis par le mariage, d'une part M. Marcel Courbois, rentier, demeurant 27, rue Cambon, (*Diminuant peu à peu la voix pour arriver à la fin à n'être qu'un ronron, de façon à ne pas couvrir la voix des personnages qui, cependant, doivent donner la sensation de parler à mi-voix*.) âgé de vingt-huit ans, célibataire... », etc.*

Amélie, *à mi-voix, à Marcel, pendant que Cornette poursuit sa lecture*. — Dis donc ! Marcel, t'as vu sa loupe ?

Marcel, *de même*. — Quelle loupe ?

Amélie, *id*. — La loupe du maire.

Marcel, *id*. — Ah ! tu parles !

Amélie, *id. à Pochet*. — T'as vu sa loupe, papa ?

Pochet, *id*. — Hein ?

---

* On trouvera le contrat entier à la fin du premier tableau.

AMÉLIE, *id.* — La loupe du maire !

POCHET, *id.* — Ah ! ben, je te crois ! Ce qu'elle est conséquente !

AMÉLIE, *id.* — Comme un œuf de... de colombe. (*À Marcel.*) Ah ! tu vois, je ne dis plus pigeon.

MARCEL, *id.* — Oh ! dans ce cas-là, tu peux dire comme tu veux ! (*À Étienne.*) Tu ne m'avais pas dit que Toto Béjard avait une loupe.

ÉTIENNE, *id.* — Tais-toi ! elle est fausse ! C'est un camouflage.

MARCEL, *id., se tordant.* — Non ? (*À Amélie.*) Dis donc, Amélie ! la loupe du maire... ! Il paraît qu'elle est fausse.

AMÉLIE, *id.* — Allons donc ! (*À Pochet.*) Oh ! papa, la loupe du maire ! elle est fausse.

POCHET, *id.* — Pas possible ! (*Se levant.*) Oh ! que c'est drôle !

De sa poche il tire des besicles en écaille, se les fixe sur le nez et s'avance tout près du maire pour mieux regarder sa loupe.

LE MAIRE, *se sentant examiné, relevant subitement la tête et se trouvant nez à nez avec Pochet.* — Qu'est-ce qu'il y a ?...

POCHET, *reculant instinctivement.* — Rien !... Rien, rien ! (*Il a un geste du coude vers le maire et un jeu de physionomie qui semble dire : « Ah ! farceur, va ! » puis va se rasseoir. Le maire hausse les épaules puis reprend sa position première. À Amélie, en se rasseyant.*) C'est curieux, on jurerait qu'elle est vraie !

VIRGINIE, *à Pochet.* — Quoi ? Qu'est-ce qu'on jurerait qui est vrai ?

POCHET. — La loupe du maire, il paraît qu'elle est fausse.

VIRGINIE. — Non ? (*À ses voisins de gauche.*) Ah ! la loupe du maire qui est fausse !

LE GÉNÉRAL, *indifférent.* — Ah ?

PALMYRE, *se penchant vers Pochet.* — Quoi, qu'est-ce qui est fausse ?

POCHET. — La loupe du maire, elle est fausse !

Tout le rang de Palmyre. — C'est pas possible !

Yvonne, *passant la nouvelle au troisième rang*. — Ah ! la loupe du maire qui est fausse.

Tout le troisième rang. — Non ?

Le deuxième rang. — Si.

Un ou deux personnages du quatrième rang. — Qu'est-ce qu'il y a ? Qu'est-ce qu'il y a ?

Le troisième rang. — La loupe du maire est fausse.

Un du quatrième rang. — Quoi ? sa loupe ? Ah !

On se chuchote la nouvelle : « la loupe du maire est fausse... la loupe est fausse... c'est une fausse loupe ! » Chacun veut voir de plus près ; le premier rang, moins Van Putzeboum qui somnole et Étienne qui sait à quoi s'en tenir, se lève et s'avance jusqu'à la table du maire pour mieux examiner la fameuse loupe ; le deuxième rang s'est levé et se penche en avant. Aux autres rangs, quelques-uns montent sur leur banquette. Le maire soudain lève les yeux, voit tout ce monde qui l'environne, se soulève lentement, ce qui amène l'effet contraire chez tous les autres qui se recroquevillent sur eux-mêmes à mesure que le maire redresse la taille, et reculent ainsi jusqu'à leurs places.

Le Maire, *d'une voix forte*. — Enfin, quoi ? Qu'est-ce qu'il y a ?

Tous. — Rien !... Rien-rien !

Tout le monde s'est rassis, sauf le général qui reste debout.

Le Maire. — Qu'est-ce que vous avez ?

Le Général, *qui n'a rien compris*. — Il paraît qu'elle est fausse.

Le Maire. — Quoi ?

Le Général. — Je ne sais pas !

Il se rassied.

Le Maire, *à Mouilletu*. — Mais quelle noce ! mon Dieu, quelle noce !

Cornette, *augmentant le volume de sa voix sur la fin du contrat*. — « Avons prononcé publiquement que M. Joseph-Marcel Courbois et mademoiselle

Clémentine-Amélie Pochet sont unis par le mariage. »

Le Général. — Bravo !

Le Maire. — Chut ! (*À Pochet.*) Levez-vous ! (*Marcel, Pochet et Amélie se lèvent. Aux mariés.*) Asseyez-vous ! (*Tous trois s'asseyent. À Pochet.*) Non, levez-vous !

Amélie, Marcel et Pochet, *se levant.* — Ah !

Le Maire, *à Marcel et Amélie.* — Asseyez-vous ! (*Tous trois s'asseyent. À Pochet.*) Mais non, levez-vous !

    Tous trois se lèvent.

Marcel. — Enfin, quoi, est-ce qu'on se lève ou est-ce qu'on s'assied ?

Le Maire, *à Marcel.* — Je parle à M. Pochet ! Asseyez-vous !

Tous trois, *s'asseyant.* — Ah bon.

Le Maire, *à Pochet.* — Eh ben ? Pourquoi vous asseyez-vous ?

Pochet. — Non, pardon ! Vous venez de dire : « Je parle à M. Pochet ; asseyez-vous ! »

Le Maire. — Eh ben ! oui : « je parle à M. Pochet ; asseyez-vous, vous, les mariés ; et vous, monsieur Pochet, restez debout. »

Pochet. — Ah ! bon !

Marcel. — Eh ! ben ! on le dit !

Le Maire, *à Pochet.* — Monsieur Amédée Pochet !...

Pochet. — C'est moi !

Le Maire, *avec un soupir excédé.* — Oui, oh ! je le sais ! Vous consentez au mariage de votre fille Clémentine-Amélie Pochet avec M. Joseph-Marcel Courbois ?

Pochet. — Avec joie.

Le Maire, *lève les yeux au ciel, pousse un soupir, puis.* — Ne dites pas : « avec joie ».

Pochet. — Je le dis comme je le pense.

Le Maire. — C'est possible, mais on ne vous demande pas vos impressions intimes. Dites « oui » ou « non » !

POCHET. — Absolument.

LE MAIRE. — Mais, pas « absolument » ! Est-ce oui ou est-ce non ?

POCHET. — Mais oui, voyons ! puisqu'on est venu pour ça !

LE MAIRE, *excédé.* — Allons ! C'est bien ! je vais vous donner lecture...

À ce moment paraissent au fond Adonis et la petite qui sont accueillis par un « Ah ! » général qui coupe la parole au maire.

AMÉLIE, *à Adonis qui, précédé de la petite, traverse entre le premier et le deuxième rang de chaises.* — Eh bien ! ça y est ?...

ADONIS, *tout en regagnant sa place.* — Oui ! oh ! je la trouve mauvaise !

LE MAIRE, *essayant de parler.* — Je vais vous donner...

POCHET. — Elle aurait seulement dix ans de plus, il trouverait ça charmant.

LE MAIRE. — Je vais vous donner lecture...

BIBICHON, *descendant un peu en scène et blagueur.* — Moi, elle en aurait seulement cinq de plus !...

LE GÉNÉRAL, *riant.* — Oh ! Oh ! Oh !

Toutes ces répliques entre Amélie, Adonis, Pochet, Bibichon, le général, doivent s'échanger sans s'occuper des répliques du maire qui les piquera comme il pourra.

LE MAIRE, *avec un fort coup de poing sur la table.* — Quand vous aurez fini !

BIBICHON, *regagnant vivement sa place.* — Oh !

POCHET, *se levant et se tournant vers l'assistance.* — Voyons, mes enfants !... mes enfants !... On est à la *mairerie* !

LE MAIRE, *brusque et autoritaire.* — Il est temps de vous le rappeler !

POCHET, *à l'assistance.* — Là ; rappelez-le-vous... rapp... rappelez-vous-le-le...

LE MAIRE. — Voulez-vous vous taire !

POCHET, *martelant chaque syllabe.* — Rap-pe-lez-le-vous-le ! (*Au maire.*) Là, ça y est.

Le Maire. — Oui, eh, bien ! taisez-vous !

Pochet. — Oui.

Marcel. — Il est épatant, Toto Béjard ! un naturel ! une autorité !

Le Maire. — Je vais vous donner lecture des articles du code concernant les droits et devoirs respectifs des époux.

Pochet, *se levant à moitié et se tournant vers l'assistance.* — Écoutez ça, mes enfants !

Le Maire, *sans beaucoup de voix.* — Silence !

Pochet, *qui déjà faisait mine de se rasseoir, se levant.* — Silence !

Le Maire, *plus fort à Pochet.* — Silence !

Pochet, *au maire.* — C'est ce que je leur dis : (*À l'assistance.*) Silence !

Le Maire. — Vous !

Pochet. — Ah ? moi ! (*À lui-même en s'asseyant.*) Silence !

Van Putzeboum. — Quelle claquette [1], le père donc !

Le Maire, *lisant les articles du code.* — « Article 212 : les époux se doivent mutuellement assistance, secours, fidélité. — Article 213 : le mari doit protection à sa femme, la femme obéissance à son mari. — Article 214 : la femme est obligée d'habiter avec le mari et de le suivre partout où il juge à propos de résider ; le mari est obligé de la recevoir et de lui fournir tout ce qui est nécessaire pour les besoins de la vie selon ses facultés et son état. — Article 226... »

Mouilletu, *au moment où le maire dit :* « *Article 213...* » *et pendant qu'il continue à lire les articles du code, présentant un plateau d'argent à la petite fille.* — Ma petite demoiselle, si vous voulez bien ?...

Adonis. — Ah ! autre averse : faut faire quêter la gosse.

_____

1. La *claquette* est une sorte de crécelle : par métaphore, le mot désigne un bavard.

Adonis et la petite qui lui donne le bras suivent Mouil-
letu qui les mène jusqu'au général ; commence la quête
qui se continue en redescendant jusqu'à Van Putzeboum.

MOUILLETU, *répétant le même refrain en sourdine*
chaque fois qu'on présente le plateau à un nouveau
personnage. — Pour les pauvres de l'arrondissement !... Pour les pauvres de l'arrondissement !

Au moment où le maire prononce : « Article 226... », la
petite fille qui a fini de quêter au premier rang et s'apprête
à passer au second, s'attrape le pied dans le pied de la
chaise de Van Putzeboum et s'étale par terre avec le pla-
teau et la monnaie qui s'éparpille de tous côtés.

ADONIS. — Allons bon !

MÉLANGE DE VOIX. — Qu'est-ce qu'il y a ? Qu'est-ce
que c'est ?...

LE MAIRE, *essayant de dominer le tumulte de la*
voix. — « Article 226 : la femme ne peut pas tester
sans l'autorisation de son mari. »

Presque à la fois et sur la lecture du maire.

ADONIS. — C'est la môme qui s'a fichue par terre.

AMÉLIE, *qui est descendue aussitôt.* — Alors tu ne
peux pas la tenir, non ? (*À la petite.*) Tu n'as pas
bobo ?

YVONNE. — Tu ne t'es pas fait mal ?

LA PETITE, *qu'on a relevée.* — Non, non !

LE MAIRE, *frappant plusieurs fois sur la table pour*
tâcher d'obtenir le silence. — Enfin, messieurs, mesdames !...

ADONIS, *sans écouter les rappels du maire.* — Naturellement ! Elle ne regarde pas où elle marche ! (*À la*
petite.) Tu ne peux pas regarder où tu marches ?...

Pendant ce temps on récolte les pièces, qu'on remet sur
le plateau.

LE MAIRE, *furieux.* — Ah çà ! qu'est-ce qu'il y a, à
la fin ?

ADONIS, *en retournant avec la petite à sa*
place. — C'est la gosse qui s'a répandue avec le plateau et la galette.

LE MAIRE, *sévèrement.* — Ce n'est pas une raison
pour troubler la cérémonie !

ADONIS, *à la petite, tout en l'asseyant avec brusque-rie sur la banquette.* — Là ! tu vois ! tu troubles la cérémonie.

À ce moment, dans l'embrasure de la baie, on aperçoit dans l'atrium Irène qui vient discrètement assister à la cérémonie.

Scène 5

Les mêmes, IRÈNE

IRÈNE, *dans l'atrium, s'adressant à l'un des photo-graphes qui sort précisément à ce moment de scène.* — C'est bien ici la salle des mariages ?

LE PHOTOGRAPHE. — Oui, madame, c'est ici.

LE MAIRE, *imposant silence à Marcel et Amélie qui, devant sa table, lui expliquent ce qui s'est passé.* — Enfin, voyons ! y êtes-vous ?

MARCEL et AMÉLIE, *regagnant vivement leurs places.* — Voilà, monsieur le maire ! Voilà !

LE MAIRE. — Monsieur Marcel Courbois !

MARCEL. — J'y suis, monsieur le maire !

AMÉLIE, *en reprenant sa place, apercevant Irène, au fond.* — Ah ! madame !

LE MAIRE. — Consentez-vous à prendre pour épouse...

AMÉLIE, *à Marcel.* — Dis donc ! madame, là-bas !

LE MAIRE. — Mademoiselle Clémentine.

MARCEL, *se tournant du côté indiqué.* — Qui ?... Irène !...

LE MAIRE. — Amélie.

AMÉLIE. — Oui !

LE MAIRE. — Pochet ?

MARCEL, *dos au maire, à pleine voix, en joignant les mains de surprise à la vue d'Irène.* — Non ?

Tous, *tandis que Marcel et Amélie envoient des « bonjour » de la tête à Irène.* — Hein !

Le Maire, *se méprenant sur la réponse de Marcel.* — Comment « non » !

Marcel, *se retournant à l'exclamation du maire.* — Quoi ? Ah ! ça !... mais naturellement, voyons...

Le Maire. — Quoi « naturellement » ? Vous consentez, oui ou non ?

Marcel. — Mais oui ! (*Faisant des petits bonjours à Irène qui les lui rend.*) Bonjour... Bonjour !...

Le Maire. — Mademoiselle Clémentine-Amélie Pochet !

Amélie, *à Marcel, sans entendre qu'on s'adresse à elle.* — C'est gentil à elle d'être venue.

Elle fait des sourires et des petits saluts de la tête à Irène.

Le Maire, *répétant en voyant qu'Amélie ne l'écoute pas.* — Mademoiselle Clémentine !... Clémentine ! Amélie !... Mademoiselle Pochet !

Pochet, *à sa fille, la rappelant à la situation.* — Amélie !

Amélie. — Voilà ! voilà !

Le Maire, *à Mouilletu.* — Mais qu'est-ce que c'est que ces gens-là ?

Pochet. — Fais donc attention à ce que tu fais !

Amélie. — Oui, oui. (*À mi-voix à Pochet.*) C'est parce qu'il y a madame au fond, madame de Prémilly !

Pochet. — Madame ? Non ? Madame est là ?... Ah ! tiens, oui ! (*Avec force courbettes adressées à Irène mais entre chair et cuir.*) Ah ! Madame !... Bonjour, madame !

Pochet, Amélie et Marcel ne sont occupés que d'Irène.

Le Maire. — Enfin, mademoiselle Pochet, est-ce pour aujourd'hui ?

Amélie. — Voilà, voilà, monsieur le maire !... (*Indiquant de la tête Irène qui est allée s'asseoir en tête, côté public, de la dernière banquette.*) C'est parce qu'il y a madame...

LE MAIRE, *lui coupant la parole*. — Oui, bon !
(*Changement de ton*.) Mademoiselle Clémentine-
Amélie Pochet... consentez-vous à prendre, pour
époux, M. Marcel Courbois ?

AMÉLIE. — Mais ça va de soi !

LE MAIRE. — En voilà une réponse !

AMÉLIE. — Pardon !... Oui ! monsieur le maire !
Oui.

LE MAIRE. — Au nom de la loi !... Je déclare
M. Joseph-Marcel Courbois et mademoiselle Clémentine-Amélie Pochet, unis par le mariage.

LE GÉNÉRAL, *à pleine voix*. — Bravo !

TOUTE LA BANDE, *entraînée par le bravo du général*. — Bravo !

LE MAIRE, *frappant sur la table et avec énergie*. — Messieurs ! Messieurs ! nous ne sommes pas
ici au spectacle !

ÉTIENNE, *se levant et à part, avec une joie mal
contenue*. — Ouf, ça y est !

MARCEL. — Qu'est-ce que tu dis ?

ÉTIENNE, *affectant l'indifférence*. — Hein ? Rien ;
je dis : « Ça y est ! »

MARCEL. — Ah ! oui, ça y est ! (*À Amélie*.) Ça y
est ! (*À Irène de loin, — à voix basse mais poussée —
en agitant en l'air son chapeau comme un tambour de
basque*.) Ça y est !

Irène fait en souriant signe que oui.

MOUILLETU. — Si vous voulez venir signer l'acte,
monsieur et madame les mariés ? Messieurs les
parents ?... Messieurs les témoins ?

*Tout le premier rang se lève et va signer à la table de
Cornette, sauf Pochet et Amélie qui vont à la table de
Mouilletu. Adonis va s'asseoir à la place de Van Putzeboum et la petite grimpe sur les genoux de Palmyre
assise sur la première chaise du second rang.*

LE MAIRE, *indiquant l'endroit où, sur le registre,
doit signer Amélie*. — Si vous voulez signer là...
(*Avec intention*.) mademoiselle ! (*Après qu'Amélie a
signé*.) Merci... madame ! (*Pendant qu'Amélie*

remonte pour signer sur l'autre registre, et se croise
avec Marcel qui vient de signer au fond, Pochet signe
sur le registre de Mouilletu, et, cédant la plume à
Marcel, remonte à son tour. Le maire, se penchant vers
Marcel pendant que celui-ci signe.) Ils ne sont guère
raisonnables, monsieur le marié, vos amis.

MARCEL, *tout en signant*. — Excusez-les ! Ils ne
savent pas garder comme vous leur sérieux.

LE MAIRE. — Comment ?

MARCEL, *tout en reculant vers son fau-*
teuil. — Admirable, monsieur Toto ! Admirable !

À ce moment, Van Putzeboum, venant de signer au
fond, passe entre lui et la table du maire pour aller à la
table de Mouilletu.

LE MAIRE. — Quoi ! quoi, Toto ?

MARCEL, *un doigt sur la bouche*. — Chut ! (*Indi-*
quant Van Putzeboum en train de signer, et à voix
basse.) Le parrain ! le parrain, là ! Chut !

LE MAIRE, *à haute voix*. — Je ne comprends pas
ce que vous dites.

MARCEL, *sur les charbons*. — Oui, bon, ça va bien !

LE MAIRE, *insistant bien*. — Quoi ? « le parrain ! le
parrain ! »

VAN PUTZEBOUM, *dont l'attention est attirée par cette*
apostrophe. — Comment ?

MARCEL, *attrapant de la main gauche Van Putze-*
boum par le bras et l'envoyant à sa droite. — Mais
rien ! mais rien du tout !

LE MAIRE, *à part*. — C'est des mariés de Charenton, positivement !

MARCEL, *à Étienne, qui revient de signer*. — Quelle
rosse, ton Toto Béjard ! il s'amuse à me faire marcher.

ÉTIENNE, *sans se déconcerter*. — Je te l'ai dit : c'est
un blagueur à froid.

MOUILLETU, *après les signatures, aux*
mariés. — Messieurs les mariés, si vous voulez
avancer pour recevoir les compliments de M. le
Maire.

Tout le monde a repris sa place. Adonis et la petite se précipitent à leur place ; Marcel et Amélie, seuls debout, s'avancent devant la table du maire.

LE MAIRE. — Monsieur et madame Courbois !...

MARCEL, *se penchant vers le maire et vivement à mi-voix.* — Pas de blagues, hein ?

LE MAIRE, *interloqué et à haute voix.* — Quoi ?

MARCEL. — Non, non, rien ! Ça va bien !

LE MAIRE, *le considère un instant, lève les yeux au ciel en poussant un soupir, puis reprenant.* — Monsieur et madame Courbois ! Bien que peut-être je n'aie pu trouver chez vous... (*Appuyant sur les mots.*) et vos amis...

MURMURES DANS L'ASSISTANCE. — Quoi ?

LE MAIRE, *encore plus appuyé.* —... la gravité que j'étais en droit d'attendre au cours de cette cérémonie...

MURMURES DANS L'ASSISTANCE. — Oh !

LE MAIRE. —... cela ne m'empêche pas de me conformer aux usages. Et, vous épargnant tout long discours, je viens vous prier, monsieur et madame Courbois...

LE GÉNÉRAL. — Bravo !

LE MAIRE, *jette un regard sévère vers le général, puis.* — ... d'agréer simplement les vœux sincères que le maire forme pour votre bonheur.

TOUS. — Bravo !

AMÉLIE. — Je vous remercie bien, monsieur le maire.

MARCEL. — Moi de même ! croyez bien que... (*Se penchant et à mi-voix.*) Non mais... tout à l'heure, je vous disais : « C'est le parrain ! » parce que c'est à lui qu'on fait la blague.

LE MAIRE, *opinant du bonnet sans comprendre.* — Oui, oui ! (*Après un temps.*) Quelle blague ?

MARCEL, *lui envoyant un coup de chapeau dans l'estomac.* — Ah ! farceur, va !

LE MAIRE, *estomaqué.* — Hein !

Marcel. — En tout cas, très bien joué ! Admirable cabotin !

Il regagne sa place en riant.

Le Maire. — Quoi !

Amélie, *grimpant à moitié sur l'estrade.* — C'est comme la loupe, là !... Ah ! c' qu'elle est rigolo !

Sur ces derniers mots, entre ses doigts qu'elle crispe, d'un geste rapide, elle fait mine de saisir la loupe du maire et vivement va rejoindre sa place.

Le Maire, *furieux.* — Ah ! mais dites donc, madame ! (*À part, exaspéré.*) Ah ! mais ils m'embêtent, les mariés ! (*Avec humeur, à l'assistance.*) Messieurs, mesdames, bonsoir !

Suivi de Cornette, il regagne son cabinet, légèrement conspué par l'assistance en mal de joie.

Mouilletu, *sortant de sa place et gagnant un peu vers les mariés.* — Messieurs, mesdames, la cérémonie est terminée ; si vous voulez vous ranger là, pour le défilé des invités.

Tout le monde se lève ; l'orchestre attaque la marche nuptiale de Mendelssohn.

Marcel. — Viens, Amélie ! prends garde à la traîne !

Amélie. — C'est à papa qu'il faut dire ça. (*À Pochet.*) Papa, ne me marche pas dessus !

Pochet. — A pas peur ! je prends mes distances.

Marcel se place (2) devant la première chaise du second rang. Amélie prend le nº 1 à sa droite. On commence à défiler devant eux ; Pochet d'abord, puis Virginie, qui, après avoir embrassé les mariés, vont se placer à leur suite pour recevoir les félicitations à leur tour ; passent ensuite Adonis et la petite.

Amélie, *après avoir embrassé la petite, à Adonis.* — Prends bien soin de la petite ! Si elle a besoin de quelque chose...

Adonis. — Ah ! non, merci. Je sors d'en prendre.

Continuation du défilé ; passent Van Putzeboum, Étienne, le général et Bibichon. Pendant ce temps-là, les invités des autres rangs sont remontés vers le fond pour

*redescendre par la droite et passer devant les mariés et les
parents. Après quoi, ils remontent par l'extrême gauche
pour gagner l'atrium par la baie. Mouilletu, à droite, fait le
service d'ordre. Chacun, en passant, fait un compliment
au marié, à la mariée ; les uns leur serrent la main,
d'autres les embrassent. On entend des :* « Ah ! tous mes
vœux, mon cher !... Eh bien, dis donc, tu ne t'embêtes
pas !... Mon chou, tu as été épatante !... Rends-la heureuse !... Quelle robe, ma chère, c'est un rêve ! » *et tout le
temps le refrain de Pochet à chaque invité :* « Vous venez
au linche, hein ? c'est chez Gilet ; vous venez au linche ? »
*Ce défilé ne doit pas s'exécuter trop vite — on a le temps.
— Le dialogue en est laissé à la fantaisie des interprètes.
Tous les invités ont peu à peu gagné l'atrium, sauf Étienne
qui, après être remonté comme tout le monde par le fond
gauche, fait le tour par le fond et revient se placer contre le
manteau d'arlequin droit.*

Scène 6

Pochet (1), Amélie (2), Marcel (3), Irène (4),
Étienne (5), Mouilletu (au fond, rangeant les
registres), puis Van Putzeboum

Irène, *qui arrive la dernière, à la suite du
défilé.* — Bonjour, Marcel !

Marcel. — Ah ! te voilà !

Irène. — Oui, j'ai voulu voir ça.

Amélie. — Bonjour, madame !... Madame va
bien ? (*À son père.*) Papa, madame !

Pochet, *passant dos au public avec force courbettes
à l'adresse d'Irène ; cela l'amène au 3.* — Madame,
oui... oui... j'ai aperçu tout à l'heure... Et madame
vient au linche, oui ?

IRÈNE. — Merci, Pochet ! Non ! vraiment !

POCHET. — Oh ! chez Gilet, madame ! Madame ne me refusera pas !... Ne serait-ce qu'un doigt de madère et un guillout [1].

IRÈNE. — Merci, Pochet ! Non, vraiment !

POCHET, *passant devant elle avec force courbettes, dos au public, ce qui le porte au 4.* — Oh ! je suis contristé ! je suis contristé !

IRÈNE. — Je suis désolée, mon pauvre Pochet.

MARCEL, *passant son bras autour de celui d'Amélie.* — Et tu as vu, hein ? Quand on nous a unis ?

IRÈNE. — Oui, je suis arrivée pour ça ; ça m'a semblé tout drôle !

MARCEL. — C'était rigolo, en effet.

IRÈNE. — Eh ! bien, ça a réussi ! le parrain a marché ?

MARCEL. — Et comment !

POCHET. — Ce qu'il a pu donner dans le *piano* !

IRÈNE. — Alors, plus d'ennuis ? Plus d'embêtements ?

MARCEL, *avec chaleur.* — Plus d'ennuis ! plus d'embêtements ! (*Rire sardonique d'Étienne dans son coin. — Riant à son exemple.*) Ah ! qu'est-ce qu'il a à rire, celui-là ?

IRÈNE. — Te voilà riche.

MARCEL. — Oh ! ma Rérène !

Il veut l'embrasser.

IRÈNE, *reculant.* — Oh !

MARCEL. — Eh ! ben, quoi ? C'est le mariage !

IRÈNE. — Au fait ! c'est vrai !

Elle se laisse embrasser par Marcel.

AMÉLIE, *voyant Van Putzeboum qui arrive par la baie, à Marcel.* — Attention ! le parrain !

MARCEL. — Oh !

Ils se dégagent.

IRÈNE, *bas à Marcel en le quittant.* — Je t'attends dans l'atrium. (*Elle remonte par la droite, traverse le fond et sort par la baie.*)

―――――――

1. Marque de biscuit aujourd'hui disparue.

Van Putzeboum, *qui est descendu près du groupe et suit le départ d'Irène des yeux. Une fois sa sortie, passant, dos au public, jusqu'à Marcel.* — Qu'est-ce que ça est donc ?

Marcel. — Rien ! rien ! une parente de province !

Pochet. — Sa sœur de lait.

Van Putzeboum. — Ouye ! je te félicite ! on fait ça bien en province.

Marcel. — N'est-ce pas ?

Van Putzeboum. — Mais c'est pas tout, ça, filske, maintenant que le monde est parti, je te fais une fois aussi mes compliments.

Marcel et Amélie. — Oh ! parrain... merci !

Pochet. — Vous venez au linche, naturellement.

Van Putzeboum, *allant à Pochet.* — Ça, tu penses que je vais ! et les mariés aussi, hein donc ! vous venez, hé ?

Marcel. — Oh ! non, non, les mariés ils ne paraî-tront pas au lunch ; ils vont chez eux... Vous devez comprendre, n'est-ce pas... ?

Van Putzeboum, *malicieux.* — Oui, oui, je comprends. Alleï ! Alleï ! Mais avant, ça tu permets, une bise, hein ?

Marcel, *le faisant passer au 2 en le poussant vers Amélie.* — Oh !... Bisez, parrain ! bisez !

Pochet. — Y a pas ! c'est une incontinence chez lui !

Mouilletu, *venant du fond droit et descendant (4), à Marcel.* — Voici votre livret de mariage.

Marcel, *interloqué.* — Mon liv... (*Agitant son livret à proximité de son visage et dans la direction d'Étienne en manière de menace comique.*) Ah ! ce mâtin d'Ét... (*À Mouilletu.*) Merci, mon ami !

Il lui met une pièce dans la main.

Mouilletu. — Merci, monsieur ! tous mes vœux !

Il remonte.

Marcel. — Le livret de mariage ! (*Dans la direction d'Étienne.*) Ce mâtin d'Étienne, il a pensé à tout !

Étienne, *sur un ton qui en veut dire long.* — À tout.

Van Putzeboum, *qui s'est approché de Marcel, curieusement*. — À tout quoi ?

Marcel, *surpris*. — Hein ! À tout... à tout rien.

Il le fait passer (3) à sa gauche. À ce moment le général, arrivant du fond, descend (n° 1), tenant grand ouvert et prêt à jeter sur les épaules, le manteau d'Amélie.

Le Général. — Madame, si vous voulez... ?

Amélie. — Ah ! c'est juste ! (*À mi-voix à Marcel, tout en passant le manteau que lui tend le général.*) Eh bien, je file, moi, avec le général. Son Altesse m'attend.

Marcel. — Ah ! oui.

Amélie, *avec une révérence*. — Mon époux permet ?

Marcel. — Comment donc !

Amélie. — Nous sommes des mariés pas ordinaires ! (*Au général.*) Vous y êtes, général ?

Le Général. — Je suis à vos ordres.

Ils remontent vers le fond gauche.

Van Putzeboum, *les voyant partir et se dirigeant vers eux en traversant la scène par-devant*. — Hein ? Eh bien, quoi ? Vous partez ?

Amélie, *tout en partant*. — Oui, oui !

Marcel, *qui est remonté à la suite d'Amélie*. — Oui, en avant ! en avant ! Je dois aller la rejoindre.

Van Putzeboum, *qui est arrivé ainsi au fond*. — Ah ! bon ! Alors, je vais aller chercher mon paletot, moi ! Maintenant que tu as rempli la condition, je vais à l'hôtel et je t'apporte ton chèque.

Marcel, *le poussant machinalement dehors*. — C'est ça ! c'est ça !

Pochet, *qui pendant ce qui précède est remonté par la droite et a gagné la gauche par le fond*. — Ah ! bien, tout le monde file, je file aussi.

Marcel, *même jeu*. — C'est ça ! C'est ça !

Sort Van Putzeboum.

Pochet. — Chez Gilet, hein ? On se retrouve chez Gilet.

MARCEL. — Chez Gilet, c'est ça ! Moi j'y vais pas !
mais bon appétit !

POCHET. — Merci.

   Il sort.

Scène 7

MARCEL, ÉTIENNE, puis LE MAIRE, puis IRÈNE, puis
VAN PUTZEBOUM, BIBICHON, MOUILLETU, et une
partie de la noce

   *Tandis qu'Étienne a gagné légèrement à gauche (devant
la scène), à peu près à l'extrémité de la banquette des
enfants d'honneur, Marcel redescend un peu et s'arrête à
hauteur du milieu de la dernière banquette, s'accroupis-
sant légèrement sur les genoux, les mains appuyées sur les
cuisses, regardant Étienne avec malice.*

MARCEL. — Éhé !

ÉTIENNE, *lui donnant la réplique de son
côté.* — Éhé !

MARCEL, *même jeu.* — Ça y est !

ÉTIENNE, *même jeu.* — Ça y est* !

MARCEL et ÉTIENNE, *riant tous les deux comme
deux complices.* — Eh ! eh ! eh ! eh ! eh ! eh ! eh !

---

   * Ne sachant comment donner l'intonation exacte de ces inter-
jections, nous avons pris le parti de la noter musicalement :

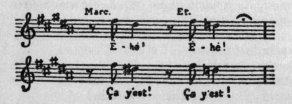

MARCEL, *retirant son chapeau qu'il a gardé sur la tête et le déposant sur la dernière banquette, tout en s'élançant radieux vers Étienne.* — Ah ! Merci, mon bon Étienne ! Merci !

ÉTIENNE. — Tu es content, hein ?

MARCEL. — Si je le suis ! Ah !... Non, mais crois-tu, hein ? Crois-tu que ça a pris !

ÉTIENNE, *froidement ironique.* — Oui, hein !

MARCEL. — Ce qu'il a marché, le parrain ! Ah ! la bonne farce ! la bonne farce !

Il accompagne chaque « bonne farce ! » d'une forte tape dans le dos d'Étienne, à la hauteur de la naissance de l'épaule.

ÉTIENNE, *à son tour, même jeu que Marcel.* — Oh ! oui, la bonne farce ! la bonne farce !... Et meilleure encore que tu ne l'imagines.

MARCEL, *même jeu que précédemment.* — Oh ! non ! (*Tape.*) Oh ! non ! (*Tape.*)

ÉTIENNE, *même jeu que Marcel.* — Oh ! si ! Oh ! si !

ÉTIENNE et MARCEL, *face à face, se riant mutuellement dans le nez.* — Hé ! hé ! hé ! hé ! hé ! hé ! hé !

MARCEL. — Il ne peut y avoir une meilleure farce que d'avoir fait croire au parrain que ce mariage était vrai.

ÉTIENNE. — Si ! si !... Il peut y en avoir une meilleure encore !

MARCEL, *même jeu que précédemment.* — Oh ! non ! Oh ! non !

ÉTIENNE, *même jeu que précédemment.* — Oh ! si ! Oh ! si !

ÉTIENNE et MARCEL, *riant.* — Hé ! hé ! hé ! hé ! hé ! hé ! hé !

ÉTIENNE. — C'est de t'avoir fait croire à toi que ce mariage était faux.

MARCEL, *ne comprenant pas et riant encore à moitié.* — Oui !... Euh ! quoi ?

ÉTIENNE. — Tu as cru que c'était une blague ? Eh bien ! il est vrai, mon vieux ! il est vrai !

MARCEL, *devenant anxieux.* — Hein !

ÉTIENNE. — Ah ! tu m'as pris ma maîtresse ! Ah ! tu as couché avec elle !

MARCEL. — Comment ! tu sais ?

ÉTIENNE. — Oui, je sais !

MARCEL, *ne pouvant réprimer un geste nerveux.* — Ouche !

ÉTIENNE. — Eh bien, mon vieux, couche encore si tu veux ! Tu n'as plus à te gêner ; c'est ta femme à présent ; tu es marié avec elle !

MARCEL, *lui sautant à la gorge.* — Qu'est-ce que tu dis ?

ÉTIENNE, *qui a esquivé le coup en se baissant brusquement et en passant sous les bras tendus de Marcel.* — Bonsoir ! Bien du plaisir... (*Arrivé presque à la baie.*) Occupe-toi d'Amélie !

MARCEL, *affolé, se précipitant à sa suite.* — Étienne ! Étienne !

ÉTIENNE, *dans l'embrasure de la baie, d'une voix lointaine.* — Occupe-toi d'Amélie !

Il disparaît.

MARCEL, *titubant comme un homme ivre.* — Étienne ! Étienne ! voyons ! (*Voyant le maire qui, son chapeau sur la tête, sort de chez lui en mettant ses gants.*) Ah ! Toto Béjard ! (*Se précipitant vers lui.*) Venez ici, vous ! Vite, venez !

Il le saisit au collet.

LE MAIRE, *ahuri.* — Hein !

MARCEL, *le secouant.* — Qu'est-ce qu'il y a de vrai là-dedans !

LE MAIRE, *se dégageant.* — Quoi ! quoi ! qu'est-ce qui vous prend encore ?

MARCEL. — Dans mon mariage ? Est-ce vrai ? Est-ce vrai, que j'ai épousé Amélie ?

LE MAIRE. — Comment, si c'est vrai ! Mais naturellement que c'est vrai !

MARCEL. — Qu'est-ce que vous dites !

LE MAIRE. — Qu'est-ce que vous croyez donc que vous venez de faire, alors ?

MARCEL. — Moi, moi, j'ai épousé... ! mais je ne veux pas ! je veux divorcer !

Le Maire, *passant devant lui comme pour s'en aller*. — Mais ce n'est pas mon affaire.

Marcel(2), *le rattrapant par le pan de sa redingote et le ramenant à lui*. — Vous n'êtes donc pas Toto Béjard ?

Le Maire. — Moi !... (*Bien net*.) Je suis le maire de l'arrondissement !...

Marcel, *se trouvant mal*. — Le maire de l'arr... ah ! ah !

Il se laisse tomber en avant ; le maire n'a que le temps de le rattraper dans ses bras.

Le Maire. — Hein ! Eh ! bien, voyons ! Voyons !

Irène, *arrivant du fond gauche*. — Eh bien, mon ami... C'est comme ça que... ?

Marcel(3), *hagard*. — Irène ! Je suis marié à Amélie !

Irène(1), *bondissant*. — Qu'est-ce que vous dites ?

Le Maire, *à Marcel toujours effondré contre sa poitrine*. — Allons, monsieur... !

Marcel. — Étienne a abusé de ma confiance. Je suis marié à Amélie d'Avranches !

Irène. — Vous êtes... ! Ah ! Ah !

Elle s'affaisse dans les bras du maire.

Le Maire, *un personnage dans chaque bras*. — Ah ! mon Dieu ! elle aussi ! (*Appelant*.) Au secours ! Du monde ! Mouilletu ! Cornette ! Au secours !

Aux appels du maire, aux cris de pâmoison des deux amants, tout le monde accourt de tous côtés.

Tous, *arrivant*. — Qu'est-ce qu'il y a ? Qu'est-ce qu'il y a ?

Marcel, *aux abois*. — J'ai épousé Amélie !

Tous. — Hein !

Marcel, *même jeu*. — J'ai épousé Amélie d'Avranches.

Bibichon(1). — Qu'est-ce que tu dis ?

Van Putzeboum, *qui est accouru par le fond et descendu par la droite*. — Mais qu'est-ce que ça est donc, filske ?

MARCEL, *passant son bras autour du cou de Van Putzeboum et d'une voix désespérée.* — Ah ! mon parrain !... J'ai épousé Amélie d'Avranches !

VAN PUTZEBOUM. — Eh ! bien, quoi ? Ça je sais bien. Godferdom !

BIBICHON. — Nom d'un chien ! et moi qui ai signé Bibichon !

Pendant que le rideau tombe, Marcel répète lamentablement :

« J'ai épousé Amélie d'Avranches ! »

Fin du premier tableau du troisième acte

ACTE DE MARIAGE

L'an mil neuf cent huit et le cinq mai, à trois heures du soir, devant nous, maire du huitième arrondissement de Paris, ont comparu en cette mairie pour être unis par le mariage : d'une part, monsieur Marcel Courbois, né à Paris le 6 avril 1879, rentier demeurant 27, rue Cambon, célibataire, fils majeur légitime de feu Joseph Courbois, banquier, et de dame Caroline-Émilienne Toupet, son épouse, également décédée ; et d'autre part, mademoiselle Clémentine-Amélie Pochet, née à Paris le 20 mars 1886, demeurant à Paris, 120, rue de Rivoli, fille majeure d'Auguste-Amédée Pochet, âgé de cinquante-quatre ans, ancien brigadier de la paix, même domicile, et de feu Marie-Thérèse Laloyau, son épouse. Le père à ce présent et consentant ; après avoir reçu des contractants, l'un après l'autre, la déclaration qu'ils veulent se prendre pour époux, avons prononcé publiquement au nom de la loi que monsieur Marcel Courbois et mademoiselle Clémentine-Amélie Pochet sont unis par le mariage.

DEUXIÈME TABLEAU

LA CHAMBRE À COUCHER D'AMÉLIE

Au premier plan à droite, lit de milieu très élégant. À la tête du lit, côté public, petit meuble tenant lieu de table de nuit. Au pied du lit, et adossé contre, un petit canapé. Toujours à droite, en pan coupé, fenêtre. À gauche, premier plan, porte d'entrée générale. Une chaise entre le manteau d'arlequin et la porte. Deuxième plan, en pan coupé, une cheminée surmontée de sa glace et de sa garniture.

Au fond, au milieu, porte donnant sur le cabinet de toilette d'Amélie. Contre le panneau du mur, à droite de cette porte, un canapé. Contre le panneau, à gauche de la porte, meuble d'appui. Restant du mobilier ad libitum. *Sur le pied du lit, une matinée à Amélie.*

Scène première

LE PRINCE, puis AMÉLIE et LE GÉNÉRAL

Au lever du rideau, le prince, en caleçon, arpente la scène avec impatience. Ses vêtements sont étendus sur le canapé près de la fenêtre. Le lit, sans être défait, témoigne, par un certain désordre, qu'on s'est couché dessus.

LE PRINCE, *après avoir arpenté une ou deux fois la scène avec une impatience visible, s'arrêtant soudain.* — Mais par Dieu, le père ! qu'est-ce qu'elle fait, voyons ? Qu'est-ce qu'elle fait ? On n'a donc pas idée de se marier si longtemps ! (*On sonne.*) Ah ! on a sonné !... C'est peut-être !... Oui, c'est elle ! (*Il va au-devant d'Amélie et s'arrête, étonné, en voyant paraître le général tout seul.*) Eh bien ! quoi ?

Le Général (1), *le chapeau à la main, faisant de sa main libre le salut militaire à la façon slave.* — Voici la mariée, monseigneur.

Le Prince. — Enfin !

Le Général, *allant jusqu'à la porte de gauche et parlant à la cantonade.* — Mademoiselle d'Avranches, si vous voulez bien... ?

Il s'efface pour laisser passer.

Amélie, *entrant tout d'une traite.* — Monseigneur, je vous demande pardon, si... (*Petit cri étouffé de surprise.*) Ah !

Le Prince (3). — Quoi ?

Amélie (2). — Oh ! Rien... C'est la tenue de monseigneur qui... Je m'attendais si peu... !

Le Prince, *jetant un regard sur sa tenue.* — Ah !... Je me suis mis ainsi pour gagner du temps. (*Croyant tourner une galanterie.*) Quand on s'ennuie, il faut bien faire quelque chose !

Amélie, *ahurie.* — Ah ?

Le Prince. — Laisse-nous, Koschnadieff !

Koschnadieff. — Oui, monseigneur !

Salut militaire et sortie.

Amélie, *pudiquement.* — Oh ! Monseigneur, chez moi... Vous n'y pensez pas ! Votre Altesse devait venir me prendre... mais je ne croyais pas qu'elle avait l'intention, ici, de...

Le Prince, *brusque, mais bon enfant.* — Eh ! bien quoi ? Est-ce qu'on n'est pas très bien chez vous ? Tout votre monde est occupé ailleurs.

Amélie. — Je ne vous dis pas ! Mais les convenances !

Le Prince, *avec désinvolture.* — Eh ! nous ne sommes pas ici pour faire des convenances ! (*Avec lyrisme.*) Songez depuis les éternités que vous me faites languir ! (*Sans transition, bien terre à terre.*) Retirez votre robe !

Amélie, *interloquée.* — Hein !... Ah ?... déjà !

Le Prince, *goulûment.* — Le jour des noces, on est toujours pressé !...

Il tend les mains comme pour la saisir.

Amélie, *se dérobant par un léger écart du corps.* — Oh ! Monseigneur ! (*Pour faire diversion.*) Je vais défaire mon voile.

Elle remonte vers la cheminée et, pendant ce qui suit, retire son voile devant la glace.

Le Prince, *qui est remonté également, lui parlant presque dans le cou et avec emballement.* — Si vous saviez !... Si vous saviez avec quelle impatience je comptais les minutes ! J'ai essayé de dormir un peu, en vous attendant ; je me suis étendu sur votre lit...

Amélie, *avec un petit sursaut de surprise.* — Hein !... avec vos bottines ?

Le Prince, *interloqué par cette interruption, regarde ses pieds chaussés, puis le plus naturellement du monde.* — Avec ! Mais je n'ai pas pu... L'amour me tenait éveillé !

Amélie, *un peu railleuse.* — Ah ! bien aimable. (*Changeant de ton.*) Oh ! Ce que je suis décoiffée !

Le Prince, *lyrique et passionné.* — Vous êtes adorable ! Je voudrais vos cheveux sur vos épaules !

Amélie. — Hein ?

Le Prince, *avec une fougue toute sauvage.* — Comme une toison ! J'aime ça, moi ! promener ses pieds nus dans les cheveux épars de la femme aimée !

Amélie, *décrivant, dans une révérence légèrement ironique, un demi-cercle autour du prince.* — Quel raffinement !... Mais ça n'est guère encore la mode à Paris !

Elle descend jusqu'au pied du lit.

Le Prince, *voyant qu'elle essaie de dégrafer sa robe, s'élançant.* — Oh ! permettez que je vous aide ?

Amélie. — Volontiers, monseigneur, parce que toute seule !...

Le Prince, *dégrafant Amélie qui est debout face au*

lit. — Oui !... Oh ! cela est très suggestif !... Il me semble que je fais la nuit de noces.

AMÉLIE, *moqueuse.* — Par procuration.

LE PRINCE, *très talon rouge.* — Le droit du seigneur. (*Reprenant le dégrafage.*) Cela est très Louis quinzième ! (*Il se pique.*) Oh !

Il porte vivement son doigt piqué à ses lèvres.

AMÉLIE, *avec un sérieux comique, comme si elle lui apprenait quelque chose.* — C'est une épingle.

LE PRINCE, *s'inclinant.* — Je suis content de le savoir... (*Tout en dégrafant.*) Et ça s'est bien passé ? Oui ?...

AMÉLIE. — Quoi ?

LE PRINCE. — Le mariage... avec le logeur ?

AMÉLIE, *rieuse.* — Mais je vous ai déjà dit, monseigneur, qu'il n'était pas logeur !

LE PRINCE, *même jeu.* — Eh ! Oui, je le sais ! Mais quoi ? Je l'ai connu comme ! alors je l'ai ainsi dans la bouche !

AMÉLIE, *sur un ton blagueur.* — Ah ! si vous l'avez ainsi dans la bouche !

LE PRINCE. — Alors, dites-moi ! ça a bien réussi ?

AMÉLIE. — Quoi ?

LE PRINCE. — Le tour ?

Il prononce « tourr ».

AMÉLIE, *l'imitant.* — Le tourrr ?

LE PRINCE. — Oui !... Le parrain a donné dans... le godant [1]... comme on dit ici !...

AMÉLIE, *entièrement dégrafée, délacée, tendant ses bras au prince pour qu'il l'aide à les sortir des manches.* — Comme un seul homme !

LE PRINCE, *retournant les manches de la robe tout en parlant.* — Bravo ! je trouve ça très drôle ! Ce logeur... qui n'a pas de liste civile et qui trouve ce moyen !... J'adore les farces ; aussi j'ai été heureux de commander le général de service.

---

1. « Dans le panneau », dirait-on aujourd'hui. Le prince s'exprime dans un français du XVIIIᵉ siècle qu'il a appris en Russie. Le mot s'orthographie aussi *godan*.

AMÉLIE, *laissant tomber sa robe à terre.* — Oh ! qu'ça été aimable ! On a été très flatté.

LE PRINCE. — Oui ? (*Voyant la robe qui, à terre, forme un cercle autour des pieds d'Amélie, d'une voix bourrue.*) Sortez de là-dedans ! (*Amélie enjambe la robe et passe à gauche. Le prince, tout en ramassant la robe et la déposant sur le coin du canapé.*) Et il a été bien, oui ?

AMÉLIE. — Qui ?

LE PRINCE. — Le général ?

AMÉLIE. — Ah !... Oh ! combien !

LE PRINCE, *tout en arrangeant la robe sur le canapé.* — Ça ne m'étonne point ! Il est très décoratif ! Je ne sais pas ce qu'il donnerait à la guerre... mais dans un cortège !... (*Se retournant et apercevant Amélie en déshabillé, le dos à demi tourné de son côté, et les mains croisées pudiquement sur sa poitrine — en extase.*) Ah ! sainte Icône ! la Madone ! (*Les mains derrière le dos, il s'avance à pas de loup jusqu'à Amélie et, se penchant sur elle, l'embrasse dans le cou.*) Ah !

AMÉLIE, *sursautant.* — Oh ! Monseigneur ! vous me chatouillez !

LE PRINCE, *a comme un frisson de lubricité, puis.* — Vous aussi !

AMÉLIE, *étonnée, montrant les mains pour témoigner qu'elle ne l'a pas touché.* — Moi, monseigneur ?...

LE PRINCE, *très excité, le coude au corps, battant l'air avec sa main, à la façon des Slaves.* — Ah ! Tais-toi ! tais-toi !...

AMÉLIE, *moqueuse.* — Oh ! mais comment donc ! Monseigneur peut me tutoyer.

LE PRINCE, *l'enlaçant dans ses bras.* — Oh ! mon bébé ! Alors, quoi ?

Il l'embrasse dans le côté gauche du cou.

AMÉLIE, *pendant qu'il l'embrasse.* — Aha !... Voyez refrain !

On sonne.

LE PRINCE, *au bruit de la sonnette, relevant vivement la tête, sans lâcher Amélie.* — Hein ?

AMÉLIE, *l'oreille aux aguets.* — On a sonné.

LE PRINCE, *de même.* — Mais qu'est-ce que ?

AMÉLIE. — Je ne sais pas ! Oh ! mais la fille de cuisine est restée pour garder l'appartement ! Elle congédiera.

LE PRINCE. — Ah ! bon !... (*Se replongeant dans le cou d'Amélie.*) Oh ! mon béb... !

VOIX DE MARCEL. — Amélie ! Amélie !

LE PRINCE et AMÉLIE, *au moment où la porte s'ouvre, bien ensemble.* — On n'entre pas !

Ils s'écartent l'un de l'autre.

Scène 2

Les mêmes, MARCEL, toujours en habit, sans paletot,
le chapeau sur la tête

MARCEL (1), *entrant en trombe.* — Amélie ! Amélie !

AMÉLIE (2). — Hein ! toi !

LE PRINCE, *le reconnaissant.* — Ah ! le logeur !

MARCEL. — Quoi ?

LE PRINCE (3). — Eh bien ! vous êtes content ?

MARCEL. — Content ! Il demande si je suis content... (*À Amélie.*) Amélie ! Amélie ! une tuile !... une tuile de quatre étages.

AMÉLIE. — Une tuile de quatre étages ?

MARCEL. — Qui nous tombe sur la tête.

LE PRINCE. — Une tuile de quatre étages, ça ne se voit donc pas tous les jours.

MARCEL. — Ah ! si tu savais ?...

AMÉLIE. — Mais quoi ? Quoi ?

MARCEL. — Nous sommes mariés ! légitimement mariés !

LE PRINCE. — Hein ?

AMÉLIE. — Qu'est-ce que tu dis ?

MARCEL. — Toto Béjard, ce n'était pas Toto Béjard ! C'était le maire.

AMÉLIE. — Ah ! çà ! voyons ! tu veux rire ! Qu'est-ce que ça veut dire ?

MARCEL. — Ça veut dire qu'Étienne avait été mis au courant de notre malheureuse équipée !... qu'il a su que tous les deux, nous...

AMÉLIE. — Non ?

MARCEL. — Oui !

AMÉLIE. — Ah ! nom d'un chien !

MARCEL. — Et alors il s'est vengé, le salaud ! mon meilleur ami ! Il nous a mariés ! mariés pour de bon !

AMÉLIE, *n'en pouvant croire ses oreilles*. — Tous... tous les deux !

MARCEL. — Oui, tous les deux ! la cérémonie était vraie ! le maire était vrai ! Tout était vrai ! Je suis ton mari et tu es ma femme !

AMÉLIE, *la gorge serrée, comme si elle apprenait une catastrophe*. — Est-il possible ! Mais alors !... Alors je suis madame Courbois ?

MARCEL. — Mais oui !

AMÉLIE, *changeant brusquement de ton*. — Ah ! mon chéri ! mon chéri ! que c'est gentil !

Elle saute au cou de Marcel et l'embrasse.

MARCEL, *abruti*. — Qu'est-ce que tu dis !

LE PRINCE, *très gentleman*. — Ah ! monsieur, tous mes compliments et mes vœux de bonheur !

MARCEL. — Hein ?

AMÉLIE, *qui est n° 2, un peu au-dessus de Marcel, présentant ce dernier au prince*. — Mon mari. (*Regardant Marcel tendrement et se répétant à elle-même ce mot qui la ravit.*) Mon mari ! (*Présentant le prince.*) Son Altesse, le prince royal de Palestrie.

MARCEL, *les yeux hors des orbites*. — Quoi ?

LE PRINCE, *fait trois pas pour aller à lui, lui donne un cordial shake-hand, puis*. — Enchanté, monsieur !

Il remonte un peu.

MARCEL, *le regarde remonter, littéralement abruti, puis affirmatif, au public*. — Je deviens fou, moi !

AMÉLIE, *allant à Marcel*. — Oh ! tu verras ! tu verras quelle petite femme rangée, fidèle, popote, tu auras.

LE PRINCE, *qui est (2) au-dessus de Marcel, lui donnant une tape sur le gras du bras*. — Popote !

MARCEL. — Comment, « quelle petite... » !

AMÉLIE, *subitement pudique*. — Ah ! mais que vois-je ! Je suis là à demi-nue... Oh ! vraiment !...

Elle remonte jusqu'à la ruelle du lit prendre une matinée pour s'en revêtir.

LE PRINCE, *à Marcel, tout en se dirigeant vers Amélie*. — Vraiment ! Oh ! excusez-la, monsieur Amélie !

MARCEL. — Comment m'appelle-t-il ?

LE PRINCE, *à Amélie*. — Voulez-vous me permettre de vous aider à passer votre kimono ?

AMÉLIE, *passant sa matinée avec l'aide du prince*. — Volontiers, monseigneur... Merci ! (*Descendant n° 2.*) Et maintenant, monseigneur, vous ne pouvez rester davantage !

LE PRINCE, *ahuri*. — Quoi ?

AMÉLIE. — Je suis désolée, mais ma nouvelle situation !...

LE PRINCE, *n'en croyant pas ses oreilles*. — Hein ? Comment, mais !... mais je viens pour !...

D'un geste de la tête, il indique le lit.

AMÉLIE, *faisant un pas en arrière dans la direction de son mari et pour rappeler le prince aux convenances*. — Monseigneur !

LE PRINCE. — Ah ! mais, c'est très désagréable ! Ça ne me regarde pas si !... il était convenu que !...

AMÉLIE, *nouveau recul, très digne*. — Je vous en prie ! (*Posant sa main sur l'épaule de Marcel.*) Mon mari !

MARCEL, *baba*. — Ah !

LE PRINCE, *reste un instant interloqué, puis écartant les bras en s'inclinant*. — C'est juste !... Je vous fais mes excuses !... Il est évident que !... Croyez, monsieur, que, si je suis ici, ce n'est pas pour... pour... Oui !... (*À froid, il passe entre Amélie et Marcel, remonte jusqu'au meuble fond gauche sur lequel se trouvent son chapeau melon et ses gants, les prend ainsi que sa canne, met son chapeau sous son bras, sa canne sous l'autre, enfile rapidement ses gants, puis, prenant son chapeau à la main, s'avance jusqu'à Amélie devant laquelle il s'incline.)* Madame, je vous présente mes profonds respects !

AMÉLIE, *faisant la révérence.* — Monseigneur !

Le prince, oubliant qu'il est en caleçon, met son chapeau sur la tête et, la canne à la main, il se dirige vers la porte de sortie.

MARCEL, *qui est resté comme hypnotisé par la scène à laquelle il vient d'assister, barrant brusquement le chemin au prince.* — Mais non ! mais non ! *(Passant nº 2, tandis que le prince s'arrête.)* Non, mais est-ce que vous vous payez ma tête ? Est-ce que vous supposez que les choses vont en rester là ? Et que je vais accepter ce mariage ?

AMÉLIE. — Comment ! mais puisqu'il est fait !

MARCEL. — Mais ça m'est égal ! On le défera ! Je veux le divorce !

Le prince est allé déposer sa canne et ses gants, mais garde son chapeau qu'il conserve sur la tête jusqu'à la fin de la pièce.

AMÉLIE (3). — Le... le divorce ?

MARCEL. — Absolument !

AMÉLIE, *bien lentement, bien froidement, mais bien déterminée.* — Oh ! non !... Oh ! non-non-non-non-non !... Je suis contre le divorce !... Et papa aussi !

MARCEL. — C'est ça qui m'est égal ! J'ai été fourré dedans, le mariage est nul.

AMÉLIE. — T'as vu ça ?

MARCEL. — La loi est formelle ! Il n'y a pas d'union valable, si l'on n'est pas consentant.

AMÉLIE, *avec une logique implacable.* — Eh bien ?... Tu es consentant, puisque tu as répondu oui.

MARCEL. — C'est parce qu'on a abusé de ma crédulité !

AMÉLIE. — C'est possible ! Mais tu as répondu oui tout de même et ça y est, ça y est !

Marcel, *hors de lui.* — C'est trop fort !

Le Prince, *auquel Marcel tourne le dos, tout occupé qu'il est par sa discussion avec Amélie. Lui frappant légèrement sur l'épaule.* — Écoutez ! Je crois, mon pauvre logeur...

Marcel, *se retournant vers le prince.* — Ah ! et puis, vous, le prince, hein ? foutez-moi la paix ! (*Il remonte légèrement.*)

Le Prince, *avec un sursaut de dignité froissée.* — Hein ? Je suis le prince de Palestrie !

Marcel. — Oui ? Eh bien ! justement ! c'est pas ici ! (*Redescendant.*) Non ! Non ! Vous me voyez, moi, l'époux d'Amélie d'Avranches !

Amélie, *se montant.* — Ah ! mais dis donc, c'est parce que tu es mon mari que...

Marcel, *sans l'écouter.* — Une femme dont tout Paris connaît les amants !

Amélie. — Ah ! mais !...

Marcel. — Une femme que je trouve le jour même de ses noces en tête-à-tête avec le prince de Palestrie !

Le Prince. — En... en tout bien, tout honneur !

Marcel, *sachant ce qu'en vaut l'aune.* — Oui-oui ! Oui-oui ! Et c'est cette femme-là à qui je donnerais mon nom !

Amélie, *venant, dos au public, se camper sous le nez de Marcel.* — Ah ! et puis en voilà assez ! ou prends garde, ça ne se passera pas comme ça !

Elle passe nº 2.

Marcel. — Ah ? Non, ça ne se passera pas comme ça !

Amélie, *qui est un peu au-dessus du prince, lui posant sa main droite sur l'épaule gauche.* — Le prince est là, tu sais !

Le Prince, *qui ne se soucie pas d'avoir une affaire dans un pareil moment.* — Moi ?

Marcel. — Ah ! le prince est là ? Eh ben ! justement ! Je vais te le faire voir tout de suite, que ça ne se passera pas comme ça !... Je ne trouverai peut-être plus jamais une si belle occasion !...

En parlant, il remonte à la fenêtre qu'il ouvre d'un geste rapide.

LE PRINCE, *se précipitant vers lui suivi par Amélie.* — Quoi ? Quoi ?

AMÉLIE. — Qu'est-ce que tu fais ?

LE PRINCE, *le saisissant à bras-le-corps.* — Malheureux !

MARCEL, *cherchant à se dégager.* — Ah ! laissez-moi, vous !...

LE PRINCE, *le tenant toujours.* — Vous voulez vous jeter par la fenêtre ?

MARCEL, *même jeu.* — Eh ! non ! pas moi !

LE PRINCE, *reculant instinctivement.* — Hein ?

AMÉLIE. — Qui ?

LE PRINCE. — Nous ?

MARCEL, *dégagé de l'étreinte du prince.* — Non, ça !

En parlant, il a raflé sur le canapé les vêtements du prince et les flanque par la fenêtre.

LE PRINCE et AMÉLIE. — Ah !

Marcel, aussitôt, s'élance vers la porte de sortie, pendant que, par un mouvement en sens inverse, le prince se précipite à la fenêtre par où ses vêtements ont disparu.

LE PRINCE, *penché à la fenêtre.* — Mes vêtements ! Il a jeté mes vêtements par la fenêtre !

AMÉLIE, *courant après Marcel.* — Marcel ! Marcel !

LE PRINCE, *courant à la porte de gauche.* — Logeur ! eh ! logeur !

Quand tous deux arrivent à la porte, ils la trouvent fermée au verrou extérieurement.

AMÉLIE, *avec un geste de dépit.* — Il nous a enfermés !

Elle gagne la droite.

LE PRINCE, *descendant avant-scène gauche.* — Oser enfermer le prince de Palestrie !

AMÉLIE. — Oh ! l'animal !

LE PRINCE, *se précipitant vers le cabinet de toilette.* — Ah ! par là !

AMÉLIE. — Mais non ! c'est mon cabinet de toilette, il n'y a pas d'issue.

Le Prince. — Oh !... Un pareil lèse-majesté ! En Palestrie, il serait fouetté en place publique et envoyé aux galères.

Amélie. — Ah ! oui, mais en France !... sous Fallières !

Tout en parlant, elle s'est dirigée vers la fenêtre.

Le Prince. — Mais, par notre père ! je ne puis rester ici, séquestré et sans vêtements.

Amélie, *brusquement, apercevant Marcel par la fenêtre.* — Oh ! lui ! (*Appelant.*) Marcel !... Marcel !

Le Prince, *courant jusqu'à la ruelle du lit dans la direction de la fenêtre.* — Quoi ? Vous le voyez ?

Amélie. — Il entre en face, au commissariat de police.

Le Prince. — Chez le commissaire ?

Amélie. — Qu'est-ce qu'il manigance ?

Le Prince, *redescendant à gauche.* — Eh bien ! tant mieux. Qu'il l'amène, le commissaire ! je le ferai arrêter ! Se permettre d'enfermer le prince royal de Palestrie !

Amélie, *descendant devant le pied du lit.* — Ah ! mais prenez garde, monseigneur ! Songez que maintenant il est le mari.

Le Prince. — Mais quoi, alors ? C'est un guet-apens !

Il prononce « gué-à-pens ».

Amélie. — Il veut faire constater le flagrant délit, parbleu !

Le Prince. — Mais c'est terrible ! Cela va faire un scandale ! et dans ma situation !... vis-à-vis de mon gouvernement !...

Amélie, *se rapprochant du prince.* — Mais non ! mais non ! Il se blouse ! Pour faire constater un flagrant délit, il faut d'abord une requête au président du tribunal ; sans ordonnance, le commissaire se refusera à instrumenter.

Le Prince. — N'importe ! je ne veux pas rester prisonnier plus longtemps. Rien que pour ma dignité !... (*Ton brutal.*) Alors, quoi ? Il n'y a pas d'issue ?

AMÉLIE, *geste évasif, puis.* — Il n'y a que la fenêtre.

LE PRINCE, *fait une moue, puis.* — Merci ! un deuxième étage !

AMÉLIE. — Oh !... premier au-dessus de l'entresol.

LE PRINCE, *même jeu.* — À sauter, ça revient au même... et avec le pavé !...

AMÉLIE, *comme atténuatif.* — C'est du macadam.

LE PRINCE, *tourne les yeux de son côté, puis.* — Est-ce beaucoup préférable ?

AMÉLIE, *fait une moue, puis.* — Ça dépend des goûts.

LE PRINCE, *brusquement, saisi d'une inspiration.* — Savez-vous ! Vous devriez vous mettre à la fenêtre et faire des signes aux gens qui passent.

AMÉLIE, *se dérobant, avec une révérence.* — Merci !... Merci bien ! pour m'amener des histoires avec la préfecture !... Non, merci !

LE PRINCE, *à bout de ressources.* — Mais alors, quoi ?

AMÉLIE, *levant les bras.* — Ah ! « quoi, quoi » ? Il n'y a qu'à se résigner.

Elle s'assied sur le petit canapé du pied du lit.

LE PRINCE, *désemparé.* — Oh !

À ce moment, on entend un bruit de voix se rapprochant peu à peu de la porte de gauche.

AMÉLIE, *se dressant brusquement.* — Écoutez !

LE PRINCE, *l'oreille aux aguets.* — Qu'est-ce que ?

AMÉLIE. — C'est lui qui revient !

LE PRINCE. — Il revient !

AMÉLIE. — Et pas seul ! Il y a du monde avec lui.

LE PRINCE, *pivotant sur les talons.* — Oh !

Il se précipite dans le cabinet de toilette, dont il referme la porte sur lui. À peine est-il disparu qu'on entend un tour de clef dans la serrure, la porte s'ouvre et Marcel paraît.

Scène 3

Les mêmes, Marcel, le Commissaire

MARCEL. — Entrez ! monsieur le commissaire ! (*À Amélie.*) Ma chère amie, je suis désolé, mais !...

LE COMMISSAIRE, *parlant à la cantonade.* — Vous deux, gardez les issues !

Le commissaire paraît, le chapeau sur la tête, son écharpe à la main.

AMÉLIE (3) *au commissaire* (1). — Vous désirez, monsieur ?

LE COMMISSAIRE, *avec un sursaut de stupéfaction en se trouvant en face d'Amélie. Se découvrant.* — Une dame ! (*À Amélie.*) Excusez-moi, madame ! C'est monsieur, qui... (*À Marcel.*) Eh bien ! où est-il, votre cambrioleur ?

MARCEL. — Mon camb...

AMÉLIE, *lui coupant la parole.* — Quel cambrioleur ?

LE COMMISSAIRE. — Mais, je ne sais pas !... Monsieur m'avait dit !...

MARCEL. — Ah ! Je vous ai dit... je vous ai dit !... parce que si je ne vous avais pas dit, vous ne seriez pas venu ! Mais il n'y a ici qu'un cambrioleur, c'est celui de mon honneur.

LE COMMISSAIRE, *fronçant les sourcils.* — Quoi ?

MARCEL. — Veuillez constater, je vous prie, la présence ici de l'amant de madame, le jour même de ses noces.

Amélie hausse les épaules et gagne la droite devant le lit.

LE COMMISSAIRE. — Hein ?

MARCEL. — Constatez, monsieur : le lit défait ! la tenue de madame !... (*prenant en main sa robe de mariée sur le coin du canapé*)... et sa robe de mariée encore là, toute chaude ! (*Il repose la robe sur le pied du lit.*)

Le Commissaire, *déconcenancé et hési-*
tant. — C'est... vrai, madame ?

Marcel, *au-dessus du canapé.* — Oserez-vous
nier ?

Amélie. — Ah ! ma foi, tu as raison ! Autant le
divorce qu'un ménage dans ces conditions-là.
(*S'asseyant sur le canapé, une jambe sur l'autre et sur
un ton de bravade.*) Eh bien ! oui, monsieur ! c'est vrai.

Le commissaire s'incline en écartant les bras, devant
l'aveu.

Marcel, *triomphant.* — Enfin !

Le Commissaire. — Et... votre complice ?

Amélie, *indiquant d'un geste indifférent, par-dessus*
son épaule, le cabinet de toilette. — Là ! dans le cabinet
de toilette !... (*À part, avec désinvolture, pendant que le*
commissaire remonte vers le cabinet.) Après tout, avec
un prince !... (*Elle fait claquer sa langue.*)

Le Commissaire, *qui a remis son chapeau sur la tête,*
tout en remontant vers le cabinet de toilette. En pous-
sant la porte. — Sortez, monsieur ! nous savons que
vous êtes là.

Il redescend à gauche, tandis que Marcel s'écarte un peu
dans la ruelle non loin du pied du lit. — Un temps. —
Soudain venant de droite du cabinet de toilette, le prince
paraît, toujours dans la même tenue ; il a ramené les bords
de son chapeau sur son nez et pris les pans de sa cravate,
dans son chapeau pour en couvrir son visage ; il s'avance, la
tête penchée sur l'épaule droite.

Le Prince. — C'est bien ! me voici.

Marcel. — Constatez, je vous prie, le déshabillé de
monsieur !

Le Prince, *du tac au tac.* — Permettez !
C'est monsieur qui m'a jeté mes vêtements par la
fenêtre.

Le Commissaire, *presque sous le nez du prince et sur*
un ton brutal et cassant. — S'il les a jetés, c'est sans
doute que vous ne les aviez pas sur vous !... Votre
nom ?

Il redescend un peu à gauche.

Le Prince. — Impossible !... Je voyage incognito !

Le Commissaire, *croyant qu'on se moque de lui et sur le ton d'un homme qui ne supportera pas la plaisanterie.* — Quoi ?

Marcel. — Il suffit ! Monsieur est Son Altesse Royale le prince Nicolas de Palestrie !

Le Commissaire, *avec un sursaut en arrière.* — Hein ?

Instinctivement il se découvre.

Le Prince, *avec dépit.* — Ah ! maracache !

D'un geste d'humeur, il envoie son chapeau en arrière de sa tête, ce qui fait tomber sa cravate à sa place.

Marcel. — Constatez, monsieur le commissaire ! constatez !

Le Commissaire, *qui n'entend plus du tout de cette oreille, descendant à gauche.* — Oh ! non... Oh ! non-non !

Marcel, *ahuri.* — Quoi ?

Le Commissaire. — Non-non-non-non-non-non !... Une Altesse Royale ! merci ! l'immunité diplomatique !... Tu-tu-tu-tu ! je n'ai pas envie de créer des complications au gouvernement !

Marcel, *traversant la scène et allant au commissaire.* — Qu'est-ce que vous dites ?

Le Commissaire, *sans le toucher, l'écartant du geste.* — Oh ! Arrangez-vous ! Arrangez-vous ! Moi, ça ne me regarde pas.

Le Prince, *étonné lui-même de ce revirement, mais heureux d'approuver le commissaire.* — Absolument !

Marcel, *n'en croyant pas ses oreilles.* — Mais, monsieur le commissaire, je suis le mari offensé, et...

Le Commissaire. — Ah ! Qu'est-ce que vous voulez que je vous dise ? (*Avec la plus entière mauvaise foi.*) D'abord, je n'en sais rien, moi. Qu'est-ce qui me le prouve ?

Le Prince(3). — Oui, quoi ?

Marcel. — Comment ! Qu'est-ce qui vous le prouve ? Mais qu'est-ce qu'il vous faut ? Regardez la tenue de madame ! le prince sans vêtements !...

Le Commissaire, *lui coupant brutalement la parole et nez contre nez avec Marcel.* — C'est vous !... qui les avez jetés par la fenêtre.

Le Prince, *sur le même ton.* — C'est lui qui les a jetés par la fenêtre !

Marcel, *ahuri d'avoir ainsi à se défendre.* — Ça prouve qu'il ne les avait pas sur lui...

Le Commissaire, *écartant de grands bras.* — En voilà une preuve !

Le Prince, *haussant les épaules.* — C'est idiot !

Marcel, *indiquant Amélie assise sur le canapé.* — Et puis madame a avoué !... Qu'est-ce qu'il vous faut de plus ?

Le Commissaire, *furieux de cette insistance, grimpant sur ses ergots et allant se camper, tel un coq au combat, la poitrine contre la poitrine de Marcel.* — Ah ! Et puis, en voilà assez ! Je n'ai pas de leçon à recevoir de vous.

Marcel. — Hein ?

Le Prince. — À la bonne heure !

Le Commissaire, *toujours poitrine contre poitrine, nez contre nez, avec Marcel ahuri. Pivotant autour de lui de façon à gagner le nº 2.* — Considérez-vous comme bien heureux que je ne vous dresse pas procès-verbal pour fausse déclaration à un magistrat.

Marcel. — Moi !

Le Commissaire. — Oui, vous ! oui, vous ! Car, enfin, où est-il votre cambrioleur, hein ? Où est-il ?

Marcel, *complètement interloqué.* — Mais je... mais je...

Le Commissaire. — Oui ! Eh bien, que ça ne vous arrive plus !

Il remonte vers le prince.

Le Prince. — Bravo !

Marcel, *reste un instant comme assommé, puis au public.* — C'est moi le cocu ! et c'est moi qu'on engueule !

Le Commissaire, *au prince tout près de lui et l'échine courbée à hauteur de sa ceinture.* — Oh ! Monseigneur ! Je suis désolé ! Je supplie Votre Altesse d'agréer mes excuses. (*Redressant un peu l'échine.*) Tout ça, c'est la faute de ce maladroit !

LE PRINCE, *battant l'air avec son doigt d'un geste brusque et sous le nez du commissaire.* — Vous !... je vous fais commandeur de l'ordre de Palestrie !

LE COMMISSAIRE, *très ému.* — Hein ? Moi ? Monseigneur ! (*Se confondant en courbettes.*) Oh ! Monseigneur ! Quel honneur ! Comment pourrai-je exprimer à Votre Altesse !...

LE PRINCE, *le renvoyant du geste.* — Oui, c'est bien, allez !

Il tourne les talons sans plus s'occuper de lui.

LE COMMISSAIRE, *avec la plus plate obéissance.* — Oui, monseigneur. (*S'inclinant profondément.*) Monseigneur ! (*Un pas à reculons. Nouvelle salutation à Amélie.*) Madame ! (*De même, à Marcel, exactement sur le même ton qu'il a dit « Monseigneur ! Madame ! ».*) Idiot !

MARCEL, *se tournant à moitié vers lui.* — Quoi ?

LE COMMISSAIRE, *dans le même mouvement. Nouveau pas à reculons, nouvelle et dernière salutation.* — Monseigneur ! (*Se redressant et tournant les talons. À la cantonade.*) Venez, vous autres ! Il n'y a pas plus de cambrioleur que dans ma main !

Il sort.

MARCEL, *qui n'en est pas encore revenu.* — Ah ! bien, elle est raide, celle-là !

AMÉLIE, *au prince qui arpente nerveusement la scène de haut en bas.* — Monseigneur, je suis désolée qu'à cause de moi !...

LE PRINCE(2) *à Amélie*(3). — Oui, oh ! (*À Marcel* (1).) Ah ! vous avez fait des propretés, vous !

Il remonte.

MARCEL. — Allez, allez, monseigneur ! vous avez raison ! puisqu'il est avéré que vous jouissez d'un privilège !... que vous avez tous les droits ! Je m'incline et je vous fais mes excuses.

LE PRINCE, *qui n'a pas cessé d'arpenter et est redescendu à ce moment près de Marcel.* — Je me plaindrai demain... à la Présidence !...

Il remonte.

MARCEL, *toujours à gauche de la scène.* — Oh ! ça, la Présidence... dans cette affaire-là !...

LE PRINCE, *redescendant, à Marcel.* — Je regrette que ma situation ne me permette pas de donner à votre conduite les suites qu'elle comporte !

Il remonte.

MARCEL. — Je le regrette aussi, monseigneur.

LE PRINCE, *toujours nerveux.* — Oui !

AMÉLIE. — Monseigneur, du calme !

LE PRINCE, *presque crié.* — Je suis calme !

Il continue à arpenter.

MARCEL. — D'ailleurs, maintenant que le coup a raté, je puis bien dire que je suis désolé d'avoir eu à tomber précisément sur Votre Altesse, mais je n'avais pas le choix.

LE PRINCE, *toujours arpentant.* — Non, non, se permettre !...

AMÉLIE. — Et tout ça ! tout ça, par la faute d'Étienne !

MARCEL. — Oui. Ah ! Ce que je lui garde un chien de ma chienne, à celui-là.

AMÉLIE. — Et moi donc !

LE PRINCE, *brusquement redescendant* (2) *près de Marcel (1) et se campant devant lui.* — Enfin, quoi ? Quoi ? Vous ne pensez donc pas que je vais rester ainsi en chemise et en caleçon ! Vous allez me prêter un costume... que je m'en *vaille* !

MARCEL. — Mais je n'en ai pas !

LE PRINCE. — Eh bien, trouvez-en un ! Ça ne me regarde pas ! donnez-moi le vôtre.

En ce disant, il lui pince, en la secouant, la manche de son habit à hauteur du biceps.

MARCEL, *se dégageant et passant n° 2.* — Ah ! bien, plus souvent, par exemple !

LE PRINCE, *revenant à la charge.* — Allez ! Allez !

MARCEL, *se garant.* — Mais non !... mais non !... (*Entendant un bruit de voix à la cantonade. Impérativement, au prince.*) Chut !

Le Prince, *interloqué.* — Quoi ?

Amélie, le prince et Marcel prêtent l'oreille.

Voix d'Étienne. — Monsieur et madame sont là ?

Marcel, *à Amélie.* — Mais c'est Étienne, ma parole !

Amélie. — Il a le culot de venir se payer notre tête !

Marcel. — Ah ! bien, lui, il va me payer ce qu'il m'a fait !

Le prince (1) un peu au fond, Marcel (2) au milieu de la scène, Amélie (3) plus bas.

Scène 4

Les mêmes, Étienne, habit noir comme à la mairie

Étienne, *paraissant et s'arrêtant le chapeau sur la tête, les mains dans ses poches, sur le pas de la porte.* — Bonjour, les époux !

Amélie. — Toi !

Marcel, *s'avançant vers lui à pas lents, comme un fauve.* — Qu'est-ce que tu viens faire ?

Le prince gagne un peu à droite.

Étienne, *sur le ton dégagé et persifleur.* — Rien ! Voir si ça va comme vous voulez ? Si vous êtes heureux ?

Marcel. — Si nous sommes heureux ? Ah ! canaille !

Il le prend par le bras et le fait brutalement passer à sa gauche.

Étienne(3). — Eh bien, quoi donc ?

Marcel, *au prince.* — Monseigneur ! vous avez vu jouer le *Fil à la patte* [1] ?

---

1. Pièce de Feydeau créée en 1894. Dans la scène 7 de l'acte III, dont il sera question, Bois d'Enghien forçait Bouzin à lui donner son pantalon en le menaçant d'un revolver-jouet.

Le Prince, *qui ne comprend pas.* — Fil à la patte ?
Quoi ? quelle patte ?

Marcel, *tout en fouillant dans la poche de derrière de
son pantalon.* — Eh bien ! nous allons vous en rejouer
une scène ! et pas au chiqué, cette fois !

Étienne, *qui ne comprend pas où il veut en
venir.* — Qu'est-ce qu'il dit ?

Marcel. — Vous avez besoin d'un vêtement, monseigneur !

Le Prince. — Certes, par notre père !

Marcel. — C'est très bien ! (*À Étienne.*) Ton pantalon ! donne-moi ton pantalon !

Étienne, *qui croit à une plaisanterie. Gouailleur.* — Quoi ?

Marcel, *qui a tiré de sa poche un revolver qu'il
braque sur Étienne.* — Ton pantalon, ou je tire !

Le Prince, *qui se trouve sur la ligne du tir entre
Marcel et Étienne.* — Eh ! là ! Eh ! là !

Il remonte vivement et gagne près de la cheminée.

Étienne. — Ah çà ! tu plaisantes !

Marcel. — Je plaisante ! tiens !

Il tire en l'air.

Étienne, *faisant un bond en arrière.* — Ah !

Amélie, *tombant sur le canapé au pied du lit.* — Ah !

Le Prince, *descendant nº 1.* — Ah !

*En même temps un morceau de plâtre se détache du
plafond et tombe par terre.*

Amélie, *devant le dégât.* — Oh ! mon plafond !

Elle s'est relevée et descend un peu à droite.

Marcel. — Oui, oh ! ben, ton plafond... zut ! (*À
Étienne.*) Allons ! ton pantalon, ou je te tue comme un
chien.

Étienne, *suppliant.* — Marcel !...

Marcel, *agitant le revolver braqué sur
Étienne.* — Veux-tu vite...

Étienne, *terrorisé.* — Oui !... Oui-oui !

*Il est debout devant le canapé, déboutonne vivement ses
bretelles.*

Marcel. — Allez ! Allez ! plus vite que ça.

ÉTIENNE, *retirant précipitamment son pantalon.* — Voilà ! voilà !

Il passe le pantalon que Marcel prend de la main gauche sans cesser de tenir Étienne en joue.

MARCEL, *jetant par-dessus son épaule le pantalon au prince.* — Tenez ! attrapez, monseigneur !

LE PRINCE. — Merci !... (*Il enfile vivement le pantalon.*) Oho ! il va craquer !

MARCEL, *à Étienne.* — Et maintenant, ton habit ! ton gilet !

ÉTIENNE. — Marcel, voyons !

MARCEL. — Veux-tu donner ton habit et ton gilet !

ÉTIENNE, *retirant habit et gilet.* — Voilà ! voilà ! (*À part.*) Il est fou ! Il est complètement fou !

Il remet le gilet et l'habit à Marcel.

MARCEL, *jetant les vêtements au prince.* — Voilà, monseigneur ! (*Brusquement.*) Monseigneur ! pendant que vous y êtes, voulez-vous le caleçon ?

LE PRINCE. — Non, merci ! j'ai le mien et il est plus beau.

ÉTIENNE, *s'avançant piteux et suppliant jusqu'à Amélie, qui est à l'extrême droite.* — Amélie, je t'en prie !

AMÉLIE, *passant (3) devant Étienne.* — Oh ! ça ne me regarde pas ! Ça ne me regarde pas !

MARCEL, *allant au prince qui a sur lui le pantalon d'Étienne, mais n'a passé ni le gilet ni l'habit.* — Et maintenant, monseigneur, excusez-moi ! mais pour le projet que je médite, la présence de Votre Altesse est de trop.

LE PRINCE. — Je comprends !... Monsieur est mon remplaçant.

MARCEL. — Vous l'avez dit, monseigneur !

LE PRINCE. — C'est bien ; je me sauve ! Au revoir ! et bonne chance ! Au revoir, Amélie !

AMÉLIE, *faisant la révérence.* — Au revoir, monseigneur !

LE PRINCE, *est allé jusqu'à la porte dont il a poussé le battant comme pour sortir, puis, se ravisant, fait volte-face, et, après deux pas à froid, à Étienne qui est piteuse-*

ment à l'extrême droite appuyé contre le lit, se faisant un écran de son chapeau haut de forme tenu contre le ventre. — Cocoï boronzoff ! Lapépétt alagoss !

ÉTIENNE. — Quoi ?

LE PRINCE. — Yamolek ! Grobouboul !

Il sort.

ÉTIENNE, *voyant le prince s'en aller avec ses affaires.* — Non, mais c'est ça ! Il emporte mes vêtements et encore il m'engueule ! (*Voulant courir après le prince.*) Eh ! là-bas, vous !

MARCEL, *arrêtant son élan par la menace de son revolver.* — Bouge pas, toi ! ou je te brûle.

ÉTIENNE, *reculant, de façon à revenir à sa place primitive.* — Ah çà ! où veux-tu en venir ?

MARCEL, *prenant la main d'Amélie.* — Où je veux en venir ? À te faire pincer en flagrant délit avec ma femme.

AMÉLIE. — Absolument !

MARCEL, *la main gauche dans la main droite d'Amélie. Avançant ainsi qu'Amélie, à pas lents cadencés et successifs dans la direction d'Étienne.* — Ah ! Tu es l'amant de ma femme !

AMÉLIE, *même jeu.* — Ah ! le jour même de ses noces, on te surprend avec elle !

ÉTIENNE, *bouche bée. Affalé face à eux sur le bord du lit.* — Hein ?

MARCEL, *de même.* — Ah ! l'on te trouve en caleçon dans la chambre conjugale !...

AMÉLIE, *de même.* — Ah ! Amélie se trouve avec toi en jupon !

ÉTIENNE, *au public, désespéré.* — Ils sont fous ! Ils sont fous !

MARCEL, *un genou sur le canapé du pied du lit.* — Eh bien, le commissaire !

AMÉLIE, *appuyée des deux mains sur le bout du pied du lit.* — Le commissaire !

À ce moment, on frappe à la porte.

MARCEL, *prêtant l'oreille.* — Qui est là ?

VOIX DU COMMISSAIRE, *sur le même ton que Marcel et*

Amélie, et comme un écho de leur voix. — Le commissaire !

MARCEL et AMÉLIE, *avec une même révérence.* — Le
voilà !

ÉTIENNE, *abruti.* — Ah !

Scène 5

Les mêmes, LE COMMISSAIRE

MARCEL, *allant ouvrir la porte au commissaire.* — Entrez ! Entrez ! monsieur le commissaire !
Vous arrivez bien : nous parlions de vous.

LE COMMISSAIRE, *entrant, les vêtements du prince
pliés sur le bras.* — *Étonné.* — De moi ? (*Cherchant
des yeux le prince.*) Son Altesse ? Son Altesse est encore
là ?

MARCEL. — Non, elle vient de partir.

LE COMMISSAIRE. — Ah ! c'est que je lui rapportais
ses vêtements qu'on est venu déposer au commissariat.

MARCEL, *prenant les vêtements.* — C'est bien ! on les
lui fera parvenir.

Il va les déposer sur une chaise près de la cheminée.

LE COMMISSAIRE, *qui est un peu descendu, apercevant
Étienne toujours piteux dans son coin, s'inclinant.* — Monsieur !

ÉTIENNE, *s'inclinant également.* — Monsieur !

LE COMMISSAIRE, *faisant allusion à sa tenue.* — La...
la chaleur... sans doute ?

ÉTIENNE, *très gêné.* — La chaleur, oui, oui !

MARCEL, *qui est descendu (3).* — Oh ! mais je ne
vous ai pas présentés ! (*Présentant.*) M. Étienne de Milledieu, mon meilleur ami !... M. le commissaire du

quartier !... (*Échange de saluts.*) Et maintenant, monsieur le commissaire, veuillez constater que je viens de surprendre ma femme en flagrant délit d'adultère.

LE COMMISSAIRE, *avec un sursaut d'étonnement.* — Hein ? Encore !

AMÉLIE. — Oui, monsieur le commissaire.

ÉTIENNE, *suppliant.* — Marcel !

MARCEL. — Assez ! (*Au commissaire.*) Je m'étais trompé tout à l'heure ! L'amant de ma femme, ce n'était pas le prince ; c'était monsieur !

Il désigne du doigt Étienne.

LE COMMISSAIRE, *ravi de cette substitution.* — Ah ! à la bonne heure !

ÉTIENNE, *se précipitant n° 3.* — Mais c'est faux !

AMÉLIE (4). — Du tout, monsieur ! Je le reconnais !

ÉTIENNE, *indigné.* — Oh !

AMÉLIE. — D'ailleurs, tout Paris vous le dira.

ÉTIENNE. — Oh !

LE COMMISSAIRE. — Cet aveu me suffit.

MARCEL. — Veuillez constater.

LE COMMISSAIRE. — Où y a-t-il de quoi écrire ?

AMÉLIE, *remontant vers la porte du cabinet de toilette.* — Par ici, monsieur le commissaire.

LE COMMISSAIRE. — Venez.

Il remonte.

ÉTIENNE, *remontant avec le commissaire et arrivé sur le pas de la porte.* — Je proteste ! C'est une infamie ! Je suis un citoyen de la République.

LE COMMISSAIRE. — Oh ! ça, monsieur, ce n'est pas une considération !

Furieux, Étienne se couvre de son chapeau haut de forme dans lequel, après s'être déshabillé, il a jeté ses bretelles, ce qui fait que ces dernières pendent en partie hors du chapeau sur son cou. — *Ils entrent tous trois dans le cabinet de toilette.*

MARCEL, *redescendant.* — Enfin ! je suis vengé !

Scène 6

Les mêmes, Van Putzeboum

Van Putzeboum. — Ah ! te voilà, filske ! Je te demande pardon que je te relance ainsi donc ; mais une dépêche ça j'ai reçu qu'il faut que je parte ce soir. Alors, je t'apporte vite le chèque.

Marcel. — Le chèque ?...

Van Putzeboum. — Du fidéicommis donc ! Tu as rempli les conditions, voilà l'argent : douze cent mille francs de principal, plus les intérêts composés : deux cent septante mille nonante-trois francs et cinq.

Marcel, *un peu déconcerté par le flux de chiffres.* — Quoi ? quoi ?

Van Putzeboum, *lui remettant le chèque.* — Oh ! ça est le compte ! ça est le compte !

Marcel, *jetant un coup d'œil sur le chèque.* — ... Nonante-trois francs et cinq... Oui, oui !... c'est parfait !

Amélie, *paraissant à la porte du cabinet de toilette.* — Ah ! le parrain !

    Elle descend n° 3.

Marcel, *qui a aperçu Amélie.* — Et maintenant, mon parrain, j'ai l'honneur de vous annoncer...

Van Putzeboum, *s'inclinant d'avance.* — Compliments, hein donc !

Marcel. — Non ! non !

Van Putzeboum, *rengainant ses félicitations.* — Ah ?

Marcel. — ... mon prochain divorce avec mademoiselle Amélie d'Avranches, femme Courbois, que j'ai surprise en flagrant délit d'adultère avec M. Étienne de Milledieu, mon meilleur ami.

Van Putzeboum. — Hein ?

Marcel, *à Amélie.* — N'est-ce pas ?

Amélie. — Absolument.

Van Putzeboum, *voulant reprendre le chèque que Marcel tient toujours à la main.* — Ah ! mais alors...

Marcel, *écartant la main de Van Putzeboum et mettant le chèque dans la poche intérieure de son habit.* — Ah ! pardon, parrain !... Les conditions ont-elles été remplies ?

Van Putzeboum, *gauloisement.* — Ça !... Elles ont même été remplies avant.

Marcel. — Alors, ça ne vous regarde plus !

À ce moment sortent du cabinet de toilette Étienne et le commissaire discutant ensemble.

Étienne. — Mais enfin, monsieur le commissaire... !

Le Commissaire. — Non monsieur ! Ça ne me regarde pas ! Ça ne me regarde pas !

Il a son carnet à la main sur lequel il achève d'écrire.

Marcel. — Allons, venez, parrain !

Van Putzeboum et le commissaire sortent et s'arrêtent sur le pas de la porte à la voix d'Étienne.

Étienne, *qui est descendu n° 5.* — C'est une infamie ! (*À Marcel.*) Tu m'en rendras raison.

Marcel. — À tes ordres. Au revoir, Amélie !

Il l'embrasse.

Amélie. — Au revoir, Marcel.

Étienne, *voyant tout le monde sur le point de se retirer.* — Eh bien, et moi, alors, qu'est-ce que je deviens ?

Marcel, *prenant Amélie par les épaules et la poussant gaiement vers Étienne.* — Eh bien, mon vieux ! Occupe-toi d'Amélie !

Il sort précédé par Van Putzeboum et le commissaire.

Étienne, *ahuri, se laissant choir sur le canapé.* — Qu'est-ce qu'il a dit ?

Amélie, *s'asseyant sur ses genoux.* — Occupe-toi d'Amélie !

Étienne, *confondu.* — Ah !

RIDEAU

BIBLIOGRAPHIE

Œuvres de Georges Feydeau

Théâtre complet, édition Gidel, « Classiques Garnier », 4 volumes, Paris, 1988-1989, avec introduction, chronologie, bibliographie, notices et résumés pour chaque pièce, notes. Le tome IV de cette édition, qui respecte l'ordre chronologique, comporte, outre les dernières pièces de Feydeau, ses 22 monologues et 7 pièces inédites.

Sur l'œuvre de Feydeau

a) Ouvrages

GIDEL Henry, *La Dramaturgie de Feydeau*, 2 vol., Atelier de reproduction des thèses de Lille III et Honoré Champion, 1978 (thèse de Doctorat présentée devant l'Université de Paris-Sorbonne en 1975).

— , *Le Théâtre de Georges Feydeau*, Paris, Klincksieck, 1979.

— , *Feydeau* (biographie), Paris, Flammarion, 1991.

— , *Introduction* au *Théâtre complet*, tome I, pp. 9-77 (voir ci-dessus).

— , Préface et commentaires de l'édition du *Dindon*, Paris, Le Livre de Poche classique, Hachette, 1989.

TREICH Léon, *L'Esprit de Georges Feydeau*, coll. d'anas, n° 30, propos, anecdotes et variétés recueillis par Léon Treich, Paris, Gallimard, 1927.

b) Articles et recueils d'articles

ACHARD Marcel, *Rions avec eux*, Paris, Fayard, 1957.

Cahiers Renaud-Barrault. Molière-Feydeau, cahier n° 15, janv. 1956, Julliard, et *La Question Feydeau*, n° 32, déc. 1960 (reprise des articles du cahier précédent augmentée de trois autres articles).

Cahiers du théâtre, n° 8/273, numéro spécial consacré à Georges Feydeau et rédigé par Jacques Lorcey (1973).

CHARON (Jacques), « Le théâtre de Feydeau », *Les Annales*, juillet 1962, pp. 23-34.

FAVRE Yves-Alain, « Le comique de Feydeau », *Revue des sciences humaines*, avril-juin 1973.

Sur l'environnement historique et sociologique de l'œuvre de Feydeau

BILLY André, *L'Époque 1900*, Paris, Tallandier, 1951.

CHASTENET Jacques, *Histoire de la Troisième République*, Paris, Hachette, 1952-1953, vol. I à IV.

MORAND Paul, *1900*, Paris, Flammarion, 1930.

Le Rire, hebdomadaire humoristique (fondé en 1894).

ZELDIN Théodore, *Histoire des passions françaises (1848-1945)*, 5 vol., Paris, Seuil, 1980-1981.

FILMOGRAPHIE

Occupe-toi d'Amélie a été l'objet d'au moins quatre adaptations cinématographiques :

— En 1913, par le réalisateur Émile Chautard (1881-1934).

— En 1925, par le réalisateur Amleto Palermi (1890-1941).

— En 1932, par les réalisateurs Richard Weisbach et Marguerite Viel.

— En 1949, par le réalisateur Claude Autant-Lara (né en 1901) dans une adaptation de la pièce par Jean Aurenche et Pierre Bost avec Danielle Darrieux (Amélie), Jean Desailly (Marcel Courbois), Grégoire Aslan (le Prince), et Julien Carette (Pochet).

CHRONOLOGIE

1862. — 8 décembre. Naissance à Paris, 49 *bis*, rue de Clichy, de Georges-Léon-Jules-Marie Feydeau, fils d'Ernest Feydeau et de Léocadie Bogaslawa Zélewska (épousée en secondes noces, le 30 janvier 1861), nièce d'Alphonse de Calonne, directeur de la *Revue contemporaine*.

1869. — Éveil de la vocation théâtrale de l'auteur. Il compose sa première pièce.

1872. — Octobre. G.F. est interne au lycée Saint-Louis (classe de huitième, 2e division). Il continue à écrire des pièces et reçoit les encouragements d'Henri Meilhac.

1876. — Fondation par G.F. et son condisciple Adolphe Louveau (plus tard Fernand Samuel) du Cercle des Castagnettes qui donnera des concerts et des représentations théâtrales.

1879. — 1er novembre. Le Cercle des Castagnettes donne un spectacle au cours duquel G.F. interprète du Molière et du Labiche (il est Oronte dans *Le Misanthrope* et Beaudéduit dans *Un monsieur qui prend la mouche*). Il récite deux monologues. Le public est d'abord composé de jeunes amateurs de théâtre, d'amis des membres du cercle, de leur famille et de quelques critiques sympathisants.

1882. — 1ᵉʳ juin. Création de *Par la fenêtre*, pièce en un acte de G.F. au cours d'un spectacle donné par le Cercle des Arts intimes (reprise au casino de Rosendaël le 9 septembre). Succès.

1883. — 28 janvier. Représentation donnée par le Cercle de l'Obole à l'Athénée-Comique. Au programme, *Amour et piano*, un acte de G.F., bien accueilli par la critique.

1ᵉʳ juin. G.F. donne, au Cercle des Arts intimes, *Gibier de potence*, comédie-bouffe en un acte (il joue lui-même le rôle de Plumard).

1885. — 20 février. Première représentation publique de *Gibier de potence*, comédie en un acte, au Concert Parisien.

1886. — 17 décembre. Création de *Tailleur pour dames*, comédie en trois actes, à la Renaissance. Succès : 79 représentations. Bonne critique.

1887. — Création de *La Lycéenne*, vaudeville-opérette en trois actes, musique de Gaston Serpette, à la Renaissance. Mauvais accueil de la critique ; 20 représentations.

1888. — 13 avril. Création d'*Un bain de ménage*, vaudeville en un acte, au Théâtre de la Renaissance. Échec : 16 représentations.

19 septembre. Création de *Chat en poche*, vaudeville en trois actes, au Théâtre Déjazet. Échec : 36 représentations.

27 septembre. Création des *Fiancés de Loches*, vaudeville en trois actes, de G.F. en collaboration avec Maurice Desvallières, au Théâtre Cluny. Échec. La pièce quitte l'affiche dès le 11 octobre.

Feydeau est pressenti par R. Deslandes et A. Carré, le directeur du Vaudeville, pour interpréter le principal rôle de *Mensonges*, pièce de Léopold Lacour et Pierre Decourcelle d'après le roman de Paul Bourget. L'affaire n'aura pas de suite.

1889. — 12 janvier. Création de *L'Affaire Édouard*, comédie-vaudeville en trois actes de G.F. et Maurice Desvallières, au Théâtre des Variétés. Échec : 17 représentations.

14 octobre. G.F. épouse Marianne Carolus-Duran, la fille du peintre.

1890. — 10 mars. Création de *C'est une femme du monde*, comédie en un acte, et du *Mariage de Barillon*, vaudeville en trois actes, au Théâtre de la Renaissance. Les deux pièces sont écrites en collaboration avec Maurice Desvallières. Échec : 26 représentations.

1892. — 23 avril. Création de *Monsieur chasse*, comédie en trois actes, au Palais-Royal. Grand succès : 114 représentations. Très bon accueil de la critique. Dans la distribution figure le jeune Marcel Simon, qui deviendra l'un des meilleurs amis de l'auteur.

5 novembre. Création de *Champignol malgré lui*, pièce en trois actes de G.F. et Maurice Desvallières au Théâtre des Nouveautés. Triomphe : en 1892, 65 représentations ; en 1893, 369 ; en 1894, 33.

30 novembre. Création du *Système Ribadier*, comédie en trois actes de G.F. et Maurice Hennequin, au Palais-Royal ; 78 représentations malgré une critique assez bonne.

1894. — 9 janvier 1894. Création d'*Un fil à la patte*, comédie en trois actes, au Palais-Royal. Vif succès : 129 représentations.

11 février. Création de *Notre futur*, pièce en un acte, à la « Salle de Géographie ».

24 février. Création du *Ruban*, comédie en trois actes, de G.F. et Maurice Desvallières, à l'Odéon. Mauvais accueil de la critique ; 45 représentations.

5 décembre. Création de *L'Hôtel du Libre-Échange*, pièce en trois actes de G.F. et Maurice Desvallières au Théâtre des Nouveautés. Très vif succès : 371 représentations.

Ce vaudeville marque la fin de la collaboration avec Maurice Desvallières. (Si l'on excepte le cas de *L'Âge d'or*, en 1905.)

1896. — 8 février. Création du *Dindon*, pièce en trois actes, au Palais-Royal. Très grand succès : 275 représentations.

26 septembre. Création des *Pavés de l'ours*, comédie en un acte, au Théâtre Montansier, à Versailles.

1897. — 29 mars. Création de *Séance de nuit*, comédie en un acte, au Théâtre du Palais-Royal ; 44 représentations.

29 avril. Création de *Dormez, je le veux !*, comédie en un acte, au Théâtre de l'Eldorado.

1899. — 17 janvier. Création de *La Dame de chez Maxim*, pièce en trois actes, au Théâtre des Nouveautés. Succès triomphal. La pièce est jouée toute l'année et reprise en 1900 ; le 26 novembre de cette année, 524e représentation.

La Dame de chez Maxim est la première pièce où Feydeau attribue un rôle à l'actrice Armande Cassive qui, après son succès dans le rôle de la Môme Crevette, deviendra l'une des interprètes préférées de l'auteur.

1902. — 3 décembre. Création de *La Duchesse des Folies-Bergère*, pièce en trois actes et cinq tableaux, au Théâtre des Nouveautés. Succès : 82 représentations.

1904. — 1er mars. Création de *La main passe*, pièce en quatre actes, au Théâtre des Nouveautés. Vif succès : 211 représentations en 1904.

1905. — 1er mai. Création de *L'Âge d'or*, pièce féerique à grand spectacle en trois actes et douze tableaux, de G.F. et Maurice Desvallières. Musique de Louis Varney. Bon accueil de la critique ; 33 représentations. Mais la pièce, dont la mise en scène entraîne des frais excessifs, n'est pas reprise à la rentrée.

1906. — 1ᵉʳ mars. Création du *Bourgeon*, comédie en trois actes, au Théâtre du Vaudeville. Assez bon accueil de la critique ; 92 représentations.

1907. — 2 mars. Création de *La Puce à l'oreille*, pièce en trois actes, au Théâtre des Nouveautés. Triomphe. Mais la mort de l'acteur Torin, qui interprète le rôle de Camille, abrège la carrière de la pièce : elle n'obtient que 86 représentations.

1908. — 15 mars. Création d'*Occupe-toi d'Amélie*, pièce en trois actes et quatre tableaux. Triomphe : 288 représentations en 1908 et 1909.

15 novembre. Création de *Feu la mère de Madame*, pièce en un acte, à la Comédie-Royale. Bon accueil de la critique et du public.

1909. — Septembre. G.F. quitte son épouse et s'installe à l'hôtel Terminus, près de la gare Saint-Lazare ; il y restera, selon toute vraisemblance, jusqu'en octobre 1919.

29 octobre. Création du *Circuit*, pièce en trois actes et quatre tableaux de Georges Feydeau et Francis de Croisset au Théâtre des Variétés. Mauvais accueil de la critique et du public ; 44 représentations. La pièce quitte l'affiche le 13 décembre, malgré un remaniement du troisième acte.

1910. — 13 avril. Création d'*On purge Bébé*, pièce en un acte, au Théâtre des Nouveautés. Bon accueil du public et de la critique ; 85 représentations en 1910.

1911. — Janvier. On répète aux Nouveautés les deux premiers actes de *Cent millions qui tombent*, pièce qui ne fut jamais terminée par l'auteur — lequel en aurait cherché le dénouement pendant sept ans...

25 novembre. Création de *Mais n'te promène donc pas toute nue !*, comédie en un acte, au Théâtre Fémina. Très bon accueil du public et de la critique. La pièce, qui fait partie d'un

« spectacle coupé », tient l'affiche jusqu'au début de mars 1912.

9 décembre. Création de *Léonie est en avance* ou *Le Mal joli*, pièce en un acte, à la Comédie-Royale. Bon accueil de la critique.

Occupe-toi d'Amélie paraît — pour la première fois — dans *L'Illustration théâtrale* et est repris aux Nouveautés, avec Armande Cassive, Germain, Landrin et Marcel Simon.

1913. — Février. On répète au Théâtre Michel, le premier acte d'*On va faire la cocotte*, pièce en deux actes restée inachevée à la mort de l'auteur.

1914. — 18 février. Création de *Je ne trompe pas mon mari*, pièce en trois actes de G.F. et René Peter, au Théâtre de l'Athénée. Bon accueil de la critique et du public : 200 représentations.

1916. — 14 janvier. Création d'*Hortense a dit : « Je m'en fous »*, pièce en un acte, au Théâtre du Palais-Royal, 89 représentations.

1917. — Reprise d'*Occupe-toi d'Amélie* à la Scala.

1919. — G.F., conquis à l'art cinématographique par un film de Chaplin, *Charlot soldat*, projette d'écrire un scénario pour lui.

Octobre. L'auteur qui a contracté la syphilis, atteint de troubles psychiques graves, est placé par ses fils au Sanatorium, maison de santé de Rueil-Malmaison.

1921. — 5 juin. Mort de G.F.

1923. — Reprise d'*Occupe-toi d'Amélie* à la Scala et au Nouveau Théâtre de Vaugirard.

1929. — Reprise d'*Occupe-toi d'Amélie* aux Bouffes du Nord, au Théâtre lyrique du XVIe arrondissement et au Théâtre Moncey.

1948. — Reprise d'*Occupe-toi d'Amélie* par la compagnie Madeleine Renaud-Jean-Louis Barrault au Théâtre Marigny, avec une mise en scène de Jean-Louis Barrault.

1969. — Reprise d'*Occupe-toi d'Amélie* au Théâtre de la Madeleine, avec une mise en scène de Jacques Charon.

Table

Composition réalisée par EURONUMÉRIQUE

IMPRIMÉ EN FRANCE PAR BRODARD ET TAUPIN
Usine de La Flèche (Sarthe).
LIBRAIRIE GÉNÉRALE FRANÇAISE - 6, rue Pierre-Sarrazin - 75006 Paris.
ISBN : 2 - 253 - 13723 - 5 ◈ 31/3723/9